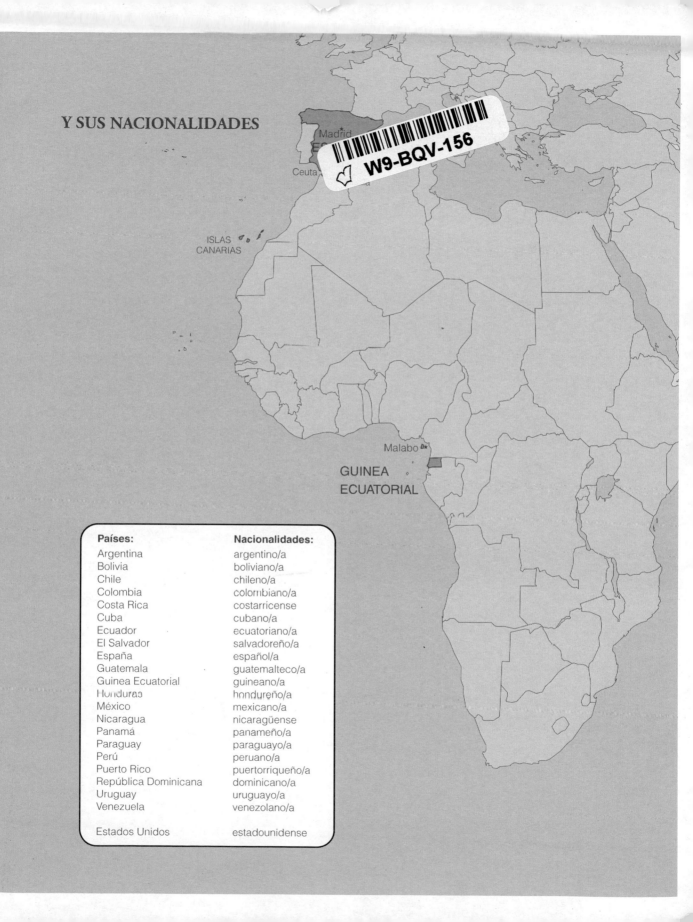

Y SUS NACIONALIDADES

Madrid

Ceuta

ISLAS
CANARIAS

Malabo

GUINEA
ECUATORIAL

Países:	Nacionalidades:
Argentina	argentino/a
Bolivia	boliviano/a
Chile	chileno/a
Colombia	colombiano/a
Costa Rica	costarricense
Cuba	cubano/a
Ecuador	ecuatoriano/a
El Salvador	salvadoreño/a
España	español/a
Guatemala	guatemalteco/a
Guinea Ecuatorial	guineano/a
Honduras	hondureño/a
México	mexicano/a
Nicaragua	nicaragüense
Panamá	panameño/a
Paraguay	paraguayo/a
Perú	peruano/a
Puerto Rico	puertorriqueño/a
República Dominicana	dominicano/a
Uruguay	uruguayo/a
Venezuela	venezolano/a
Estados Unidos	estadounidense

Más allá de las palabras

Intermediate Spanish, Second Edition

Olga Gallego Smith
Concepción B. Godev
Mary Jane Kelley
Rosalba Esparragoza Scott

University of Michigan

ISBN   978-0-470-57797-4
Printed and bound by IPAK

10 9 8 7

CONTENIDO

CAPÍTULO 3 NUESTRA COMUNIDAD BICULTURAL

CAPÍTULO 4 LA DIVERSIDAD DE NUESTRAS COSTUMBRES Y CREENCIAS

CAPÍTULO 5 NUESTRA HERENCIA INDÍGENA, AFRICANA Y ESPAÑOLA

Achieve Positive Learning Outcomes

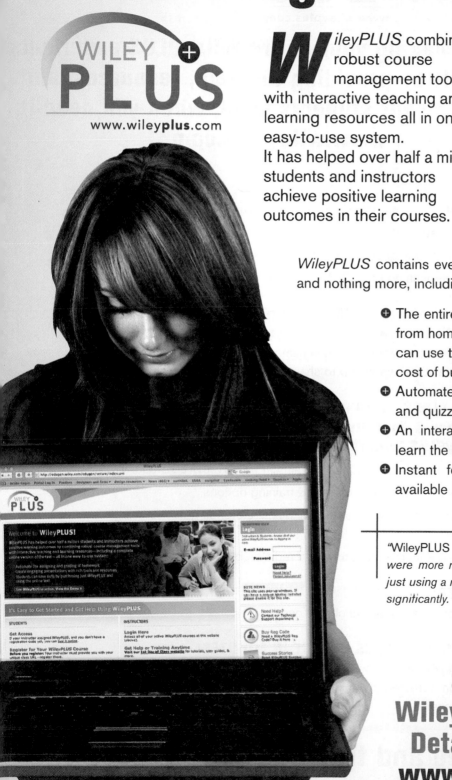

WILEY ⊕ PLUS

www.wiley**plus**.com

Wiley is committed to making your entire WileyPLUS experience productive & enjoyable by providing the help, resources, and personal support you & your students need, when you need it. It's all here: www.wileyplus.com

ECHNICAL SUPPORT:

- ⊕ A fully searchable knowledge base of FAQs and help documentation, available 24/7
- ⊕ Live chat with a trained member of our support staff during business hours
- ⊕ A form to fill out and submit online to ask any question and get a quick response
- ⊕ **Instructor-only** phone line during business hours: 1.877.586.0192

FACULTY-LED TRAINING THROUGH THE WILEY FACULTY NETWORK:
Register online: www.wherefacultyconnect.com

Connect with your colleagues in a complimentary virtual seminar, with a personal mentor in your field, or at a live workshop to share best practices for teaching with technology.

1ST DAY OF CLASS...AND BEYOND!
Resources You & Your Students Need to Get Started
& Use *WileyPLUS* from the first day forward.

- ⊕ 2-Minute Tutorials on how to set up & maintain your *WileyPLUS* course
- ⊕ User guides, links to technical support & training options
- ⊕ *WileyPLUS for Dummies*: Instructors' quick reference guide to using *WileyPLUS*
- ⊕ Student tutorials & instruction on how to register, buy, and use *WileyPLUS*

OUR WileyPLUS ACCOUNT MANAGER:

Your personal *WileyPLUS* connection for any assistance you need!

WILEY ⊕ PLUS QuickStart

SET UP YOUR WileyPLUS COURSE IN MINUTES!

Selected *WileyPLUS* courses with QuickStart contain pre-loaded assignments & presentations created by subject matter experts who are also experienced *WileyPLUS* users.

Interested? See and try WileyPLUS in action!
Details and Demo: www.wileyplus.com

Más allá de las palabras

Intermediate Spanish

Más allá de las palabras

Intermediate Spanish

2e

Olga Gallego Smith
University of Michigan

Concepción B. Godev
University of North Carolina, Charlotte

Mary Jane Kelley
Ohio University

Rosalba Esparragoza Scott
Davidson College

WILEY

VICE PRESIDENT AND EXECUTIVE PUBLISHER	Jay O'Callaghan
DIRECTOR, MODERN LANGUAGES	Magali Iglesias
SENIOR DEVELOPMENTAL EDITOR	Elena Herrero
EDITORIAL PROGRAM ASSISTANT	Lisha Perez
EXECUTIVE MARKETING MANAGER	Jeffrey Rucker
PROJECT EDITOR	Ana Bravo-Castro
SENIOR PRODUCTION EDITOR	William A. Murray
SENIOR DESIGNER	Kevin Murphy
INTERIOR DESIGN	Nancy Field
COVER DESIGN	David Levy
COVER PHOTO	Wayne H. Chasan/Photographer's Choice/Getty Images
SENIOR ILLUSTRATION EDITOR	Anna Melhorn
SENIOR PHOTO EDITOR	Jennifer MacMillan
SENIOR MEDIA EDITOR	Lynn Pearlman
MEDIA PROJECT MANAGER	Margarita Valdez

This book was set in Adobe Garamond by Pre-Press PMG and printed and bound by R.R. Donnelley.

This book is printed on acid free paper.

To order books or for customer service please call 1-800-CALL WILEY (225-5945).

ISBN: 978-0-470-04941-9

Printed in the United States of America

10 9 8 7 6 5 4 3 2 1

ABOUT THE AUTHORS

Olga Gallego Smith

I was born in Bilbao and raised in Venezuela, I earned a B.A. in English from the Universidad Complutense de Madrid. I attended graduate school at Penn State University, where I earned a Ph.D. in Spanish Applied Linguistics with a concentration in Second Language Acquisition. As Spanish Program Director in the Department of Romance Languages at the University of Michigan from 1995 to 2006, I supervised the elementary Spanish curriculum and the training and coordination of instructional staff.

My professional interests focus on foreign language pedagogy and language acquisition, with emphasis on the development of pedagogical materials. For as long as I can remember, teaching has been my passion. I cannot imagine doing anything else; I guess teaching is what I was born to do.

Dedico esta segunda edición de *Más allá de las palabras* a la memoria de Carmeli.

I became interested in the field of second language teaching and learning when I was hired as a language teaching assistant at Dickinson College. Later on, I went to graduate school at Penn State University, where I earned my Ph.D. in the field of Applied Linguistics. My research in this field as well as the hundreds of language students that I have taught have inspired my current approach to teaching, an approach that prompts the following comments from my students: "She makes her students feel comfortable speaking in class (even if we make tons of mistakes)."

I dedicate this work to my family and my students.

Concepción B. Godev

Mary Jane Kelley

I began Spanish classes in elementary school, where I soon realized that language study was unique. The creativity, energy, and erudition of my language teachers in high school and college, along with several early opportunities to study abroad, inspired and led me naturally to a Ph.D. in Spanish. As Associate Professor of Spanish at Ohio University, some of my most rewarding teaching experiences occur in beginning and intermediate language classes, where I aspire to engage my own students in ways I learned from my gifted teachers. I am delighted to co-author the second edition of *Más allá de las palabras* and apply the guiding principle of intermediate language instruction I learned from the first: by offering high-interest cultural material and integrating cultural themes with grammar instruction, students engage with the language and produce rich and meaningful output.

I dedicate my contribution to this second edition to my mother, in her ninetieth year.

I began teaching Spanish when I moved from Colombia to the United States. While earning my graduate degree and teaching as a graduate assistant at the University of Southern Mississippi, I had the good fortune of working with two professors that have been an inspiration for me ever since. Dr. Bill Powell was instrumental in giving me the background I have in applied linguistics and second language acquisition. Dr. Karen O. Austin is truly the best Spanish professor I have ever seen in a classroom. Learning and working with Dr. Austin gave me a rich foundation in the dynamics between teacher and student. It was during those formative years that I involved myself in the teaching of beginning and intermediate Spanish, and gained a better understanding of the challenges faced by second/foreign language learners. I am honored to be part of *Más allá de las palabras, second edition* and it is my hope that you, the learner, find this book to be the best companion in your quest to learn Spanish.

Rosalba Esparragoza Scott

I dedicate my contribution to this book to my entire family and to Dr. Karen Austin.

PREFACE

Más allá de las palabras is a culture-based intermediate Spanish program, designed for use at the third and fourth semesters of college study that integrates language skills with subject matter. The title *Más allá de las palabras*, or *Beyond Words,* reflects the primary goal of this program: to ensure a smooth transition from the practical knowledge of the Spanish language necessary for daily tasks to a deeper understanding of the cultures of the Hispanic world, taking students beyond the classroom.

Fully supported with technology, this program addresses the five Cs of ACTFL's Standards for Foreign Language Learning. **Culture** and language are carefully balanced and tightly integrated so that students accomplish meaningful **communication** in Spanish, and make **connections** to other disciplines such as history, geography, politics, music and literature. *Más allá de las palabras* systematically prompts students to make **comparisons** between Hispanic cultures and their own, and to use their knowledge of English grammar to support their learning of Spanish. The integrated, comparative approach to culture equips learners to explore Spanish-speaking **communities** in the real world and to become actual or virtual members of those communities.

PROGRAM FEATURES AND GOALS

Graduated learning and a *smooth transition* to the second year of language study.
Instructors of second-year Spanish face a variety of preparation levels among students in their classes, and an intermediate textbook cannot assume that all students have retained and assimilated first-year structures and skills. *Más allá de las palabras* helps all students succeed in second year by first reviewing familiar themes and communicative functions in chapters 1–5 and then introducing increasingly sophisticated functions in chapters 6–10.

Rich and effective *integration* of culture and language.
Each chapter in *Más allá de las palabras* focuses on a broad cultural theme fully integrated with language. Students complete grammar activities and practice the four skills in the context of relevant information about the Hispanic world. In addition, both the text and the *Activities Manual* frequently require students to compare what they have learned about Hispanic cultures with their own culture and to express their thoughts orally or in writing.

Thorough *recycling* of communicative functions and grammar.
In addition to recycling first-year grammar and functions early in the program, *Más allá de las palabras* recycles essential functions and grammar structures throughout the book. Description; narration in the present, past, and future; comparison; expression of opinion; summarizing and hypothesizing all recur in a variety of formats that sustain the students' interest. Through systematic reinforcement, students reach a higher level of proficiency in each of these important communicative functions.

***Simplified* instructional techniques.**
To facilitate the learning process, *Más allá de las palabras* divides activities into subtasks that build gradually to the most complex component. As a result, students are able to perform complex speaking and writing tasks without feeling overwhelmed.

Substantial *listening comprehension* in various formats.

Tema 2 of each chapter in the textbook features a short lecture, or *Miniconferencia*, which instructors deliver in class after downloading the script and lecture tips from the Instructor Companion Web Site or WileyPLUS. The *Miniconferencia* provides students with cultural information in addition to listening comprehension strategies that prepare them for advanced courses in literature and civilization. The CD that accompanies the textbook contains a recorded version of both the *Miniconferencias* and the *Ven a conocer* readings from *Tema* 4 of each chapter.

The audio tracks for the *Activities Manual* contain four types of listening passages. In each of *Temas* 1–3, students hear one paragraph-length passage related to the cultural content in the chapter and one model conversation based on the textbook's *Vocabulario para conversar*. Activities require students to listen for important details. *Tema* 4 features a discourse-length passage with an activity that walks students through several stages of comprehension: 1) identifying the speaker and the context for the passage, 2) comprehending the main idea and 3) understanding important details. An additional task asks students to focus on verb forms. The fourth type of listening offers pronunciation practice of sounds difficult to pronounce for English speakers.

Strong support for *reading comprehension*.

Each chapter of ***Más allá de las palabras*** contains at least four reading passages through which students acquire the cultural knowledge they will react to and reflect on throughout the chapter. Clearly designed pre- and post-reading activities guide students through these readings. For readings of greater extension or higher levels of complexity, the authors have devised a technique to support the reading process in which students pause at different points, consider what they have read, and double-check their comprehension. This technique, in the *Momento de reflexión* boxes, helps students manage their reading skills effectively and promotes student awareness of the nature of reading in a foreign language.

High interest *literary selections*.

Más allá de las palabras treats literature as both a cultural and an artistic expression. The literary selection in each chapter reflects one of the chapter's cultural themes, and activities in both the textbook and the *Activities Manual* require students to interact personally with the text and reflect on the author's literary art.

Humor and light material.

Más allá de las palabras features cultural and linguistic details that appeal to students' sense of humor and creativity. Role-play activities allow students to put their own spin on history by impersonating fictional characters or historical figures. Many of the *Vocabulario para conversar* activities present humorous situations and provide students the linguistic strategies to engage fully. A *Curiosidades* section of each chapter offers a game, a joke or some other light-hearted feature.

CHAPTER ORGANIZATION

Más allá de las palabras is theme-based in chapters 1 through 5, and chapters 6 through 10 each focus on a region of the Spanish-speaking world. The chapters, subdivided into four *Temas*, contain the following sections:

Lectura or Miniconferencia

Temas 1, 3, and 4 begin with a photo-illustrated text with geographical, cultural, or past and present historical information about a particular country. Pre-reading activities emphasize the activation of background knowledge and the development of reading strategies with an emphasis on vocabulary building. Post-reading activities integrate the theme into written and oral communicative practice and reinforce vocabulary. Some activities call for individual completion while others require working in pairs or groups. *Tema* 2 begins with a mini-lecture **(Miniconferencia)** that features pre- and post-listening activities.

Gramática

This section provides concise and user-friendly grammatical explanations in English with examples in Spanish drawn from the readings or the chapter's cultural theme. The explanation is followed by communicative oral and written activities designed to move students gradually from controlled to more open-ended and creative practice. The *Grammar Reference* section at the end of the book provides support for students to review first-year grammar topics, and grammatical information that goes beyond the material presented in the chapter.

Vocabulario para conversar

Included in *Temas* 1 through 3, this section focuses and builds on the communicative functions and strategies learned in first-year Spanish and exposes students to new ones. Students acquire relevant vocabulary as they practice each function in open-ended dialogues in specific contexts.

Curiosidades

In *Temas* 1 and 2, this enjoyable section includes music, jokes, recipes, games, fun activities, and tests integrated with the chapter's themes. *Curiosidades* provides continuing opportunities for language use in the context of lighter material.

Color y forma

In *Tema* 3 students observe a work of art and, through speaking or writing activities, express their reactions. Each work reflects a thematic connection to the chapter.

Ven a conocer

Tema 4 presents sites of interest in the Spanish-speaking world. The section *Ven a conocer* offers interactive pre- and post- reading activities and stimulates students' interest in traveling to the area and/or exploring it in more depth on the Internet through a suggested *Viaje virtual*.

End of chapter material

Each chapter ends with a section called *Más allá de las palabras* subdivided as follows:

Redacción

This section takes a process-oriented approach to the development of writing skills. Writing assignments include a variety of text types from description and narration to expository and argumentative texts. Each step in the process assists the intermediate writer in generating a clear writing plan and organizing and expressing ideas in a coherent manner in addition to providing linguistic support.

El escritor tiene la palabra

Excerpts by major literary figures illustrate a theme from each chapter. Post-reading activities emphasize comprehension and prompt students to analyze the text critically. The *Activities Manual* includes additional exercises that introduce students to systematic literary analysis and literary terminology.

Vocabulario

Every chapter ends with a complete list of vocabulary, divided in three sections: *Ampliar vocabulario*, *Vocabulario glosado*, and *Vocabulario para conversar*. All items from the first two sections appear in the Glossary at the end of the book.

NEW FEATURES OF THE SECOND EDITION

- New design that makes this edition even more user-friendly and content clear.

- The table of contents and chapter organization are clear, concise and easy to use.

- The vocabulary list at the end of each chapter has been expanded and reorganized.

- The cultural content is fully revised and updated to reflect sociopolitical changes in the world.

- Includes three different vocabulary sections in each chapter: *Vocabulario antes de leer/escuchar* and *Vocabulario después de leer/escuchar*, and *Vocabulario para conversar*.

- More activities for vocabulary and speaking practice.

- Extensive annotations for instructors with extra information on activities, and supplements.

- *Viaje virtual*, a new feature in the *Ven a conocer* section of every chapter, has been included to encourage learners to explore the Internet to make deeper connections to the culture of a particular Spanish-speaking country.

- New recordings of *Ven a conocer* readings for listening skills practice.

- Revised *Miniconferencias*.

- A new *Tema* for Chapters 1–5 with new readings and activities.

- Each chapter includes a short, high-interest literary selection in the section *El escritor tiene la palabra*. These are new readings for Chapters 1–5.

SUPPLEMENTS

- The Activities Manual is available both in paper and electronic format, with the corresponding audio CDs. Includes new listening and *Pronunciación* activities.

- A fully revised video program provides additional cultural content and listening practice, and video activities.

- Updated and user-friendly web site for instructors and students with a variety of supplemental materials, including Testing Program, *Autopruebas,* Grammar Reference, and many other supporting materials.

- *WileyPLUS* includes an electronic version of the Textbook and Activities Manual, audio, videos, online homework, WIMBA voice-recording, Spanish grammar tutorials, and more!

THE COMPLETE PROGRAM

Student Resources

Textbook with Audio CDs
978-0-470-04941-9
The CDs shrinkwrapped with the textbook include recordings for the *Miniconferencia, Ven a conocer,* and vocabulary at the end of each chapter.

Activities Manual
978-0-470-04942-6
The Activities Manual includes vocabulary, grammar, listening, writing and pronunciation activities designed to provide additional individual practice. Each chapter in the Activities Manual follows the structure and content presented in each corresponding chapter in the textbook. Audio CDs are available for the listening comprehension and pronunciation activities. It includes an answer key and is available in paper and in WileyPLUS.

Laboratory Audio Program
978-0-470-50205-1
The Lab Audio Program includes recordings of the textbook (*Miniconferencia, Ven a conocer,* and vocabulary list at the end of the chapters) and the listening and pronunciation activities in the Activities Manual. The Laboratory Audio Program is available in WileyPLUS. The script is included in the Instructor Companion website and WileyPLUS.

Video
978-0-470-46169-3
The video consists of 28 segments featuring short documentaries and interviews with native speakers designed to expand on the cultural topics presented in the textbook. Pre-viewing, viewing and post-viewing activities are available in WileyPLUS.

Companion Web Site (www.wiley.com/college/gallego)
Updated and user-friendly web site for students with a variety of supplemental materials, including Internet Activities, *Autopruebas,* and *Panoramas culturales.*

Instructor Resources

Annotated Instructor's Edition
978-0-470-43240-2
The Annotated Instructor's Edition includes a variety of marginal annotations with teaching tips, expansion activities and answers to discrete point exercises.

Companion Web Site (www.wiley.com/college/gallego)
Updated and user-friendly web site for instructors with a variety of supplemental materials, including Testing Program, Sample Syllabi, Teaching Tips, Test Bank, PowerPoints for *Miniconferencias,* Video Script, Laboratory Audio Program Scripts, Activities Manual Answer Key, and other supporting materials.

WileyPLUS

www.wiley.com/college/wileyplus

Más allá de las palabras, second edition, is available with *WileyPLUS*, a powerful online tool that provides instructors and students with an integrated suite of teaching and learning resources in one easy-to-use Web site. *WileyPLUS* is organized around the activities you and your students perform in class.

FOR INSTRUCTORS

Read, Study, and Practice: In Read, Study, and Practice, *WileyPLUS* provides students with access to the complete online version of the text, self-guided study and practice activities, instant feedback as students are working, any time of day or night, interactive links from the online text to interactive resources such as animations, audio, video, tutorials and more…

Prepare & Present: Create class presentations using a wealth of Wiley-provided resources—such as an online version of the textbook, PowerPoint slides, animations, overviews, and visuals from the Wiley Image Gallery—making your preparation time more efficient. You may easily adapt, customize, and add to this content to meet the needs of your course.

Create Assignments: Automate the assigning and grading of homework or quizzes by using Wiley-provided question banks, or by writing your own. Student results will be automatically graded and recorded in your gradebook. *WileyPLUS* can link the pre-lecture quizzes and test bank questions to the relevant section of the online text.

Track Student Progress: Keep track of your students' progress via an instructor's gradebook, which allows you to analyze individual and overall class results to determine students' progress and level of understanding.

Administer Your Course: *WileyPLUS* can easily be integrated with another course management system, gradebook, or other resources you are using in your class, providing you with the flexibility to build your course, your way.

FOR STUDENTS

WileyPLUS provides immediate feedback on student assignments and a wealth of support materials. This powerful study tool will help your students develop their conceptual understanding of the class material and increase their ability to answer questions.

Read, Study, and Practice: This area links directly to the interactive electronic version of the text, allowing students to review the text while they study and answer. Resources include videos, concept animations and tutorials, visual learning interactive exercises, and links to Web sites for further exploration.

Create Assignments: This area keeps all the work you want your students to complete in one location, making it easy for them to stay "on task." Students will have access to a variety of interactive self-assessment tools, as well as other resources for building their confidence and understanding. In addition, all of the pre-lecture quizzes contain a link to the relevant section of the multimedia book, providing students with context-sensitive help that allows them to conquer problem-solving obstacles as they arise. A Personal Gradebook for each student will allow them to view their results from past assignments at any time.

Please view our online demo at www.wiley.com/college/wileyplus. Here you will find additional information about the features and benefits of *WileyPLUS*, how to request a "test drive" of *WileyPLUS* for *Más allá de las palabras*, and how to adopt it for class use.

WileyPLUS includes WIMBA voice recording and multimedia functionality.

WileyPLUS Premium Electronic Activities Manual

WileyPLUS Premium offers an electronic version of the Activities Manual, along with all the student and instructor resources of WileyPLUS – the interactive e-book, WIMBA voice recording, tutorials, animations and more. See your Sales Representative for more information on WileyPLUS Premium.

ACKNOWLEDGMENTS

The authors of *Más allá de las palabras* second edition would like to thank our families for their patience and support; the Wiley Modern Languages team for their belief in and attention to our project; our colleagues, from whom we have learned so much; and especially our students, who have challenged and inspired us over the years.

We are indebted to the loyal users of *Más allá de las palabras,* who over the years have continued to give us valuable insights and suggestions. For their candid commentary, mindful scrutiny, and creative ideas, we wish to thank the following reviewers and contributors for this edition:

Linda Ables, *Gadsen State Community College*

Ana Afzali, *Citrus College*

Geraldine Ameriks, *University of Notre Dame*

Youngmin Bae, *Los Angeles City College*

Marta Bermúdez, *Mercer County Community College*

Jane Bethune, *Salve Regina University*

Ruth Bradner, *Virginia Commonwealth University*

Nancy Broughton, *Wright State University*

Karen W. Burdette, *Tennessee Technological University*

Dwayne Carpenter, *Boston College*

Nancy Joe Dyer, *Texas A&M University*

Héctor Enríquez, *University of Texas*

Antonia García Rodríguez, *Pace University*

Martin Gibbs, *Texas A&M University*

Lydia Gil-Keff, *University of Denver*

Marilyn Harper, *Pellissippi State Technical Community College*

Josef Hellebrandt, *Santa Clara University*

Amarilis Hildalgo-DeJesús, *Bloomsburg University*

Ann M. Hilberry, *University of Michigan*

Laurie Huffman, *Los Medanos College*

Nieves Knapp, *Brigham Young University*

Jorge Koochoi, *Central Piedmont Community College*

Amalia Llombart, *Fairfield University*

Gillian Lord, *University of Florida*

Deanna Mihaly, *Eastern Michigan University*

Rosa-María Moreno, *Cincinatti State Technical & Community College*

Lucy Morris, *James Madison University*

Andy Noverr, *University of Michigan*

Gayle Nunley, *University of Vermont*

Michelle R. Orecchio, *University of Michigan*

Lucía Osa-Melero, *University of Texas*

Yelgy Parada, *Los Angeles City College*

Federico Pérez Pineda, *University of South Alabama*

Stacey Powell, *Auburn University*

Anne Marie Prucha, *University of Central Florida*

María Luisa Ruiz, *Medgar Evers College*

Núria Sabaté-Llobera, *Centre College*

Nori Sogomonian, *San Bernardino Valley College*

Cristóbal Trillo, *Joliet Junior College*

Lara Wallace, *University of Ohio*

Ari Zighelboim, *Tulane University*

Olga Gallego Smith, Concepción B. Godev, Mary Jane Kelley, Rosalba Esparragoza Scott

CONTENIDO

CAPÍTULO 3 NUESTRA COMUNIDAD BICULTURAL

CAPÍTULO 4 LA DIVERSIDAD DE NUESTRAS COSTUMBRES Y CREENCIAS

CAPÍTULO 7 CULTURAS HISPANAS DEL CARIBE: PAISAJES VARIADOS

CAPÍTULO 8 CENTROAMÉRICA: MIRADA AL FUTURO SIN OLVIDAR EL PASADO

ADDITIONAL ACTIVITIES FOR EACH TEMA AND
ANIMATED GRAMMAR TUTORIALS AVAILABLE ONLINE.

WILEY
PLUS

CAPÍTULO

1

NUESTRA IDENTIDAD

Objetivos del capítulo

En este capítulo vas a...

- ampliar tus conocimientos generales sobre la identidad hispana
- describir y narrar en el presente
- usar el circunloquio
- controlar el ritmo de una conversación
- describir y narrar en el pasado
- conversar por teléfono

TEMA

Los jóvenes hispanos en Latinoamérica y en España tenemos muchas cosas en común con ustedes, pero muchos aspectos de nuestra vida son muy diferentes. Por ejemplo, en España muchos estudiantes universitarios viven con sus padres mientras asisten a la universidad. ¿Es igual en tu caso?

Quiénes somos

Bienvenido a *Más allá de las palabras* y a tu clase de español. Este libro te va a ayudar a continuar tus estudios del español por medio de la exploración de una variedad de temas. Para empezar, vas a conocer un poco mejor a tus compañeros de clase y a tu instructor/a de español. En un papel, anota tus respuestas a las siguientes preguntas. Las respuestas deben ser breves.

- ¿Qué palabra define mejor tu apariencia física?
- ¿Qué palabra o palabras define(n) mejor tu personalidad?
- ¿Qué es lo más interesante de ti?
- ¿Qué es lo más interesante de tu familia?
- ¿Qué palabras definen mejor tu cultura?

Ahora, intercambia tu papel con un compañero o compañera. Lee sus respuestas y circula por la clase intentando encontrar a un/a estudiante que tenga algo en común con tu compañero/a. Usa las respuestas como guía. Después, presenta a tu compañero/a a esa persona. Cuando su instructor/a diga "YA", tú, tu compañero/a y su nuevo/a amigo/a deben regresar a sus pupitres correspondientes. Tienes cinco minutos: ¡Adelante!

Por si acaso

Expresiones útiles para comparar respuestas con otro estudiante

¿Qué tienes/ pusiste en el número 1/ 2/ 3?
Yo tengo/ puse a/ b.
Yo tengo algo diferente.
No sé la respuesta./ No tengo ni idea.
Creo que la respuesta es a/ b, pero no estoy seguro/a.
Creo que es cierto./ Creo que es falso.

Entrando en materia

1–1. Las redes sociales. Hoy en día, los jóvenes de todas partes del mundo se conocen y se comunican en las redes sociales cibernéticas como Facebook y MySpace. ¿Eres miembro de una red social? Con un/a compañero/a, comenta tu experiencia en las redes sociales.

- con qué frecuencia visitas la red social
- quiénes son tus amigos; de dónde son; ¿los conoces bien?
- tu opinión sobre el valor de las redes sociales; ¿crees que son un buen método de comunicación? ¿Qué problemas pueden presentar? ¿Son peligrosas?

1–2. Vocabulario: Antes de leer. La lectura de esta sección reproduce unas páginas de la red social MisPáginas.com. Antes de conocer a los participantes, busca las siguientes palabras y expresiones en la lectura (están marcadas en negrita) para ver si puedes deducir su significado. Selecciona la opción correcta para cada una. Después, compara tus respuestas con las de un/a compañero/a.

1. **taínos**
   a. grupo indígena de Puerto Rico
   b. el nombre que Cristóbal Colón le dio a la isla de Puerto Rico cuando llegó a sus costas por primera vez

2. **padrísimo**
   a. una expresión del español de México sinónima de *fantástico*
   b. una expresión común para referirse a un padre

3. **platicando**
   a. sinónimo de *plata*
   b. sinónimo de *hablando*

4. **compaginar**
   a. pasar las páginas de un libro
   b. sinónimo de *combinar*

5. **ocio**
   a. un tipo de animal muy común en Latinoamérica
   b. el tiempo libre

6. **tiro con arco**
   a. un deporte que requiere el uso de una flecha (*arrow*) y un arco
   b. un deporte que requiere el uso de una pistola

7. **malabarismo**
   a. una actividad de entretenimiento con malas consecuencias
   b. una actividad que hacen los malabaristas en el circo

8. **cortar el rollo**
   a. una forma coloquial de expresar que se va a dejar de hacer algo
   b. una expresión de enfado o agresividad

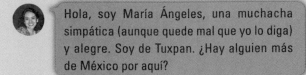

MisPáginas.com: Charla con amigos

Hola, soy María Ángeles, una muchacha simpática (aunque quede mal que yo lo diga) y alegre. Soy de Tuxpan. ¿Hay alguien más de México por aquí?

Hola María Ángeles, soy Patricia. No soy de México, soy de la "isla del encanto". ¿Sabes dónde está?

Sí, sí lo sé, la isla del encanto es Puerto Rico, ¿no?

Sí, es Puerto Rico. Yo soy de Guaynabo, un lindo pueblo cerca de San Juan, la capital.

Guaynabo... qué palabra tan extraña. ¿Eso es español?

No, es un término de los indios **taínos** que significa "lugar de muchas aguas".

Hola chicas, pido perdón por interrumpir la conversación pero me parece que alguien dijo que es de Tuxpan... Yo he escuchado muchas cosas interesantes sobre ese lugar. ¿Cómo es? Ah, por cierto, me llamo José.

Hola José, sí, escuchaste bien. Yo soy de Tuxpan. Tuxpan es un pueblito de unos 150,000 habitantes, en la costa norte del estado de Veracruz, en México. Es un lugar **padrísimo** para pasar las vacaciones.

José, bienvenido al chat. ¿No es maravilloso esto de poder comunicarse con gente de todas partes en un solo sitio? Creo que es una experiencia maravillosa.

Sí, Patricia, tienes razón, es increíble esto del ciberespacio. Yo soy español, nacido en el 69, y trabajo como profesor de español.

José, me parece que eres el más viejo de los tres. Yo nací en el 75, el siete de diciembre exactamente.

Oye, ¿el 7 de diciembre no hay una celebración en México?

Sí, es el Día del Niño Perdido, una celebración católica que recuerda cuando Jesús se perdió a los siete años de edad después de visitar el templo con sus padres.

¿Y cómo celebráis eso?

Pues ese día, a las 7 de la tarde se colocan velitas encendidas en las banquetas del pueblo.

¿En dónde? ¿En unas banquetas? ¡No lo entiendo!

Claro, María Ángeles, es que José es español y para él una banqueta es como una silla. José, en México le llaman banqueta a lo que tú llamas acera, el sendero por donde caminas por la calle.

Ah, no lo sabía, bueno, perdón por la interrupción...

¡Qué cómico resulta esto de hablar con gente de otros sitios! Bueno, como decía, las luces eléctricas se apagan para que la luz de las velitas brille más, y todo el mundo sale a la calle, y pasa la tarde **platicando** con amigos y vecinos, y los niños juegan con carritos de cartón que llevan una velita encendida. Así ayudan a la Virgen María a buscar al niño perdido. Patricia, yo voy a Puerto Rico el mes que viene. ¿Quieres quedar para tomar un café?

No sabes cuánto me gustaría, pero ya no vivo en Puerto Rico. Ahora vivo en California, porque estoy estudiando epidemiología y mi esposo está aquí trabajando como ingeniero civil en una constructora. ¡Cuánto me gustaría volver a mi isla!

Sí, es difícil vivir lejos de la familia... Por eso yo me quedé en España, y aún así tengo problemas para **compaginar** el trabajo, el **ocio** y las visitas a la familia.

José, ¿qué hace un muchacho como tú en su tiempo libre?

Todo depende del tiempo y del dinero, ya sabes, pero... me gusta hacer cosas aventureras, como el **tiro con arco** y el **malabarismo**. También me encantaría tener un caballo, pero... volvemos al tema del dinero...

Sí, por eso yo me dedico a cocinar en mis ratos libres, así por lo menos puedo comerme lo que hago.

Yo también cocino pero prefiero que me cocinen. También me gusta decorar interiores; creo que sería bueno como decorador, aunque a veces me paso con las plantas...

¿Cómo que te pasas?

Quiero decir que a veces pongo demasiadas plantas en las habitaciones que decoro, porque me gustan mucho y no sé controlarme... ¡Mi apartamento parece una jungla!

Yo no sirvo para cuidar plantas, todas se mueren enseguida en mi casa. Mi esposo, Carlos, es alérgico a muchas plantas también, por eso no tenemos ninguna.

Patricia, ¿en qué piensas trabajar cuando termines los estudios?

No estoy totalmente segura, pero en algo relacionado con las ciencias de la salud. Me gustaría ser profesora, como tú.

Sí, es una gran profesión. A mí me encanta mi trabajo porque me permite conocer a gente nueva continuamente. Es como una pequeña creación artística, como una obra de teatro en la que todos participan. Algún día creo que voy a escribir una novela sobre mis experiencias.

Bueno, ha sido un placer platicar con ustedes pero ahora me tengo que marchar. ¡A ver si nos vemos por el ciberespacio un día de estos!

Sí, déjame un mensaje cuando regreses de Puerto Rico y así me cuentas cómo fue el viaje.

Sí, te dejaré un mensaje en el tablón de anuncios. Bueno, José, ha sido un placer. ¡Hasta lueguito!

Sí, yo también tengo que **cortar el rollo** porque tengo una clase dentro de una hora. ¡Cuidaos mucho y hasta la próxima!

¡Chao a todos!

María Ángeles
es simpática
es de trapin, es del México
dedica a cocinar en su ratos libres

1–3. Vocabulario: Después de leer. Aquí tienen la oportunidad de demostrar sus conocimientos del vocabulario nuevo. Rellenen los espacios en blanco con la palabra adecuada de la red social.

ocio   malabarismo   taínos   padrísimo   platicar   compaginar

1. En las fiestas y las reuniones familiares, divierto a los niños con mis demostraciones de _____.

2. Mi vida en la universidad es muy ocupada. Es difícil _____ los estudios, el trabajo y mis actividades en el tiempo libre.

3. Los _____ habitaban las islas del Caribe.

4. En México, se usa la expresión _____ para indicar que algo es muy bueno o divertido y el verbo _____ para decir "charlar."

5. Mi actividad favorita de _____ es el tiro con arco y flecha.

1–4. ¿Te identificas? Estas son afirmaciones que hicieron los participantes de la red social. Escribe *sí* junto a las afirmaciones con las que tú te identificas y *no* junto a las demás.

1. _____ Es maravilloso poder comunicarse con gente de todas partes en un solo sitio.

2. _____ Soy una persona simpática y divertida.

3. _____ Tengo problemas para compaginar el trabajo, el ocio y las visitas a la familia.

4. _____ Me encanta mi trabajo porque me permite conocer a gente nueva continuamente.

5. _____ A mí me gusta cocinar, pero prefiero que me cocinen.

6. _____ Yo no sirvo para cuidar plantas, se me mueren todas enseguida.

1–5. Detalles. En parejas, respondan a las siguientes preguntas oralmente. Pídanle a su compañero/a que clarifique la información que no entienda.

Estudiante A:

¿Qué sabes de Tuxpan?

¿Qué me puedes decir sobre María?

¿Qué pasa el 7 de diciembre?

Estudiante B:

¿Qué sabes de Guaynabo?

¿Qué me puedes decir sobre Patricia?

Dime tres cosas interesantes sobre José.

1–6. ¿Quién es más interesante? En grupos de tres, seleccionen a la persona de la red que les parezca más interesante. Con la información que tienen y su imaginación, creen una minibiografía de esa persona. Anoten todos los datos y después, compartan su historia oralmente con los demás grupos. ¡Sean tan creativos como puedan!

> **MODELO**
>
> **Bueno, nosotros creemos que José es el más interesante porque quiere escribir una novela sobre su vida.**

Uses of ser **and** estar (*to be*)

ser		estar	
soy	somos	estoy	estamos
eres	sois	estás	estáis
es	son	está	están

Ser is used to:

- establish the essence or identity of a person or thing.

  Patricia **es** estudiante de epidemiología.

  *Patricia **is** an epidemiology student.*

- express origin.

  José **es** de España.

  *José **is** from Spain.*

- express time.

  Son las 3:00 de la tarde.

  *It **is** 3:00 in the afternoon.*

- express possession.

  La computadora **es** de María Ángeles.

  *The computer **is** María Ángeles'.*

- express when and where an event takes place.

  La fiesta del niño perdido **es** en diciembre.

  *The feast of the lost child **is** in December.*

  ¿Dónde **es** la fiesta? La fiesta **es** en Tuxpan.

  *Where **is** the party? The party **is** in Tuxpan.*

Estar is used to:

- express the location of a person or object.

  La casa de María Ángeles **está** en Tuxpan.

  *María Ángeles' house **is** in Tuxpan.*

- form the progressive tenses.

  José **está** practicando artes marciales.

  *José **is** practicing martial arts.*

Ser **and** estar **with Adjectives**

Use **ser** with adjectives:

- to express an essential characteristic of a person or object.

  María Ángeles **es** simpática.

  *María Ángeles **is** friendly.*

- to classify the person or object.

  José **es** español.

  *José **is** Spanish.*

Use **estar** with adjectives:

- to express the state or condition of a person or object.

  Patricia **está** triste porque extraña a su familia de Puerto Rico.

  *Patricia **is** sad because she misses her family in Puerto Rico.*

- to express a change in the person or object.

  Patricia es guapa y hoy **está** más guapa todavía con su nuevo corte de pelo.

  *Patricia is pretty and today she **is** even prettier with her new haircut.*

See *Grammar Reference 1* for adjectives that express different meaning when used with *ser* and *estar*, and for noun/adjective agreement rules.

1–7. Identificación. Tom es un estudiante que quiere ser profesor de español. Necesita encontrar compañeros de apartamento y ha decidido escribir el anuncio en español, para atraer a estudiantes hispanos. Como verás, Tom tiene problemas con *ser* y *estar*, y nunca sabe cuál debe usar. Ayúdalo a identificar la opción correcta en cada caso.

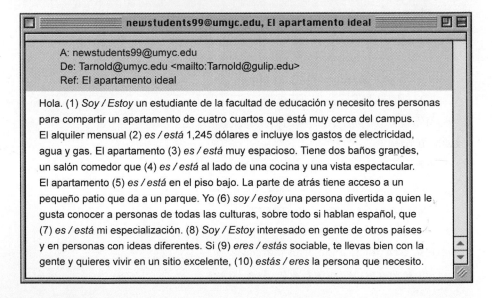

newstudents99@umyc.edu, El apartamento ideal

A: newstudents99@umyc.edu
De: Tarnold@umyc.edu <mailto:Tarnold@gulip.edu>
Ref: El apartamento ideal

Hola. (1) *Soy / Estoy* un estudiante de la facultad de educación y necesito tres personas para compartir un apartamento de cuatro cuartos que está muy cerca del campus. El alquiler mensual (2) *es / está* 1,245 dólares e incluye los gastos de electricidad, agua y gas. El apartamento (3) *es / está* muy espacioso. Tiene dos baños grandes, un salón comedor que (4) *es / está* al lado de una cocina y una vista espectacular. El apartamento (5) *es / está* en el piso bajo. La parte de atrás tiene acceso a un pequeño patio que da a un parque. Yo (6) *soy / estoy* una persona divertida a quien le gusta conocer a personas de todas las culturas, sobre todo si hablan español, que (7) *es / está* mi especialización. (8) *Soy / Estoy* interesado en gente de otros países y en personas con ideas diferentes. Si (9) *eres / estás* sociable, te llevas bien con la gente y quieres vivir en un sitio excelente, (10) *estás / eres* la persona que necesito.

1–8. Quién es quién en la clase de español. En su anuncio, Tom explica un poco cómo es él, porque piensa que saber más cosas sobre las personas nos ayuda a entenderlas mejor. Ahora ustedes van a conocer mejor a los estudiantes de su clase de español. Descubran cuántas cosas en común tienen con otras personas.

Para describir rasgos físicos: alto/a, bajo/a, delgado/a, atlético/a, guapo/a, moreno/a, pelirrojo/a, rechoncho/a, etc.

Para describir la personalidad: agresivo/a, alegre, atrevido/a, bromista, capaz, estudioso/a, inteligente, listo/a, práctico/a, perezoso/a, rebelde, etc.

Para describir estados de ánimo: aburrido/a, animado/a, cansado/a, contento/a, deprimido/a, impaciente, nervioso/a, relajado/a, tenso/a, etc.

1. Primero, cada estudiante debe escribir una breve descripción de sí mismo/a, incluyendo rasgos físicos y de personalidad. Incluyan también su estado de ánimo en TRES situaciones diferentes: a las 8 de la mañana, en las fiestas, en un examen, etc.

2. Después, usando la información de la descripción, cada estudiante debe escribir cuatro o cinco preguntas para saber algo más sobre sus compañeros/as de clase.

3. Ahora, circulen por la clase y entrevisten a tres personas para intentar encontrar a alguien con quien tengan muchas cosas en común.

1-9. Busco compañero de apartamento. En parejas, imaginen que ustedes necesitan encontrar a una persona para compartir su apartamento. Hablen de las características que, en su opinión, debe tener esta persona. Primero, deben ponerse de acuerdo para asegurarse de que buscan el mismo tipo de persona.

1-10. ¿Quieres vivir con nosotros/as? Ahora que ya se han puesto de acuerdo sobre el tipo de persona que buscan, preparen un texto muy llamativo para anunciarlo en el periódico universitario. Describan:

- las "maravillosas" características que tiene el apartamento: su ubicación, cuántos cuartos tiene, cómo son estos cuartos, el precio del alquiler
- las cosas que les gusta hacer y el tipo de personas que son ustedes
- por qué sería fantástico tenerlos a ustedes como compañeros: pueden hablar sobre los rasgos más positivos de su personalidad y su estado de ánimo en varias situaciones.

¡Usen la imaginación y sentido del humor! Después, lean sus anuncios al resto de la clase. ¿Cuál es el anuncio más convincente?

Por si acaso	
balcón	*balcony*
elevador/ ascensor	*elevator*
estacionamiento	*parking*
lavadora	*washing machine*
lavaplatos	*dishwasher*
muebles	*furniture*
secadora	*dryer*
suelo de madera	*hardwood floor*
transporte público	*public transportation*

1-11. Adivina, adivinanza. En esta actividad cada uno de ustedes tiene que describir la personalidad y las características físicas de una persona hispana famosa (del presente o del pasado). La otra persona debe adivinar quién es haciendo preguntas que se puedan responder con *sí* o *no*.

MODELO	
¿Es una mujer?	Sí.
¿Es actriz?	Sí.
¿Es de México?	No.

Gramática

Direct-Object Pronouns

Before reviewing the direct-object pronouns, let's review the notion of *direct objects*. A direct object is a noun or a pronoun that receives the action of the verb directly; in other words, it is the *what* or *whom* of the action.

José Fernández enseña español.   *José Fernández teaches Spanish.*

José Fernández teaches *what*? Spanish.

Spanish is the direct object.

Direct-object pronouns are used to avoid repetitions of nouns that function as direct objects in a sentence.

Patricia está muy ocupada con sus estudios;   *Patricia is very busy with her studies; she will*
los terminará pronto y regresará a Puerto Rico.   *finish **them** soon and she will return to Puerto Rico.*

The use of **los** avoids the repetition of **sus estudios**.

Singular		Plural	
me	*me*	nos	*us*
te	*you (informal)*	os (*Spain*)	*you (informal)*
lo	*you (formal, male)*	los	*you (formal/informal, male or mixed gender)*
	him		*them (male/masculine or mixed gender)*
	it (masculine)		
la	*you (formal, female)*	las	*you (formal/informal, female)*
	her		*them (female/feminine)*
	it (feminine)		

Direct-object pronouns are placed immediately before the conjugated verb.

¿Leíste el mensaje de Patricia? Sí, **lo** leí.

*Did you read Patricia's message? Yes, I read **it**.*

When an infinitive or present participle follows the conjugated verb, the direct-object pronoun can be placed before the conjugated verb or attached to the infinitive or present participle.

¿Vas a leer los mensajes de Patricia? Sí, **los** voy a leer. *o* Sí, voy a leer**los**.

*Are you going to read Patricia's messages? Yes, I am going to read **them**.*

¿Quieres leer los mensajes de Patricia? Sí, **los** quiero leer. *o* Sí, quiero leer**los**.

*Do you want to read Patricia's messages? Yes, I want to read **them**.*

¿Estás leyendo los mensajes de Patricia? Sí, **los** estoy leyendo. *o* Sí, estoy leyéndo**los**.

*Are you reading Patricia's messages? Yes, I am reading **them**.*

With affirmative commands, direct objects are attached to the end of the verb. With negative commands, the direct-object pronoun must be placed between **no** and the verb.

¿Puedo usar tu computadora? Sí, úsa**la**. *o* No, no **la** uses.

*May I use your computer? Yes, use **it**. or No, don't use **it**.*

See *Grammar Reference 1* for more information regarding direct-object pronouns and their use.

1-12. Cuestión de gustos. Va a haber una fiesta en honor de los estudiantes internacionales de su universidad. Aquí tienes la lista de las preferencias de comida y bebida de algunos invitados. Simplifica la lista y elimina las repeticiones sustituyendo el complemento directo con su pronombre correspondiente.

> **MODELO**
>
> **A Juan le gustan los tacos; él considera los tacos su comida favorita.**
> **A Juan le gustan los tacos; él los considera su comida favorita.**

encantar
fascinar
frustrar
molestar

1. A Luis le gusta el ceviche; prefiere el ceviche a todas las otras comidas peruanas.
2. A Rosario le encanta el mate; compara el mate argentino con el mejor té del mundo.
3. Pedro adora la paella valenciana; come paella todos los domingos para almorzar.
4. Lucho no bebe Inca-Cola normalmente; sólo bebe Inca-Cola cuando no hay nada más.
5. Jorge no conoce los platos típicos de Guatemala y María tampoco conoce los platos típicos de Guatemala.

 1-13. ¿Dónde lo vas a poner? Ya terminó la fiesta y tú y tu nuevo/a compañero/a de cuarto tienen que regresar al apartamento para organizar sus cosas. Túrnense para hacer preguntas y responderlas según las pistas.

> **MODELO**
>
> **Sacar / los libros de las cajas**
> **Estudiante A: ¿Quién va a sacar los libros de las cajas?**
> **Estudiante B: Yo los voy a sacar o Voy a sacarlos yo.**
> **Estudiante A: Sí, por favor, sácalos.**

1. Encontrar / los platos
2. Colocar / los muebles
3. Organizar / los CDs
4. Guardar / el papel de periódico
5. Sacar / las plantas al balcón
6. Desempacar / el lavaplatos y la lavadora

1–14. ¿Qué van a hacer esta noche? Después de mucho trabajar, han logrado organizar un poco el apartamento. Ahora ya pueden descansar y sentirse cómodos en el nuevo apartamento. En parejas, túrnense para preguntarse sobre sus actividades para esta noche. Usen las expresiones siguientes u otras similares.

mirar la televisión	lavar la ropa	comer un pedazo de pizza
llamar a tus padres	estudiar la lección	escuchar el CD que te regalaron

---

MODELO

Estudiante A: ¿Vas a llamar a tu novia esta noche?
Estudiante B: Sí, la voy a llamar. *o* Sí, voy a llamarla.
    No, no la voy a llamar. *o* No, no voy a llamarla.

Vocabulario para conversar

Circunloquio

Quiero comprar un animal, pero no recuerdo el nombre y no lo veo en la tienda.

Pues dígame cómo es, de qué color es, qué come y en qué tipo de hábitat vive.

Pues es un animal que tiene plumas y que habla.

When we are speaking, we sometimes temporarily forget words and we have to resort to explaining or describing the concept using the words we know. In other words, we get around our memory lapse by using circumlocution. When we resort to circumlocution, we can refer to an object by its characteristics, color, form, and what it's used for.

Usar el circunloquio

Some phrases that you can use are:

Es una cosa de color...	*The color is . . .*	Es una cosa que se usa para...	*It is a thing used for . . .*
Es una persona que...	*It's a person that . . .*	Sabe a...	*It tastes . . .*
Es un lugar que...	*It is a place that . . .*	Suena a...	*It sounds like . . .*
Es un animal que...	*It's an animal that . . .*	Se parece a...	*It looks like . . .*
Es algo que...	*It is something that . . .*	Huele a...	*It smells . . .*

1–15. Palabras en acción. Nuria, la novia de tu compañero, ha ido a tu apartamento a verlo pero él no está, y ella no habla inglés. Usa la información de los dibujos para explicarle dónde está tu compañero, qué está haciendo, adónde piensa ir y cuándo va a regresar. Describe cada cosa con detalle, para que ella te entienda.

> **MODELO**
>
> **Pablo está comprando en un lugar donde hacen pan y dulces.**

 1–16. ¿Qué es? Tu compañero regresó y trajo sorpresas para todos. Pero primero, tienen que adivinar qué trajo. Uno/a de ustedes debe cerrar el libro. La otra persona debe elegir uno de los dibujos. El/La estudiante que cerró el libro debe hacer preguntas para adivinar qué dibujo eligió su compañero/a. Puede preguntar el color, la forma, el uso, de qué está hecho, etc. Después cambien de papel.

CURIOSIDADES

difícil	nuevo	interesante	aventurero
---------	---------	---------	---------
caro	simpático	tradicional	diferente
---------	---------	---------	---------

1–17. Juego de antónimos. Su instructor/a va a leer el antónimo de cada palabra a la izquierda. Todas estas palabras están en la lectura de MisPáginas.com. Escriban el antónimo debajo de la palabra correspondiente. Los alumnos que tengan todas las palabras correctas ganan el juego.

Cómo somos, cómo vivimos

A escuchar

Entrando en materia

1–18. ¿Cómo es tu ciudad? Antes de escuchar, responde a las preguntas siguientes pensando en tu pueblo o ciudad natal. Después, compara tus respuestas con las de un/a compañero/a. ¿Son similares o diferentes sus ciudades natales?

1. ¿Qué áreas consideras mejores y peores?
2. ¿Qué actividades se realizan en las diferentes áreas?
3. ¿Qué áreas prefieren los jóvenes?
4. ¿Qué áreas prefieren los mayores?
5. ¿Cuál es el edificio más antiguo?
6. ¿Cuál es el edificio más moderno?

1–19. Vocabulario: Antes de escuchar En este tema van a escuchar una miniconferencia sobre los pueblos y las ciudades. Traten de familiarizarse con algunas palabras relacionadas con este tema. ¿Pueden identificar la letra de la definición que corresponde a cada expresión en negrita según su contexto?

Expresiones en contexto	Definiciones

Expresiones en contexto

C 1. El **edificio** más común en las plazas es la iglesia. En las plazas hay otros edificios además de la iglesia.

G 2. Las ciudades y los pueblos **costeros** generalmente atraen más turismo que los pueblos del interior. La costa del área de Miami es una atracción para los turistas.

F 3. Una de las actividades más comunes que tiene lugar en una iglesia es **rezar**.

A 4. Los países llamados "desarrollados" tienen un alto **desarrollo** industrial, mientras que los países llamados "en vías de desarrollo" tienen una industria subdesarrollada.

D 5. Los rituales religiosos están **ausentes** en las plazas que no tienen iglesia. En las ciudades hay muchas plazas sin iglesia.

B 6. Los **vendedores ambulantes** son muy populares en las áreas turísticas, generalmente venden en las calles comida y objetos típicos del país.

E 7. Miami es un lugar muy popular entre los **jubilados**, por eso muchos residentes de esta ciudad tienen más de 65 años.

Definiciones

a. Es un sinónimo de crecimiento, aumento.

b. Son personas que venden productos de sitio en sitio, sin un puesto fijo.

c. Es un espacio que sirve para vivir o para establecer oficinas y negocios.

d. Es lo opuesto de estar presente.

e. Son personas mayores que ya no trabajan.

f. Hablarle a Dios.

g. Es un adjetivo que se aplica a lugares que están cerca del océano o el mar.

1–20. Clasificación semántica. Abajo tienen otras palabras del texto que van a escuchar. En parejas, clasifiquen estas expresiones en una de las categorías que aparecen abajo.

área rural   plaza   rezar   metrópoli   ciudad   pueblo   edificio
asistir a misa   iglesia   vender   espacio urbano   jugar   pasear   fiesta patronal

Arquitectura, campo y ciudad:
Actividades religiosas:
Actividades no religiosas:

Estrategia: Reconocer el tipo de texto, el título y el tono

La primera vez que escuches un texto en español, no debes intentar entender toda la información, ya que esto sólo causa frustración. Sin embargo, hay otras cosas que puedes determinar al escuchar el texto, incluso si no entiendes parte del vocabulario. Por ejemplo, la primera vez que lo escuches presta atención al tipo de texto: ¿es

un diálogo? ¿Es una narración? ¿Un cuento? ¿Un anuncio comercial? Después, presta atención al tono. La voz que escuchas, ¿tiene un tono feliz? ¿Triste? ¿Serio? ¿Preocupado? ¿Formal? ¿Informal? Escucha el título del texto y trata de determinar cuál es el objetivo del narrador: ¿Informar? ¿Educar? ¿Persuadir? ¿Entretener? Anota tus observaciones a medida que escuchas.

MINICONFERENCIA — Actividades asociadas con las plazas de ciudades y pueblos hispanos

Ahora su instructor/a va a presentar una miniconferencia.

1–21. Tus notas. Después de escuchar la miniconferencia, comparen sus notas con las de sus compañeros/as. ¿Entendieron lo mismo? ¿Anotaron información diferente? Si hay diferencias, coméntenlas.

1–22. El mejor título. Seleccionen el mejor título para cada una de las partes de la miniconferencia.

1. Títulos para la parte 1:
    a. El significado de la palabra *plaza* en inglés y en español
    b. La relación entre las plazas y los centros comerciales
    c. Las plazas auténticas están en los pueblos

2. Títulos para la parte 2:
    a. Las iglesias y sus estilos arquitectónicos
    b. La Plaza Mayor y la Plaza Real
    c. Características de las plazas y actividades asociadas con ellas

3. Títulos para la parte 3:
    a. Las Madres de la Plaza de Mayo
    b. Actividades en las plazas de las ciudades
    c. Las protestas sociales y las plazas

1–23. Pueblo o ciudad. Ahora, lean las siguientes frases y digan cuáles asocian con los pueblos (P) y cuáles asocian con las ciudades (C).

1. _____ la presencia de la iglesia en la plaza
2. _____ la presencia de muchas plazas
3. _____ la protesta social
4. _____ los vendedores ambulantes
5. _____ la presencia de comerciantes en la plaza el sábado

1–24. Una pequeña investigación. En parejas, van a realizar una investigación sobre la plaza de un pueblo y la plaza de una ciudad. Una persona debe investigar sobre la plaza principal de un pueblo de la columna A. La otra debe investigar la plaza principal de una ciudad de la columna B. Usen Internet o la biblioteca para encontrar información, incluyendo al menos tres semejanzas y tres diferencias entre los dos lugares. Después, preparen un informe escrito para su instructor/a, explicando qué plaza prefieren. Fíjense en las columnas A y B de la página siguiente.

A	B
Plaza del pueblo (Buñol, España)	Plaza de Mayo (Buenos Aires, Argentina)
Plaza José A. Busigó (Sabana Grande, Puerto Rico)	Plaza Nueva de Tlaxcala (Ciudad de Saltillo, Estado de Cohauila, México)
El Zócalo (Ojinaga, México)	Plaza de la Revolución (La Habana, Cuba)

Gramática

Present Indicative of Stem-Changing and Irregular Verbs

Some verbs undergo a stem-vowel change when conjugated.

pens-ar	➜	p**ie**nso	stem vowel changes from **e** to **ie**
d**o**rm-ir	➜	d**ue**rmo	stem vowel changes from **o** to **ue**
p**e**d-ir	➜	p**i**do	stem vowel changes from **e** to **i**

pensar

pienso	pensamos
piensas	pensáis
piensa	piensan

dormir

duermo	dormimos
duermes	dormís
duerme	duermen

pedir

pido	pedimos
pides	pedís
pide	piden

Here is the rule:

When the **e** or the **o** is the last stem vowel in the infinitive and is stressed:

| the **e** changes to **ie** or **i** | qu**e**r-er ➜ qu**ie**r-o | s**e**rv-ir ➜ s**i**rv-o |
| the **o** changes to **ue** | d**o**rm-ir ➜ d**ue**rm-o | |

However, there is no vowel change in the **nosotros** and **vosotros** forms because the stem vowel is not stressed.

| querer ➜ queremos, queréis | servir ➜ servimos, servís |
| dormir ➜ dormimos, dormís | |

Other stem-changing verbs:

e → ie	o → ue	e → i
preferir	morir(se)	vestir(se)
comenzar	almorzar	repetir
entender	poder	seguir
cerrar	recordar	conseguir
sentir(se)	soler	
despertar	encontrar	
mentir	jugar*	

*undergoes a stem-change similar to the verbs in this list, even though its stem does not have an *o*.

Present Tense of Irregular Verbs

As you know, some verbs in Spanish have irregular conjugations.

ser	soy, eres, es, somos, sois, son
ir	voy, vas, va, vamos, vais, van
oír	oigo, oyes, oye, oímos, oís, oyen
tener	tengo, tienes, tiene, tenemos, tenéis, tienen
venir	vengo, vienes, viene, venimos, venís, vienen
decir	digo, dices, dice, decimos, decís, dicen

The following are only irregular in the first person.

saber	sé, sabes, sabe, sabemos, sabéis, saben
salir	salgo, sales, sale, salimos, salís, salen
caer	caigo, caes, cae, caemos, caéis, caen
dar	doy, das, da, damos, dais, dan
estar	estoy, estás, está, estamos, estáis, están
hacer	hago, haces, hace, hacemos, hacéis, hacen
poner	pongo, pones, pone, ponemos, ponéis, ponen
traer	traigo, traes, trae, traemos, traéis, traen

You may find regular verbs conjugated in the verb charts in Appendix B. See *Grammar Reference 1* for information on reflexive verbs.

1–25. Mi vida en Chilapa. Marta, una mexicana de 19 años, vive en Chilapa de Juárez, un pequeño pueblito a sólo tres horas de Acapulco. Aquí tienes un pequeño relato que Marta escribió sobre su rutina diaria. Ayúdala a completarlo con la forma correcta de los verbos en paréntesis en el presente, para saber un poco más sobre ella.

Mi rutina diaria es bastante constante. De lunes a viernes, me (despertar) muy temprano. El día (comenzar) a las cinco de la mañana para mi familia. Mi mamá y yo (servir) el desayuno para todos a las seis. Después, me (vestir) y me preparo para ir al trabajo; mi mamá se queda en la casa para cuidar de mis hermanitos. Yo (preferir) salir temprano de la casa para llegar al mercado antes de que salga el sol. Mi familia tiene un puesto de artesanías en un mercado al aire libre. Mi familia hace objetos de barro y productos de palma, que son muy famosos aquí. Los turistas (soler) comprar muchas cosas típicas de Chilapa. Chilapa es un pueblo precioso, todos los visitantes (decir) que es único.

1–26. La dura vida de los estudiantes. Lean este diálogo entre dos estudiantes que hablan sobre su rutina diaria. Indiquen la forma apropiada de los verbos entre paréntesis.

to obtain/achieve

1. CARLOS: No sé qué pasa, no (**conseguir**) sacar buenas notas.
2. PAULA: ¿Tú (**ir**) a clase todos los días?
3. CARLOS: Sí, yo (**ir**) a clase todos los días.

to follow

4. PAULA: Bueno, creo que tienes uno de estos problemas: no (**seguir**) las instrucciones del profesor, no (**entender**) la materia o no (**recordar**) la información en los exámenes.

to remember *to understand*

5. CARLOS: Yo creo que el profesor no es justo conmigo.

to come

6. PAULA: Vamos a ver, dices que tú (**venir**) a clase todos los días. Pero, ¿a qué hora (**llegar**) a la universidad tú y tus amigos?
7. CARLOS: Muchas veces nosotros (**llegar**) tarde, después de las diez.

to arrive

1–27. ¿Qué hacen estas personas? Uno/a de ustedes va a describir la rutina diaria de una persona de la lista A, sin revelar su identidad. Su pareja va a describir la rutina de una persona de la lista B, y tampoco va a decir quién es. Cada uno/a debe adivinar a quién está describiendo su compañero/a. Pueden hacer preguntas simples para obtener más datos. ¡Incluyan algún detalle creativo y divertido en sus descripciones!

A	**B**
Javier Bardem	Raúl Castro
Enrique Iglesias	América Ferrera
Alex Rodríguez	Penélope Cruz

1–28. Vidas paralelas. En grupos de cuatro personas, ustedes van a asumir la personalidad de dos parejas famosas. Dos estudiantes van a representar a una de las parejas a la derecha. Dos estudiantes más van a representar a una de las parejas a la izquierda. Cada pareja debe elegir una identidad y después debe seguir los siguientes pasos para completar la actividad.

Frida Kahlo y Diego Rivera
El rey Juan Carlos y la reina Sofía
Gloria y Emilio Estefan

Juan y Evita Perón
Salvador Dalí y Gala
Don Quijote y Dulcinea

salir	mentir
conseguir	dar
almorzar	sentir(se)
despertarse	ir
venir	poder
preferir	decir
hacer	estar
jugar	poner
oír	entender
seguir	soler
recordar	cerrar
comenzar	vestir(se)
ser	traer
tener	

Paso 1: Anoten en un papel toda la información que tienen sobre la pareja elegida.

Paso 2: Incluyan información sobre las actividades y la rutina diaria de esa pareja.

Paso 3: Escriban también algunos detalles curiosos sobre la rutina diaria de esas personas (pueden usar la imaginación y añadir cosas interesantes o creativas).

Paso 4: Ahora dediquen unos minutos a practicar su papel con su compañero/a. Recuerden que deben llamar a la otra persona por su nombre ficticio.

Paso 5: Guarden la información para la próxima clase. Después de clase, busquen información adicional sobre la pareja que van a representar. ¡Debe ser algo interesante!

Paso 6: Durante la próxima clase, su instructor/a les dará unos minutos para ensayar. Después, las dos parejas de cada grupo van a representar una escena en la que ambas parejas se encuentran por casualidad. La pareja que consiga obtener más información sobre la otra pareja en el menor tiempo posible, ¡gana! Pueden hacer preguntas usando cualquiera de los verbos de la caja a la izquierda.

Vocabulario para conversar

Control del ritmo de la conversación

La frase "erre con erre cigarro, erre con erre barril" es un trabalenguas.

¿Puede repetir la última palabra?

Patricia, ¿cuál es el significado de la palabra "trabalenguas"?

Pues... a ver, déjeme pensar un minuto... creo que es... "tongue twister".

Aclarar

Several situations may call for clarification while interacting with other speakers. Speakers don't always enunciate clearly, or they may use words that are unfamiliar or the listener may get distracted and miss part of the message.

The following phrases are useful in asking for clarification.

No comprendo. Repite/a, por favor.	*I don't understand. Please repeat.*
¿Puede(s) repetirlo, por favor?	*Can you repeat, please?*
Más despacio, por favor.	*Slower, please.*
¿Puede(s) escribirlo, por favor?	*Could you write it out, please?*
¿Qué significa la palabra *terapeuta*?	*What does* terapeuta *mean?*

Pedir tiempo para contestar

Sometimes, when we are engaged in a conversation, it is difficult to answer a question right away without thinking first what words we want to use; we may need to buy some time because the words we are searching for or the information we need to provide are not readily available.

A ver, déjame/déjeme pensar un minuto...	*Let's see, let me think for a minute . . .*
Dame/deme un minuto...	*Give me a minute . . .*
Pues.../ Bueno...	*Well . . .*
Pues/ Bueno, no puedo responderte/le ahora mismo.	*Well, I can't give you an answer right now.*
Pues/ Bueno, necesito más tiempo para pensar.	*Well, I need more time to think.*

1–29. Palabras en acción. Carlos, tu compañero, trabaja como asistente en el departamento de español de la universidad. El problema es que Carlos consiguió el trabajo diciendo que hablaba español perfectamente y... Bueno, ahora los instructores le hablan siempre en español y a veces él no entiende. Usen las expresiones de las listas de arriba para ayudarlo a completar los diálogos correctamente, ¡y a no perder su trabajo!

1. — Carlos, por favor, llama al Dr. Sánchez al cuatro, ocho, dos, siete, cero, cinco, seis.
   — No entendí los dos últimos números; _____.

2. — Carlos, ¿puedes mandar esta carta a la oficina del decano Goicoechea?
   — Sí, claro, pero... no sé cómo se escribe ese apellido, _____.

3. — Carlos, soy Juliana Echevarría, una profesora de alemán y necesito tu ayuda.
   — Señora, usted habla muy rápido; _____.

4. — Carlos, dame el teléfono del profesor de literatura colonial, por favor.
   — Sí, es el tres, cinco... _____, lo tengo que buscar, ahora no me acuerdo.

5. — Carlos, ¿me vas a ayudar a organizar las composiciones de mis estudiantes de español?

   — _____, tengo que mirar mi horario de clases; te contesto más tarde.

6. — Carlos, ¿vas a venir a la fiesta del departamento el sábado por la tarde?

   — _____ no lo sé, Dr. Muñoz, mi novia viene a visitarme este fin de semana.

7. — Carlos, ¿sabes cuántas personas van a venir a nuestra sesión para nuevos estudiantes?

   — _____ ...sí, aquí tengo la lista, van a venir entre veinte y veinticinco personas.

 1–30. La vida del presidente. En parejas, hablen de la vida del presidente de Estados Unidos. Usen las expresiones para clarificar y para ganar tiempo (*buy time*) cuando sea necesario. Aquí tienen algunas ideas sobre los datos que pueden incluir.

Rutina diaria:	a qué hora se levanta el presidente, a qué hora desayuna, qué desayuna y con quién
Cuáles son sus gustos:	comida, vida social, países, ropa, música, deportes, etc.
Su oficina:	dónde está, cómo está decorada, qué personas lo visitan allí, etc.
Su trabajo:	qué cosas hace durante el día, qué tipo de reuniones tiene, viajes, etc.
Sus mascotas:	cómo son, cómo se llaman, qué hacen durante el día, etc.

CURIOSIDADES

1–31. Juego de famosos. Su instructor/a va a asumir la identidad de una persona hispana famosa, bien conocida por todos los miembros de la clase. Después, la clase se va a dividir en grupos de cuatro o cinco personas. Cada grupo tiene cinco minutos para escribir seis preguntas y adivinar la identidad de su instructor/a. Después, los grupos se van a turnar para hacer las preguntas. ¡Ojo! Sólo pueden ser preguntas que se respondan con *sí* o *no*. El grupo que primero adivine la identidad de su instructor/a, gana.

> **MODELO**
>
> **¿Es un hombre?**
> **¿Es joven?**
> **¿Trabaja en política?**

Por qué nos conocen

Lectura

Entrando en materia

 1–32. Antes de leer. Ahora van a leer sobre algunos personajes importantes en el mundo del deporte, el arte, el cine y la literatura. Den una mirada rápida al formato de esta sección. ¿Qué tipo de información creen que hay sobre estos personajes?

- información sobre sus creencias políticas
- información sobre sus experiencias familiares
- información biográfica

Por si acaso

Expresiones útiles para comparar respuestas con otro estudiante

¿Qué tienes/ pusiste en el número 1/ 2/ 3?
Yo tengo/puse a/ b.
Yo tengo algo diferente.
No sé la respuesta./ No tengo ni idea.
Creo que la respuesta es a/ b, pero no estoy seguro/a.
Creo que es cierto./Creo que es falso.

1–33. Vocabulario: Antes de leer. Encuentren en las lecturas las palabras de la lista de la izquierda (están escritas en negrita) y deduzcan su significado o búsquenlo en el diccionario. Marquen con un círculo las palabras de la derecha que asocien por su significado con las palabras de la lista de la izquierda.

1. **lanzadores**   pelota, lanzar, béisbol, nadar
2. **fuente**   origen, causar, ausente, base
3. **firmó**   nombre, escribir, contrato, mentir
4. **golpe de estado**   democracia, control, cambio, poder
5. **personajes**   personas, ficción, edificio, desarrollo
6. **superan**   ganar, poder, deprimido, éxito
7. **encajaba**   caja, comida, ajustar, cajón
8. **reconocimiento**   fama, conocer, admiración, dinero
9. **cotizadas**   valoradas, tiza, dinero, precio
10. **justicia**   justo, diccionario, correcto, ley
11. **reformatorio**   institución, adultos, jóvenes, problemas
12. **dicción**   pronunciación, lectura, hablar, comprender

Lectura

El deporte, la literatura, el arte y el cine

Por si acaso

La Cuba de Fidel Castro

Fidel Castro se apoderó del gobierno de Cuba en 1959 y estableció un sistema de gobierno basado en la ideología marxista-leninista. Muchos cubanos, desilusionados con el nuevo sistema de gobierno, salieron exiliados de Cuba hacia Estados Unidos. Desde la fecha de la Revolución (1959) hasta el presente, más de un millón de cubanos se han establecido en distintas áreas geográficas de Estados Unidos. Especialmente se concentran en Florida, Nueva Jersey y California.

EL DEPORTE

Orlando "El Duque" Hernández nació en Villa Clara, Cuba, en 1969. En Cuba, llegó a ser uno de los mejores **lanzadores** de la historia de la pelota cubana con el mejor promedio de partidos ganados (.728). Desde la Revolución de 1959, Cuba ha promovido los deportes como **fuente** de identidad y orgullo nacional y con el béisbol la isla caribeña ha logrado fama internacional. En 1992, Hernández formó parte del equipo nacional cubano, el cual ganó la medalla de oro en los juegos olímpicos de Barcelona. El Duque jugó para el equipo Industriales de La Habana hasta 1996, cuando su equipo ganó la serie nacional y Hernández tuvo contacto ilegal con un agente de EE.UU. Después de ser detenido e interrogado por oficiales de seguridad nacional,

Hernández fue expulsado del béisbol cubano. En 1997, salió de Cuba y residió unos meses en Costa Rica, desde donde **firmó** un contrato con los Yankees de Nueva York por 6.6 millones de dólares en cuatro años. El Duque ha ganado cuatro anillos de la serie mundial: tres con los Yankees y uno con los Medias Blancas de Chicago.

LA LITERATURA

Isabel Allende nació en 1942. Comenzó su vida profesional de escritora como periodista en Chile a los 17 años. En 1973, el presidente Salvador Allende, tío de Isabel, fue derrocado en un **golpe de estado** e Isabel y otros miembros de su familia salieron del país. En el exilio en Venezuela, Allende inició su carrera de novelista al escribir su primera obra de ficción narrativa, *La casa de los espíritus* (1981). A pesar de ser ficción, la novela tiene claras conexiones con la historia de la familia de Allende y con el contexto político de los años después del golpe de estado, cuando gobernó en Chile el dictador Augusto Pinochet. El estilo literario de Allende se define por la acción variada y dramática, la temática histórica, una combinación de realismo y fantasía, y **personajes** ricamente caracterizados, especialmente los femeninos.

Las mujeres de las obras de Allende son fuertes, independientes, y **superan** las restricciones de la sociedad patriarcal.

EL ARTE

Fernando Botero nació en Medellín (Colombia) en 1932. Creció entre dificultades económicas y de niño quería ser torero. A los quince años Fernando Botero sorprendió a su familia cuando anunció que quería ser pintor, lo cual no **encajaba** dentro de una familia más bien conservadora y sin intereses en el arte. Se inició como dibujante en el periódico *El Colombiano* y después viajó a Europa donde se formó como artista. Regresó a Colombia en 1951 y realizó su primera exposición. Más tarde se mudó a Nueva York, donde tuvo muchas dificultades económicas; tuvo que sobrevivir vendiendo sus obras por muy poco dinero. Finalmente, Botero ganó fama cuando sus obras se mostraron en la Galería Marlborough en Nueva York. Su arte recibe ahora **reconocimiento** mundial y sus obras están **cotizadas** entre las más costosas del mundo. Su obra *Desayuno en la hierba* se vendió por un millón cincuenta mil dólares.

EL CINE

Rosie Pérez creció en un barrio de Brooklyn, Nueva York, en el seno de una familia de diez hermanos. De pequeña, Rosie tuvo problemas con la **justicia** y pasó algún tiempo en un **reformatorio**. Otro problema que Rosie tuvo que superar fue el de su **dicción**; por ejemplo, de niña pronunciaba su nombre "Wosie", así que tuvo que asistir a clases para corregir su pronunciación. Rosie fue a la universidad, donde estudió biología marina pero también tenía gran talento para la danza. Spike Lee la vio bailar una noche en el club *Funky Reggae* de Los Ángeles, se dio cuenta de su talento y le ofreció un papel en *Do the Right Thing*. Como coreógrafa, Rosie ha hecho las coreografías de las *Fly Girls* en el programa de televisión *In Living Color* y ha trabajado para Diana Ross y Bobby Brown.

1-34. ¿Comprendieron? Lean una o dos veces estas breves biografías, buscando la siguiente información.

1. ¿Quiénes crecieron entre dificultades económicas?
2. ¿En la vida de quiénes ha tenido impacto la política?
3. ¿Quién tuvo problemas con la justicia?
4. ¿Quién tuvo problemas de pronunciación?
5. De todos estos personajes, ¿quién crees que gana más dinero? ¿Por qué?

 1-35. Vocabulario: Después de leer. En parejas, deben entrevistarse mutuamente sobre algunos temas relacionados con la información anterior, y hacerse las preguntas indicadas abajo. Si es posible, la persona que responde a las preguntas debe usar las palabra nuevas (en negrita) en sus respuestas.

Estudiante A

1. ¿Cuáles son tres **fuentes** de tu identidad individual? ¿Tu lugar de origen? ¿Tu familia? ¿Tu herencia étnica/cultural? ¿Alguna actividad en que participas?
2. ¿Por qué crees que el **lanzador** Orlando Hernández quería **firmar** un contrato con los Yankees? ¿Crees que tenía un contrato similar en Cuba con los Industriales?
3. Menciona un **personaje** de la televisión o de una película que representa la diversidad cultural. Describe la cultura de él o de ella. ¿Tiene el personaje conflictos con otros a causa de las diferencias culturales? ¿Reciben un tratamiento cómico o serio las diferencias culturales en la película o en el programa?
4. Menciona un conflicto actual *(current)* en alguna parte del mundo. ¿Cuál es la causa del conflicto? ¿Es posible **superar** los problemas y solucionar el conflicto?

Estudiante B

1. Ahora que sabes más cosas sobre la cultura hispana, ¿hay alguna idea que tenías antes sobre los hispanos que ahora no **encaja** con lo que has aprendido?
2. ¿Has hecho algo en tu vida por lo que has recibido **reconocimiento**? Explícalo. ¿Crees que el reconocimiento social es más importante en unas culturas que en otras? ¿Por qué?
3. ¿Crees que los **reformatorios** son buenos para mejorar la vida de los jóvenes con problemas? Explica tu opinión.
4. ¿En qué profesiones es importante tener buena **dicción**? ¿Crees que una buena dicción es más importante en unos idiomas que en otros? Explica tu respuesta.

 1-36. Recopilar información. En parejas, elijan a uno de los personajes de la sección anterior. Deben buscar información sobre la vida y la herencia cultural de esa persona y tratar de determinar el efecto que su cultura nativa tuvo sobre su carrera profesional y sobre sus actitudes frente a la sociedad en general. Después, preparen un breve informe oral para presentarlo en clase. Pueden utilizar medios audiovisuales y muestras del trabajo de la persona elegida. Por ejemplo, pueden traer fotos de las obras de Botero, seleccionar algún fragmento importante de un libro de Allende o incluso presentar un clip de una película de Rosie Pérez (¡en español, por supuesto!).

Preterit Tense

Regular Verbs

	caminar	comer	escribir
yo	caminé	comí	escribí
tú	caminaste	comiste	escribiste
él/ella/Ud.	caminó	comió	escribió
nosotros/as	caminamos	comimos	escribimos
vosotros/as	caminasteis	comisteis	escribisteis
ellos/ellas/Uds.	caminaron	comieron	escribieron

Verbs with Stem Changes

- Stem-changing -ir verbs have a stem-vowel change in the él/ella/Ud. forms, and in the ellos/ellas/Uds. forms. The e in the stem changes to i. The o changes to u.

  pedir   e → i   yo pedí, sentí   ella pidió/sintió, ellos pidieron/sintieron

  dormir   o → u   tú dormiste   él durmió, ellos durmieron

Verbs with Spelling Changes

- Verbs ending in -car, -gar, -guar, and -zar change spelling in the yo form of the preterit.

  buscar   → busqué   entregar   → entregué

  averiguar   → averigüé   comenzar   → comencé

- When the stem of -er and -ir verbs end in a vowel, the i characterizing the preterit becomes y in the third-person singular and plural.

  le-er   ella leyó, ellas leyeron   ca-er   ella cayó, ellas cayeron

  o-ír   él oyó, ellos oyeron   hu-ir   él huyó, ellos huyeron

Irregular Verbs in the Preterit

Verbs that have an irregular stem -u, -i:

andar	anduv-e	caber	cup-e	estar	estuv-e
haber	hub-e	poder	pud-e	poner	pus-e
saber	sup-e	tener	tuv-e	venir	vin-e

Verbs that have an irregular stem -j:

decir	dij-e	producir	produj-e	traer	traj-e

Other irregular verbs:

dar	di, diste, dio, dimos, disteis, dieron
hacer	hice, hiciste, hizo, hicimos, hicisteis, hicieron
ir/ser	fui, fuiste, fue, fuimos, fuisteis, fueron

Use the preterit tense to express:

- an action, event, or condition that began or was completed in the past.

  Al llegar a EE.UU., Orlando Hernández **jugó** para los Yankees.

  *Upon arriving in the US, Orlando Hernández **started** playing for the Yankees.*

  Isabel Allende **publicó** su primera novela en 1981.

  *Isabel Allende **published** her first novel in 1981.*

- changes of emotional, physical, or mental states in the past.

  La familia de Botero **se sorprendió** porque Botero quería ser pintor.

  *Botero's family **was surprised** that Botero wanted to be a painter.*

- a mental or physical condition, if viewed as completed.

  La familia de Rosie Pérez **estuvo preocupada** por su dicción durante mucho tiempo.

  *Rosie Pérez's family **was worried** about her diction for a long time.*

Preterit Action with Imperfect Action in the Background

Sometimes two past actions may appear in the same sentence. One action may be ongoing, as if in the background, and it is expressed in the imperfect. The other action, having a specific beginning or end, is expressed in the preterit.

Allende vivía en Chile cuando **ocurrió** el golpe de estado.

*Allende was living in Chile when the coup d'état **happened**.*

1–37. Identificación. Identifica los verbos en pretérito de la descripción biográfica de Fernando Botero de la página 25 y determina cuáles son irregulares.

1–38. Ayer, a esta hora.

A. Imagina que, por un día, tuviste la oportunidad de vivir la vida de una persona de las páginas 24 y 25. Basándote en la información que tienes, determina qué hizo esta persona ayer, durante los períodos indicados a continuación.

A las siete de la mañana...
A las doce del mediodía...
A las seis de la tarde...
A las diez de la noche...
A medianoche...

B. Ahora, en parejas, háganse preguntas para determinar qué hizo la otra persona durante ese mismo período. ¿Creen que los dos personajes que representan pueden tener algo en común? ¿Se encontraron en algún sitio? Usen la imaginación y háganse preguntas asumiendo que son el personaje sobre el que hablan.

1–39. Una noticia increíble. Usando la imaginación, inventen un suceso que supuestamente tuvo lugar en su comunidad universitaria durante la última semana y que apareció publicado como breve nota de prensa en el periódico *El Informador Universitario*. El suceso debe incluir a uno o más de los personajes de este capítulo. Primero deben ponerse de acuerdo sobre qué van a publicar y después, cada miembro del grupo debe ocuparse de una de las siguientes tareas.

1. Escribir una breve introducción biográfica sobre el personaje principal del suceso.
2. Escribir un párrafo corto explicando el suceso brevemente.
3. Hacer un dibujo para acompañar el artículo que refleje el suceso sin palabras.
4. Escribir el título del artículo y asegurarse de que no tiene faltas de ortografía.

Después, un miembro del grupo debe presentar su artículo ante la clase. Los demás grupos votarán al final para decidir qué artículo es el más interesante.

La presidenta de la universidad contrató a Rosie Pérez como profesora de baile.

Gramática

Imperfect Tense

	caminar	comer	escribir
yo	camin**aba**	com**ía**	escrib**ía**
tú	camin**abas**	com**ías**	escrib**ías**
él/ella/Ud.	camin**aba**	com**ía**	escrib**ía**
nosotros/as	camin**ábamos**	com**íamos**	escrib**íamos**
vosotros/as	camin**abais**	com**íais**	escrib**íais**
ellos/ellas/Uds.	camin**aban**	com**ían**	escrib**ían**

Ser, ir, and **ver** have irregular forms.

ser	era, eras, era, éramos, erais, eran
ir	iba, ibas, iba, íbamos, ibais, iban
ver	veía, veías, veía, veíamos, veíais, veían

(continued)

Uses of the Imperfect

The imperfect tense is used to describe actions and states in progress in the past without mentioning the beginning or end.

Use the imperfect to:

- set the stage, describe or provide background information (time, place, weather) to a story or situation.

  Hacía frío cuando salí para la clase de literatura.

  It was cold when I left for my literature class.

- express time.

  Eran las tres de la tarde cuando fui a la biblioteca.

  It was three in the afternoon when I went to the library.

- express age.

  Cuando **tenía** doce años Rosie Pérez tuvo problemas con la justicia.

  When she was twelve years old, Rosie Pérez had problems with the law.

- describe mental state and feelings, usually expressed by non-action verbs such as **ser, estar, creer, pensar, querer, esperar** (to hope), and **parecer.**

  De niño, Fernando Botero **quería** ser torero.

  As a child, Ferrando Botero wanted to be a bullfighter.

- express habitual past actions.

  Fernando Botero **vendía** sus obras por muy poco dinero cuando todavía no era famoso.

  Fernando Botero used to sell his work for very little money when he wasn't yet famous.

- express an ongoing action (background action) that is interrupted by the beginning or the end of another action stated in the preterit.

  Allende **vivía** en Venezuela cuando escribió su primera novela.

  Allende was living in Venezuela when she wrote her first novel.

- express two ongoing actions that were happening simultaneously.

  Ayer a las tres, yo **limpiaba** los platos mientras mi compañera **limpiaba** los baños.

  Yesterday at three o'clock, I was cleaning the dishes while my roommate was cleaning the bathroom.

1–40. Identificación. Identifica los verbos que están en el imperfecto en el párrafo siguiente y subráyalos. Después, comparte con otro/a estudiante información similar sobre tu niñez usando los mismos verbos.

Cuando yo era niña, mi familia y yo vivíamos en Miami, Florida. Me gustaba mucho mi vida allí: nuestra casa era grande y mis hermanos y yo teníamos un perro. Hacía buen tiempo la mayor parte del año, menos cuando los huracanes pasaban por la ciudad. Mis padres eran felices en aquella época, antes de que llegaran los problemas.

1–41. En sexto grado. ¿Cómo eras cuando estabas en el sexto grado? Habla con un compañero/a y menciona tres características físicas y tres de tu personalidad. Prepárate para compartir la información con la clase. Puedes usar estos u otros verbos: ser, tener, medir, pesar, llevar, gustar, encantar, detestar, estudiar, jugar, salir, mirar, etc.

1–42. Cosas del pasado. En esta actividad, vas a comparar algunas de las opiniones que tenías en la escuela primaria con tu visión adulta del presente.

A. Cada estudiante debe clasificar los elementos de la lista según la importancia que tenían en la escuela secundaria. 1 significa "sin importancia," 2 "más o menos importante" y 3 "muy importante."

la opinión de los amigos	_____
la opinión de los padres	_____
la imagen física	_____
el éxito académico	_____
la vida espiritual	_____
el éxito profesional	_____
los miembros del sexo opuesto	_____
los deportes	_____
las drogas, el alcohol y el tabaco	_____
la vida social	_____

B. Comenta tu clasificación con una pareja. Informa a la clase sobre dos diferencias y dos semejanzas entre ustedes. Usa las expresiones "ser importante(s)" o "darle(s) importancia."

> **MODELO**
>
> **Yo le daba mucha importancia a la opinión de los demás pero Julius no le daba importancia (o Julius también le daba importancia).**

C. Escribe un párrafo describiendo las diferencias entre tu comportamiento (*behavior*) en el pasado y el presente. Da ejemplos específicos.

1–43. Mi instructor/a de español. En esta actividad podrán informarse sobre el pasado de su instructor/a de español.

A. En grupos de tres, preparen preguntas sobre uno de los siguientes aspectos de su historia personal o profesional.

1. vida académica, profesional
2. familia y amistades
3. actividades, pasatiempos

B. Túrnense para hacerle las preguntas a su instructor/a y tomen notas de las respuestas.

C. Cada alumno debe escribir un párrafo con la información obtenida de la entrevista.

Una conversación telefónica

¿Aló?

Hola, soy Antonio, ¿está Juan?

Hablar por teléfono

To have a conversation on the phone you need to know:

- what to say when you pick up the phone.

  ¿Aló? (most countries)
  Bueno. (Mexico)
  Oigo. (Cuba)
  ¿Diga?/ Dígame./ ¿Sí? (Spain)

- what to say to identify yourself.

  Hola, soy María/ habla María.

- how to ask for the person you want to talk to.

  Por favor, ¿está Juan?/ ¿Se encuentra Juan?

- how to end the conversation properly.

  Hasta luego./ Bueno, hasta luego.
  Nos hablamos./ Bueno, nos hablamos.
  Adiós./ Bueno, adiós.

1–44. Palabras en acción. Completen las siguientes oraciones con la expresión adecuada.

1. María Ángeles, que es de México, contesta el teléfono y dice _____.
2. Llamas a la oficina de tu instructor/a de español y te identificas diciendo _____.
3. Llamas a un amigo y su madre contesta el teléfono. ¿Qué le dices a su madre? _____.
4. Terminas de hablar con tu mejor amigo/a y le dices _____.

1–45. Objetos perdidos. Siéntate de espaldas a tu compañero/a para simular una llamada telefónica.

Estudiante A: Llama al/a la estudiante B. Identifícate. Explica el motivo de tu llamada: quieres saber si tu amigo/a (el/la estudiante B) se llevó tu cuaderno a su casa por equivocación al salir de clase. Termina la conversación adecuadamente.

Estudiante B: Contesta la llamada. Saluda al/a la estudiante A. Responde a su pregunta. Termina la conversación adecuadamente.

1–46. La fiesta de anoche. Siéntate de espaldas a tu compañero/a para simular una llamada telefónica.

Estudiante A: Llama al/a la estudiante B. Identifícate. Explica el motivo de tu llamada: quieres contarle a tu amigo/a (el/la estudiante B) cómo estuvo la fiesta de anoche. Describe la fiesta con varios acontecimientos. Termina la conversación adecuadamente.

Estudiante B: Contesta la llamada. Saluda al/a la estudiante A. Responde a su descripción con preguntas y comentarios apropiados. Termina la conversación adecuadamente.

COLOR Y FORMA

La calle, 1987, de Fernando Botero. Private Collection/Bridgeman Art Library. ©Fernando Botero, Courtesy Marlborough Gallery, New York.

La calle, de Fernando Botero

"En todo lo que he hecho es muy importante lo volumétrico, lo plástico, lo sensual, y esto lo asimilé en Italia, al conocer las pinturas del Quattrocento".

 1–47. Mirándolo con lupa. En parejas, miren la obra con atención durante un par de minutos. Comenten sus respuestas a las siguientes preguntas.

1. ¿Qué elementos componen el cuadro (escenario, personas y cosas)?
2. ¿Qué tipo de personas muestra la obra? Describan cómo creen que son estas personas.
3. ¿Qué ocurre? Describan la acción en detalle.
4. ¿Les gusta este cuadro? ¿Por qué?

Gente y lugares

Lectura

Entrando en materia

 1-48. Antes de leer. Miren rápidamente el texto y la fotografía de la página 36. ¿Pueden adelantar información sobre el texto sin leerlo? ¿Quién creen que es esta persona? ¿Qué datos hay en la presentación del texto que les dan pistas (*hints*) sobre el contenido?

1-49. ¿Cuál es el tema? Lean el título y el primer párrafo de la lectura y seleccionen el mejor resumen de su tema.

a. Tego Calderón es un artista musical de *hip hop* que se preocupa de los problemas sociales en varios continentes.

b. Tego es un rapero con conciertos en Europa, Estados Unidos, y África, donde compra diamantes.

c. Las canciones del nuevo disco de Tego exponen sus ideas sobre el racismo y otros males sociales que aquejan a los hispanos.

Por si acaso

Expresiones útiles para comparar respuestas con otro estudiante

¿Qué tienes/ pusiste en el número 1/ 2/ 3?
Yo tengo/ puse a/ b.
Yo tengo algo diferente.
No sé la respuesta./ No tengo ni idea.
Creo que la respuesta es a/ b, pero no estoy seguro/a.
Creo que es cierto./Creo que es falso.

1-50. Vocabulario: Antes de leer. En parejas, expliquen con sus propias palabras el significado de cada palabra de la lista. Expliquen cada palabra usando un sinónimo, un antónimo o una elaboración. Observen el contexto de las palabras en negrita en la lectura y consulten el vocabulario al final del capítulo si es necesario.

MODELO

ligadas	a) sinónimo	conectadas
	b) antónimo	separadas
	c) elaboración	condición de estar unido, relacionado

---

1. gira
  a) sinónimo _____
  b) antónimo _____
  c) elaboración _____

2. puente
  a) sinónimo _____
  b) antónimo _____
  c) elaboración _____

3. apegado
  a) sinónimo _____
  b) antónimo _____
  c) elaboración _____

4. éxito
  a) sinónimo _____
  b) antónimo _____
  c) elaboración _____

5. gastada
  a) sinónimo _____
  b) antónimo _____
  c) elaboración _____

6. hace muchísimo daño
  a) sinónimo _____
  b) antónimo _____
  c) elaboración _____

7. estar ilusionado
  a) sinónimo _____
  b) antónimo _____
  c) elaboración _____

8. no quitarle el sueño
  a) sinónimo _____
  b) antónimo _____
  c) elaboración _____

Estrategia: Anticipar el contenido por el título

Antes de leer un texto en otro idioma, lee el título, ya que te puede proporcionar mucha información. Dedica un minuto a pensar en el título y formula una o dos hipótesis sobre el tema que crees que va a tratar el texto. Piensa en uno o dos contextos posibles para ese título, y después, usa la información que ya conoces sobre ese tipo de situación para determinar de qué tratará el texto. Anota tus hipótesis en un papel antes de proceder con la lectura, para revisarlas después de leer.

Charla con Tego Calderón: *Hip hop* con conciencia social

Tego Calderón es sin duda alguna uno de los más experimentados exponentes del género latino urbano. Su estilo musical mezcla rap y ritmos afro-caribeños y su temática hace referencia a los problemas sociales de la comunidad latina urbana: pobreza, racismo, violencia, droga, crimen. Recientemente viajó a Sierra Leona (África) para filmar un documental sobre el comercio internacional de diamantes, y la experiencia le ha afectado muchísimo. Conversamos con él durante los preparativos de una nueva **gira** por Estados Unidos y Europa para seguir la promoción de su disco "El Abayarde Contrataca."

*¿Las temáticas de tus canciones continúan **ligadas** a la problemática social?*

No siempre. La verdad es que a mí me encanta hablar de los problemas sociales cuando compongo canciones,

pero mi principal mercado es Puerto Rico, donde la gente se deja llevar por temas menos serios. Por eso para llegar a más gente solamente incluyo dos o tres canciones que reflejan esa realidad en cada disco.

¿Qué te hace diferente de tus colegas en la escena urbana, especialmente la del reggaetón?

Yo me considero un **puente** entre los cantantes más jóvenes y los más experimentados. El reggaetón sobrevivió una década en Puerto Rico como un movimiento subterráneo, pero todo eso cambió en el 2002 y 2003 cuando comenzó a ganar popularidad. Al mismo tiempo, comenzaron a tocar mi música y a identificarla con el reggaetón. Sin embargo, yo considero que estoy **apegado** al movimiento latino más general y al *hip hop* latino especialmente y no exclusivamente al reggaetón.

¿Sinceramente consideras que ha habido algún progreso desde la explosión del reggaetón?

Creo que sí, pero al mismo tiempo el movimiento está muy saturado porque aparecieron muchos muchachos jóvenes entusiasmados por el **éxito** de algunos artistas y por la oportunidad que les dieron los sellos discográficos. Para mí fueron demasiados y el problema es que no todos tienen el talento necesario y muchos insisten simplemente en repetir una fórmula musical que ya está muy **gastada**. La monotonía no ayuda y lo único que hace es aburrir a la gente. Modestia aparte, yo creo que al final solamente vamos a quedar algunos, así como ha sucedido con otros géneros latinos como la salsa y el merengue.

Has viajado a Sierra Leona recientemente, ¿verdad?

Sí. Allí Raekwon, Paul Wall y yo filmamos *Bling: A Planet Rock* para VH1.

¿Te afectó mucho el viaje?

Claro que sí. Además de observar los problemas causados por la guerra civil, aprendimos cómo el comercio internacional de diamantes **hace muchísimo** **daño** a los africanos. Ya no puedo llevar diamantes, y con la película queremos educar a los jóvenes sobre las consecuencias tóxicas de llevar "bling."

*¿**Estás ilusionado** con tu nominación para un Grammy americano?*

Mira, francamente **no me quita el sueño** porque generalmente en estas entregas de premios no ganan necesariamente los mejores. No creas que si gano voy a cambiar mi opinión al respecto.

Bueno Tego, ¿tienes algunas palabras de cierre?

Que le digan NO a la piratería...y ¡GRACIAS!

 1–51. Temas de la entrevista. Identifiquen los temas de la entrevista y comparen sus respuestas con un/a compañero/a. ¿Son iguales?

1. la historia del reggaetón
2. planes para su vejez *(old age)*
3. clasificación musical de Tego
4. el lugar de su residencia
5. las causas sociales
6. la posibilidad de ganar un premio Grammy
7. su personalidad
8. la falta de originalidad en el reggaetón

 1–52. Vocabulario: Después de leer. Las expresiones siguientes se usan en la entrevista. ¿Qué tema de la actividad 1-51 asocian con cada expresión?

_____ no me quita el sueño

_____ repetir una fórmula (...) gastada

_____ un puente entre los cantantes más jóvenes y los más experimentados

_____ aparecieron muchos muchachos jóvenes entusiasmados por el éxito de algunos artistas

_____ el comercio internacional de diamantes hace muchísimo daño

 1–53. En detalle. En parejas, determinen cuáles son los tres datos más importantes que aprendieron sobre Tego Calderón. Escríbanlos y luego coméntenlos con la clase.

1–54. Debate. En grupos de cuatro, formen dos equipos de dos. El equipo A debe estar a favor de dos de las cuatro afirmaciones de abajo. El equipo B debe estar en contra. Preparen sus argumentos durante cinco minutos y después, hagan un debate para intentar persuadir al otro equipo sobre su punto de vista. Utilicen estas expresiones durante el debate.

"(No) estoy de acuerdo," "No me convences," "Eso no es verdad," "Tu argumento es débil," "Estás equivocado/a *(wrong)*".

1. La música *hip hop* promueve la violencia, la droga, y un punto de vista negativo sobre las mujeres.
2. La piratería debe ser un acto criminal con consecuencias legales graves.
3. El reggaetón es un género musical formulaico, monótono y sin originalidad.
4. Los premios Grammy reconocen a los mejores artistas musicales.

Ven a conocer

 1–55. Anticipación.

1. Miren la foto que acompaña la lectura y descríbanla con tantos detalles como sea posible.
2. Lean rápidamente cada párrafo de la lectura y presten atención al vocabulario. Según el contenido, ¿qué párrafo (1, 2, 3, etc.) trata las ideas siguientes?

   ——— las primeras impresiones de la isla de Vieques

   ——— la experiencia de la bioluminiscencia en la Bahía Mosquito

   ——— la preocupación por la conservación ecológica de la bahía

   ——— la ciencia de la bioluminiscencia

   ——— la geografía, la política, y la historia de la ocupación militar de Vieques

Puerto Rico:
La isla de Vieques

La bioluminiscencia acontece en todos los mares del mundo, pero en Puerto Rico el fenómeno ocurre con mayor intensidad. Así lo afirman los visitantes nocturnos de la Bahía Mosquito. Según el doctor Juan González Lagoa, director del Centro de Recursos para Ciencias e Ingeniería del Recinto Universitario de Mayagüez, en las aguas del trópico la bioluminiscencia es mayormente causada por unos organismos microscópicos conocidos como dinoflagelados, específicamente la especie *pyrodinium bahamense*, nombre científico que se deriva de la palabra griega *pyro*, que significa "fuego", y de *dino*, que quiere decir "mover o girar". Los dinoflagelados producen luz mediante un proceso químico en el que se unen dos sustancias orgánicas conocidas como luciferina y luciferaza. Cuando estas moléculas reaccionan, liberan energía en forma de luz.

La Bahía Mosquito está situada en la isla de Vieques, que forma parte del Estado Libre Asociado de

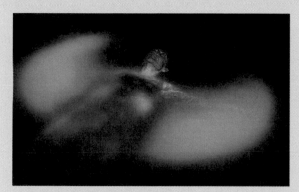

Bioluminiscencia. Bahía Mosquito.

Puerto Rico. Vieques está ubicada aproximadamente a siete millas al sudeste de la isla principal de Puerto Rico. Desde la década de 1940 hasta mayo de 2003, la Marina de EE.UU. fue propietaria de aproximadamente la mitad de la isla y llevaba a cabo ejercicios de entrenamiento militar que incluían bombardeos de combate en una zona de aproximadamente 900 acres conocida como zona de impacto de combate. A partir de 1999, los viequenses organizaron protestas, y, en 2003, las fuerzas armadas estadounidenses se retiraron definitivamente de la isla.

Se llega a Vieques a bordo de unos barcos que parten a diario desde Fajardo, en la isla grande.

También se puede tomar una pequeña avioneta que da el salto en apenas 15 minutos de vuelo, que son suficientes para apreciar desde el aire la extensión de selvas verdes y la quietud del paisaje natural. A vista de pájaro, nadie diría que Vieques fue durante 60 años un campo de bombardeo militar.

Al caer la noche, la bahía se convierte en una gigantesca luciérnaga cada vez que algo agita la superficie de sus calmadas aguas, ya sea un pez en busca de comida, el motor de una embarcación o los muchos curiosos que acuden a observar el fenómeno y se bañan en sus aguas. Al agitar los brazos y piernas, estos bañistas nocturnos se convierten en una especie de bombilla viviente.

El doctor González Lagoa admite que el equilibrio entre todas las características especiales necesarias para la subsistencia de los dinoflagelados es delicado y extremadamente frágil. La proliferación de viviendas en el área, el aumento en el tránsito de los botes y la pobre planificación en el uso de los terrenos en las zonas cercanas ponen en peligro la supervivencia de los dinoflagelados. Si se logra controlar todos estos factores, la Bahía Mosquito seguirá ofreciéndoles una experiencia única a sus visitantes por muchos años.

 1–56. ¿Viaje a Vieques? Ustedes están considerando la posibilidad de viajar a Vieques, Puerto Rico. Hablen sobre tres aspectos de la descripción de Vieques que les parecen atractivos y sobre aspectos de la descripción que no les atraen. ¿Qué otra información necesitan antes de decidir si van a viajar a Vieques? Escriban tres preguntas que le harían a un agente de viajes antes de salir de viaje.

Viaje virtual
Visita la página de la red http://www.isla-vieques.com/ viaje.php. Explora las posibilidades de "recreación". Escribe una lista de ocho actividades que te gustaría incluir en tu itinerario para una visita a la isla. También puedes encontrar información adicional usando tu buscador preferido.

[handwritten margin notes: - where you live - your family / traditions - your friends - activities]

Redacción

1–57. Una descripción Tus padres van a recibir en su casa a un/a estudiante de Puerto Rico durante el verano. Como sabes español, te han pedido que le escribas una carta dándole información sobre tu lugar de residencia, tu familia y sus costumbres, tus amigos y tus actividades del verano. Sigue los pasos siguientes.

[handwritten: SNACKBOYZ!!!]

Preparación

Piensa en los siguientes puntos:

1. ¿Cómo es el estudiante de intercambio a quien le vas a escribir?
   a. una persona muy activa con muchos intereses
   b. una persona introvertida e intelectual
   c. una persona extrovertida y algo irresponsable
   d. una persona parecida a ti

2. ¿Cómo vas a comenzar la carta?
   a. algo formal: "Estimado Pedro: Soy Alejandro, tu nuevo amigo en (tu ciudad). He decidido escribirte esta carta para darte la información que necesitas antes de hacer tu viaje..."
   b. algo informal: "¡Hola Pedro! Mi familia y yo estamos contando los días que faltan para que vengas. Aquí lo vas a pasar muy bien este verano. Déjame que te cuente sobre las cosas más geniales de mi vida aquí..."

3. ¿Qué temas vas a incluir? Aquí tienes algunas sugerencias:
   a. descripción de tu pueblo/ciudad
   b. descripción de tu familia
   c. descripción de algunas costumbres familiares que podrían sorprender al visitante por ser de otra cultura
   d. descripción de tu grupo de amigos y de lo que hacen en verano
   e. descripción de la escuela de verano a la que va a asistir el estudiante durante su estancia
   f. otros temas

4. ¿Cómo vas a terminar la carta? Piensa en una forma de terminar que sea consistente con el tono que has usado en toda la carta.
   a. Bueno, ya te he contado suficiente. Ahora lo que hace falta es que vengas y lo veas todo con tus propios ojos. ¡Nos vemos en el aeropuerto! Hasta pronto,...
   b. Bueno, ya no te cuento más. Ahora tienes que venir y verlo por ti mismo. Un afectuoso saludo,...

A oooribir

1. Escribe un primer borrador teniendo en cuenta las necesidades de tu lector (el estudiante de intercambio) y sus preferencias.
2. Las expresiones de la lista te servirán para hacer transiciones entre las diferentes ideas o partes de la carta.

a diferencia de, en contraste con	*in contrast to*
igual que	*the same as, equal to*
mientras	*while*
al fin y al cabo	*in the end*
en resumen	*in summary*
después de todo	*after all*
sin embargo	*however*

Revisión

Para revisar tu redacción usa la guía de revisión del Apéndice C. Después de hacer el número de revisiones que te indique tu instructor/a, escribe la versión final y entrega tu redacción.

El escritor tiene la palabra

Isabel Allende (1942)

En este capítulo, ustedes leyeron sobre la escritora chilena Isabel Allende. Ahora van a leer un fragmento de su obra *Paula,* un testimonio que Allende escribió cuando su hija, Paula, entró en coma a los 28 años y la autora la cuidaba en el hospital. *Paula* narra la historia de la familia de Allende, comenzando con sus abuelos, para contarle a su hija sobre sus antepasados. También narra la historia de la enfermedad y la muerte, en menos de un año, de Paula. En el fragmento, Allende le describe a Paula una fotografía familiar sacada en la década de 1960. El fragmento es un ejemplo del arte de la descripción literaria: detalles multidimensionales y sugestivos que crean una imagen compleja de la persona.

1–58. Entrando en materia. Hay varias personas en la fotografía que Allende describe. Sin embargo, se centra en una persona: el abuelo de la autora (bisabuelo de Paula). Antes de leer, cada alumno/a debe pensar en una persona mayor de su familia que respeta mucho y describir a esa persona según estas preguntas:

1. ¿Cuáles son dos rasgos físicos notables de la persona? ¿Hay alguna parte del cuerpo en particular que se destaca *(stands out)*?
2. ¿Cuáles son dos hábitos o costumbres característicos de esta persona?
3. ¿Tiene o tenía opiniones firmes sobre algo? ¿Tiene o tenía una filosofía personal de la vida?
4. ¿Hay objetos, lugares o sucesos que asocias con esta persona?

Paula (fragmento)

Mira, Paula, tengo aquí el retrato del Tata. Este hombre de facciones severas, pupila clara, lentes sin **montura**[1] y **boina**[2] negra, es tu bisabuelo. En la fotografía aparece sentado empuñando su **bastón**[3], y junto a él, **apoyada en**[4] su rodilla derecha, hay una niña de tres años vestida de fiesta, graciosa como una bailarina en miniatura, mirando la cámara con ojos lánguidos. Ésa eres tú, detrás estamos mi madre y yo, la silla me oculta la barriga, estaba embarazada de tu hermano Nicolás. Se ve al viejo de frente y se aprecia su gesto **altivo**[5], esa dignidad sin **aspavientos**[6]... Lo recuerdo siempre anciano, aunque casi sin **arrugas**[7], salvo dos surcos profundos en las **comisuras**[8] de la boca, con una blanca **melena**[9] de león y una risa brusca de dientes amarillos. Al final de sus años le costaba moverse, pero se ponía trabajosamente de pie para saludar y despedir a las mujeres y apoyado en su bastón acompañaba a las visitas hasta la puerta del jardín. Me gustaban sus manos, **ramas retorcidas de roble**[10], fuertes y nudosas, su infaltable pañuelo de seda **al cuello**[11] y su olor a jabón inglés de lavanda y desinfectante. Trató con humor desprendido de inculcar a sus descendientes su filosofía estoica; la incomodidad le parecía **sana**[12] y la calefacción **nociva**[13], exigía comida simple - nada de salsas ni revoltijos - y le parecía vulgar divertirse... Fíjate en mi madre, que en este retrato tiene algo más de cuarenta años y se encuentra en el **apogeo**[14] de su esplendor, vestida a la moda con falda corta y el pelo como un **nido de abejas**[15]. Está riéndose y sus grandes ojos verdes se ven como dos rayas enmarcadas por el arco en punta de las **cejas**[16] negras. Ésa era la época más feliz de su vida, cuando había terminado de criar a sus hijos, estaba enamorada y todavía su mundo parecía seguro.

 1-59. Los elementos de la descripción. Identifiquen 2 ó 3 ejemplos de:

1. Rasgos físicos del Tata
2. Hábitos y costumbres del Tata
3. Olores asociados con el Tata
4. Ropa o pertenencias *(belongings)*
5. Opiniones y filosofía que tenía el Tata

 1-60. Nuestra interpretación de la obra. En parejas, comparen sus respuestas a estas preguntas usando el vocabulario.

1. Según la descripción del Tata, ¿cómo es su personalidad? (Mencionen por lo menos cuatro características.)
2. Las últimas líneas de la descripción hablan de la madre de Allende (abuela de Paula). ¿Cómo es la madre o cómo está la madre en la foto?
3. Allende describe las manos del Tata con la metáfora de "ramas retorcidas de roble." ¿Qué les sugiere la metáfora?, ¿el aspecto físico de sus manos?, ¿algún aspecto del carácter del Tata?, ¿algo sobre la vida del Tata?
4. Imaginen que van a conocer a esta familia. Escriban dos preguntas para cada uno.

---

1. *frames;* 2. *beret;* 3. *cane;* 4. *leaning against;* 5. *proud;* 6. *fuss;* 7. *wrinkles;* 8. *corners;* 9. *head of hair;* 10. *twisted oak branches;* 11. *around his neck;* 12. *healthy;* 13. *harmful;* 14. *high point;* 15. *bee hive;* 16. *eye brows*

Ampliar vocabulario

apegado/a	*to be attached to*
ausente	*absent*
compaginar	*to fit, combine*
cortar el rollo	*end the conversation (col.)*
costero/a	*on the coast*
cotizado/a	*valued, sought-after*
desarrollo *m*	*development*
dicción *f*	*diction*
edificio *m*	*building*
encajar	*to fit*
estar ilusionado/a	*to be excited*
éxito *m*	*success*
firmar	*to sign*
fuente *f*	*source; fountain*
gastado/a	*over-used, worn out*
gira *f*	*tour*
golpe de estado *m*	*coup d'état*
hacer daño	*to harm*
jubilado/a	*retired, retiree*
justicia *f*	*justice, the law*
lanzador *m*	*pitcher*
ligar	*to bind*
malabarismo *m*	*juggling*
ocio *m*	*free time*
padrísimo/a	*fantastic*
personaje *m*	*fictional character*
platicar	*to talk, chat (Mex.)*
puente *m*	*bridge*
quitarle el sueño	*to lose sleep (over something)*

reconocimiento *m*	*recognition*
reformatorio *m*	*juvenile detention center*
rezar	*to pray*
superar	*to overcome*
taíno *m*	*native group of the Caribbean islands*
tiro con arco *m*	*archery*
vendedor ambulante *m*	*street vendor*

Vocabulario glosado

al cuello	*around the neck*
altivo/a	*proud*
apogeo *m*	*high point*
apoyado/a en	*leaning against*
arruga *f*	*wrinkle*
aspaviento *m*	*fuss*
bastón *m*	*cane*
boina *f*	*beret*
ceja *f*	*eye brow*
comisura *f*	*corner*
melena *f*	*head of hair*
montura *f*	*frames*
nido de abeja *m*	*bee hive*
nocivo/a	*harmful*
rama *f*	*branch*
retorcido/a	*twisted*
roble *m*	*oak*
sano/a	*healthy*

Vocabulario

Vocabulario para conversar

Para usar el circunloquio

Es algo que...	*It is something that . . .*
Es un animal que...	*It's an animal that . . .*
Es un lugar que...	*It is a place that . . .*
Es una cosa de color...	*The color is . . .*
Es una cosa que se usa para...	*It is a thing used for . . .*
Es una persona que...	*It's a person that . . .*
Huele a...	*It smells like . . .*
Sabe a...	*It tastes like . . .*
Se parece a...	*It looks like . . .*
Suena a...	*It sounds like . . .*

Para controlar el ritmo de la conversación

A ver, déjame pensar un minuto...	*Let's see, let me think for a minute . . .*
Dame un minuto...	*Give me a minute . . .*
Más despacio, por favor.	*Slower, please.*
No comprendo. Repite/a, por favor.	*I don't understand. Please repeat.*
¿Puede(s) escribirlo, por favor?	*Could you write it out, please?*
¿Puede(s) repetirlo, por favor?	*Can you repeat, please?*
Pues.../ Bueno...	*Well . . .*
Pues/ Bueno, necesito más tiempo para pensar.	*Well, I need more time to think.*
Pues/ Bueno, no puedo responderte ahora mismo.	*Well, I can't give you an answer right now.*
¿Qué significa la palabra *terapeuta*?	*What does* terapeuta *mean?*

Para hablar por teléfono

Adiós/ Bueno, adiós.	*OK, bye.*
¿Aló?	*Hello?*
Bueno.	*Hello? (Mex.)*
¿Diga?/Dígame./¿Sí?	*Hello? (Spain)*
Hasta luego./ Bueno, hasta luego.	*Good bye.*
Hola, soy María/ habla María.	*Hello, this is María.*
Nos hablamos./ Bueno, nos hablamos.	*OK., talk to you later.*
Oigo.	*Hello? (Cuba)*
Por favor, ¿está Juan?/¿Se encuentra Juan?	*Is Juan there, please?*

2

LAS RELACIONES DE NUESTRA GENTE

Objetivos del capítulo

En este capítulo vas a...

- explorar algunos temas clave sobre las relaciones humanas
- expresarte de manera impersonal
- pedir y dar información a otras personas
- describir y narrar en el pasado
- contar anécdotas
- comparar tus experiencias con las de otras personas

TEMA

En mi papel de madre trabajadora, a menudo tengo que coordinar mis obligaciones profesionales y familiares. ¿Es mi estilo de vida similar al tuyo o al de tu familia?

En familia

Lectura

Entrando en materia

 2-1. En Estados Unidos. En grupos de cuatro den las respuestas a las siguientes preguntas. ¿Están todos de acuerdo? ¿En qué áreas hay más diferencias de opinión entre ustedes? Hablen sobre estos temas e intenten llegar a una respuesta para cada pregunta con la que todos estén de acuerdo.

* ¿Cuál creen que es la edad promedio de las personas que se casan en EE.UU. por primera vez?
* ¿Es cierto que muchas parejas en EE.UU. prefieren vivir juntas en vez de casarse?
* En su opinión, ¿está aumentando o disminuyendo el divorcio en EE.UU?
* ¿Dónde vive la mayoría de las personas mayores en Estados Unidos: en su propia casa, en la casa de sus hijos, en residencias para personas mayores?
* ¿Creen que las estadounidenses que trabajan reciben mucha ayuda de su pareja en el trabajo de la casa y el cuidado de los hijos? Justifiquen sus opiniones.

Por si acaso

Expresiones útiles para comparar respuestas con otro estudiante

¿Qué tienes/ pusiste en el número 1/ 2/ 3?
Yo tengo/ puse a/ b.
Yo tengo algo diferente.
No sé la respuesta./ No tengo ni idea.
Creo que la respuesta es a/ b, pero no estoy seguro/a.
Creo que es cierto./ creo que es falso.

2-2. Vocabulario: Antes de leer. Antes de leer la siguiente sección, busquen las palabras y expresiones siguientes en la lectura para ayudarles a comprender el vocabulario nuevo. Usando el contexto y la intuición determinen si su significado se asocia con la definición de la *a* o la *b*.

1.	**en gran medida**	**a.** mucho	**b.** poco
2.	**al igual que**	**a.** de la misma manera	**b.** de forma diferente
3.	**índice**	**a.** número	**b.** tabla
4.	**imponer**	**a.** quitar	**b.** mandar
5.	**la pareja**	**a.** tres personas	**b.** dos personas
6.	**retrasar**	**a.** avanzar	**b.** ir hacia atrás
7.	**jubilado**	**a.** jubileo	**b.** retirado
8.	**aficiones**	**a.** pasatiempos	**b.** oficios
9.	**aumento**	**a.** hacer más grande	**b.** hacer más pequeño
10.	**ama de casa**	**a.** madre de familia	**b.** señora de la limpieza
11.	**tareas domésticas**	**a.** trabajo en la oficina	**b.** trabajo en la casa

Cuestión de familias

En este artículo, van a explorar los efectos que la vida moderna tiene en las relaciones familiares, con especial atención al matrimonio, la tercera edad (*the elderly*) y el papel de la mujer. Antes de leer, piensen en el concepto estereotípico de "la familia hispana." ¿Conocen este estereotipo? ¿En qué consiste? Escriban una lista de tres elementos que lo componen y guarden la lista para comentar después de la lectura.

La familia hispana no existe. La enorme diversidad del mundo hispano hace que las relaciones familiares varíen según la cultura de un país determinado, el nivel de educación de los padres, la herencia cultural y racial de los miembros, el contorno geográfico de su hogar y muchos otros factores. Por ejemplo, en algunas comunidades de Centroamérica donde mucha gente es de origen indígena, se conservan varias costumbres y tradiciones de hace cientos de años. Por otra parte, en las grandes ciudades de Sudamérica, hay familias de clase media o alta que se parecen a las familias urbanas con medios económicos similares de Europa, Asia o África. **M**

Momento de reflexión

Indica si la siguiente idea resume el contenido del párrafo anterior.

Las características de las familias hispanas son tan diferentes que es imposible definir una familia típica.

Sí ☐   No ☐

La familia hispana de la clase media, destaca por haber cambiado **en gran medida** su estructura y sus costumbres en décadas recientes. Una causa de estos cambios, **al igual que** en Estados Unidos y otras partes del mundo, es la internacionalización de los medios de comunicación y el desarrollo de la economía internacional.

En todo el mundo, las familias con recursos consumen productos similares, ven programas de televisión parecidos, comparten aspiraciones semejantes y se tropiezan con los mismos obstáculos económicos.

Un cambio notable en estas familias ha sido un mayor **índice** de divorcios, a pesar de las limitaciones que tradicionalmente **impone** la iglesia católica. Además, se observa una tendencia entre **las parejas** a **retrasar** el matrimonio. Las parejas se casan cada vez más tarde y tienen menos hijos que en el pasado. También es más frecuente que las parejas decidan vivir juntas sin casarse.

La vida moderna ha transformado la realidad de las personas mayores en las familias de clase media. En el pasado era frecuente que los abuelos vivieran con uno de los hijos al llegar a una edad avanzada, pero hoy en día las personas mayores son más independientes. Esta nueva generación de **jubilados** se dedica más a sus propias **aficiones**, a sus amigos y, en muchos casos, a viajar. Ⓜ¹

Muchos de estos cambios se deben al **aumento** de las oportunidades y de las expectativas para la mujer. En el pasado, frecuentemente el papel de la mujer era casi exclusivamente el de **ama de casa** y ella era responsable de todas las **tareas domésticas**. El divorcio no era una opción para las mujeres que no tenían la capacidad de lograr la independencia económica del esposo. Ya que las mujeres modernas persiguen una educación universitaria, muchas de ellas esperan hasta después de establecerse profesionalmente para casarse. Esta tendencia explica que la edad promedio de la mujer para casarse haya ascendido y que el número de hijos por familia haya disminuido. Ⓜ²

---

¹ Ⓜ **omento de reflexión**

Indica si la siguiente idea es correcta.

En el presente, las personas mayores generalmente dependen de los hijos.

Sí ☐   No ☐

---

² Ⓜ **omento de reflexión**

¿Es esto verdad?

Las nuevas posibilidades para la mujer son una de las causas de muchos cambios en la familia.

Sí ☐   No ☐

 2–3. La familia moderna. ¿Aprendieron algo nuevo sobre las familias hispanohablantes al leer el artículo? En parejas, comparen las notas que escribieron antes de la lectura. ¿Coinciden sus ideas con la información que presenta el artículo? Si no es así, revisen la lista y modifiquen las ideas anteriores usando la información de la lectura.

2–4. Vocabulario: Después de leer.

En parejas, una persona debe hacer las preguntas correspondientes al estudiante A y la otra debe hacer las preguntas correspondientes al estudiante B. Presten atención a las respuestas de la otra persona. ¿Tienen ideas más o menos similares? ¿En qué se parecen? Si no tienen las mismas ideas sobre estos asuntos, ¿cuáles son los motivos de las diferencias de opiniones?

Estudiante A:

1. En muchas familias, los padres **imponen** su voluntad sobre sus hijos, incluso cuando estos son adultos. ¿Crees que esto es necesario? ¿Por qué?
2. ¿Qué es lo primero que piensas al escuchar la palabra **jubilado**? ¿Qué diferencias culturales crees que hay entre los jubilados hispanos y los estadounidenses? ¿Crees que tienen las mismas **aficiones**?

Estudiante B:

1. ¿Crees que ha habido un **aumento** en el número de padres que se quedan en casa a cuidar de los hijos en los últimos años? ¿Cuál crees que es la razón de esto?
2. ¿Crees que en los matrimonios jóvenes las **tareas domésticas** se reparten igualmente entre los esposos o crees que la mujer hace casi todo el trabajo? ¿Crees que la cultura de cada familia influye mucho a la hora de decidir quién se ocupa de la casa? ¿Por qué?

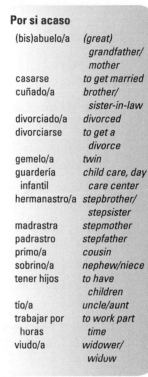

Por si acaso

(bis)abuelo/a	(great) grandfather/mother
casarse	to get married
cuñado/a	brother/sister-in-law
divorciado/a	divorced
divorciarse	to get a divorce
gemelo/a	twin
guardería infantil	child care, day care center
hermanastro/a	stepbrother/stepsister
madrastra	stepmother
padrastro	stepfather
primo/a	cousin
sobrino/a	nephew/niece
tener hijos	to have children
tío/a	uncle/aunt
trabajar por horas	to work part time
viudo/a	widower/widow

2–5. ¿Existe una familia típica en el salón de clase?

Para esta actividad, formen grupos de cuatro. Van a hacer una encuesta para determinar si las familias de sus compañeros de clase tienen características en común.

A. Primero, cada estudiante debe describir a su familia según las características de la lista. Los otros deben tomar notas.

	Yo	Compañero 1	Compañero 2	Compañero 3
Número de personas				
Número de hermanos				
¿Padres divorciados? (sí/no)				
Edad de los padres al casarse				
La/s persona/s que trabajan fuera de casa				
La persona que contribuye más dinero a la familia				
La persona que suele hacer la compra				
La persona que suele preparar las comidas				
La persona que suele limpiar la casa				
Número de animales domésticos				

B. Analicen los datos y respondan a estas preguntas:

1. ¿Cuáles son las características familiares comunes en su grupo?
2. ¿Existe una familia típica en su grupo? Justifiquen su respuesta.
3. ¿Creen que sus observaciones son también válidas en un contexto más amplio, como en su ciudad o en Estados Unidos?

Gramática

Impersonal/Passive *se* to Express a Nonspecific Agent of an Action

Uses of **se**:

1. The impersonal **se** (**se** + *third-person singular verb*) is used to indicate that people are involved in the action of the verb but no specific individuals are identified as performing the action. The impersonal **se** translates the impersonal English subjects *one, you, people* or *they*.

   Se dice que las familias hispanas son más numerosas que las estadounidenses.
   People say *that Hispanic families are larger than American families.*

   No se debe pensar que las estadísticas siempre reflejan la realidad.
   One should not think *that statistics always reflect reality.*

2. You can use **se** as a substitute for the passive voice in Spanish. Use **se** with the third-person form of the verb. The verb is in the third-person singular when the sentence refers to a singular noun. If the sentence refers to a plural noun, the verb is in third-person plural.

   Se abrió una nueva guardería infantil cerca de mi casa.
   *A new daycare center **was opened** near my house.*

   En el pasado, **se imponían** muchas restricciones a las mujeres.
   *Many restrictions **were imposed** on women in the past.*

See *Grammar Reference 2* for information on the passive voice, resultant state, no-fault *se, hacer* in time expressions.

2–6. Identificación. Uno de tus compañeros ha escrito un texto sobre algunas características de la dinámica familiar para el periódico universitario. El problema es que ha escrito el primer párrafo usando *se* y los otros dos párrafos usando la primera persona del plural. Antes de publicar el texto, identifica el uso de **se** en el primer párrafo. Después, edita los dos últimos párrafos para que tengan el mismo estilo.

MODELO

En esta cultura nosotros respetamos a las personas mayores de la familia.
En esta cultura se respeta a las personas mayores de la familia.

En el seno de algunas familias hispanohablantes **se respeta** la figura de la persona mayor. Igualmente, se respeta la autoridad del padre y la madre, el hermano mayor, los abuelos, los tíos o los padrinos a cargo de la familia, según las circunstancias.

También **cuidamos** el buen nombre de la familia, lo cual puede producir fuertes reacciones sociales cuando **cuestionamos** o **perdemos** el honor familiar. Por eso, para muchas familias es muy importante "el qué dirán", es decir, la opinión que tienen los demás sobre la familia.

Ofrecemos apoyo afectivo y material a los miembros de la familia en todo momento. Por esta razón, **usamos** poco los servicios de ayuda pública. En nuestras familias los hijos sienten la obligación de cuidar a sus padres cuando éstos son mayores.

 2–7. Hablando de estereotipos. De la misma manera que algunas personas en EE.UU. tienen estereotipos sobre los hispanos, en otros países también hay estereotipos sobre Estados Unidos y los estadounidenses.

A. En parejas, creen una lista breve de cuáles pueden ser esos estereotipos. Incluyan un mínimo de cinco.

B. Ahora, lean la siguiente lista de estereotipos y determinen: a) si son ciertos y b) cuál es su origen probable.

> **MODELO**
>
> Me parece que el comentario número uno es un estereotipo incorrecto porque...
> Me parece que el comentario número uno tiene su origen en la popularidad de McDonalds...

1. En muchos países europeos **se cree** que los estadounidenses comen comida rápida todos los días.
2. En Estados Unidos **se come** más en restaurantes que en los países hispanos.
3. En otros países **se piensa** que la familia estadounidense media se muda de casa cada seis o siete años.
4. En Estados Unidos **se adoptan** muchos niños de otros países porque la gente es muy rica.
5. En Estados Unidos **se pasa** menos tiempo con los hijos que en los países hispanos.

2-8. Estereotipos hispanos. En parejas, una persona va a hacer el papel de un entrevistador hispano que está investigando la actitud de los estadounidenses hacia los hispanos. La otra persona debe responder a las preguntas usando expresiones impersonales, para reflejar el punto de vista de la sociedad estadounidense, no sólo su propia opinión. Estas expresiones pueden ser útiles para la entrevista.

se piensa   se considera   se cree   se describe   se comenta   se discute

> **MODELO**
>
> ¿Creen los estadounidenses que todos los hispanos tienen pelo castaño y ojos color café?
> En general, se cree que la mayoría de los hispanos tiene el pelo castaño y los ojos color café pero sabemos que esto no es verdad porque...

1. ¿Creen los estadounidenses que la mayoría de los hispanos come comida picante?
2. En general, ¿piensan ustedes que los hispanos tienen un nivel de educación bajo?
3. ¿Creen que todos los hispanos hablan en voz alta y hacen muchos gestos con las manos?
4. ¿Qué piensan los estadounidenses con respecto a la costumbre de echarse la siesta?

 2-9. Tradición familiar. En parejas, expliquen cómo se celebran estas ocasiones especiales en la mayoría de las familias estadounidenses. ¿Qué cosas se hacen? ¿Qué comida se prepara?

> **MODELO**
>
> En las fiestas de cumpleaños generalmente se dan regalos.

1. el Día de Acción de Gracias
2. los cumpleaños
3. las bodas
4. las graduaciones
5. el Día de la Independencia

Ahora, cada uno de ustedes debe elegir un país de habla hispana e investigar cómo se celebran estas ocasiones en ese país (si se celebran). Cuando tengan toda la información necesaria, preparen un breve informe oral para presentarlo al resto de la clase.

 2–10. Con sus propias palabras. ¿Recuerdan el artículo que escribió su compañero para el periódico universitario? Ahora el director del periódico quiere incluir un artículo similar sobre la familia estadounidense. En parejas, escriban un pequeño artículo, usando **se**, para publicarlo en la próxima edición. Aquí tienen algunas ideas sobre los temas que pueden tratar en su artículo.

1. la importancia de las personas mayores
2. el honor familiar (el buen nombre de la familia)
3. el uso de los servicios de ayuda pública
4. el afecto entre los miembros de la familia

Vocabulario para conversar

Pedir y dar información

Requesting and providing information are common functions in our communication with others. We request and give information in the course of interviews, surveys, asking and giving directions, and in daily conversations with family, friends, and co-workers. The following expressions will be useful when requesting and providing information. Remember that when the context of the conversation is formal, you use the **usted** form.

Pedir información:	
Dime/ Dígame...	Tell me, . . .
¿Me puedes/ puede decir...?	Can you tell me . . .?
¿Me puedes/ Me puede explicar...?	Can you explain to me . . .?
Quiero saber si...	I'd like to know if . . .
Quiero preguntar si...	I'd like to ask if . . .
Otra pregunta...	Another question . . .

Dar información:	
La verdad es que...	The truth is . . .
Permíteme/ Permítame explicar...	Let me explain . . .
Con mucho gusto.	I'll be glad to.
Yo opino (creo) que...	I think that . . .
Lo siento, pero no lo sé.	I am sorry, but I don't know.
No tengo ni idea.	I have no idea.

2–11. Palabras en acción. ¿Saben qué expresiones pueden usar para responder a estas preguntas? ¡Demuéstrenlo!

1. ¿Me puedes ayudar a hacer la tarea de mañana?
2. No comprendo, ¿qué quieres decir?
3. Buenos días, señor. ¿Qué desea?
4. ¿Qué quieres saber sobre el tema de la familia?

 2–12. Estudios y familia. El Departamento de Psicología de su universidad está haciendo un estudio sobre las costumbres familiares de los estudiantes. En grupos de tres, representen la situación a continuación usando las expresiones para pedir y dar información.

Estudiante A: Tú eres el/la entrevistador/a (*interviewer*) y ésta es la información que necesitas obtener de los estudiantes B y C. El/La estudiante B es una persona de tu edad. Háblale usando la forma *tú*. El/La estudiante C es una persona mayor. Háblale usando la forma *usted*.

1. Inicia la conversación.
2. Haz preguntas para obtener información personal: nombre, apellido/s, edad, especialización, lugar de residencia, número de miembros de la familia, hermanos mayores y menores y miembros de la familia extendida que viven con la persona entrevistada. Formula preguntas adicionales basadas en las respuestas.

3. Haz preguntas para obtener información sobre la relación del entrevistado con su familia, frecuencia de sus visitas a la residencia familiar, ocasiones especiales que pasa y no pasa con la familia, tiempo que dedica en el campus a mantener contacto con la familia (cartas, llamadas telefónicas, correo electrónico). Elabora preguntas adicionales basadas en las respuestas.

Estudiante B: Tú eres un/a estudiante de la edad de tu entrevistador/a. Contesta sus preguntas usando algunas de las expresiones que has aprendido para dar información.

Estudiante C: Tú eres un/a estudiante no tradicional y eres mayor que tu entrevistador/a. Contesta las preguntas usando algunas de las expresiones que has aprendido para dar información. Usa la imaginación para inventar detalles de la vida de una persona mayor que tú.

CURIOSIDADES

2–13. Crucigrama. Este crucigrama les ayudará a recordar palabras en español para designar las relaciones familiares. ¡Buena suerte!

HORIZONTALES

1. dos hermanos que nacieron el mismo día
2. los hijos de tus hermanos
3. tus progenitores (¡consulta el diccionario!)
4. el esposo de esta mujer murió

VERTICALES

5. progenie (¡consulta el diccionario!)
6. los padres de tus padres
7. este hombre ya no está casado
8. estas personas son los hermanos de tus padres

Entre amigos

A escuchar

Entrando en materia

2-14. Tu red de amigos. En parejas, una persona debe hacer las preguntas del estudiante A y la otra, las preguntas del estudiante B. Después, hablen sobre el tema para ver si tienen preferencias similares en cuanto a las amistades.

Estudiante A: ¿Tienes muchos amigos? En tu opinión, ¿existe un número ideal de amigos? ¿Tienes más amigos o amigas? ¿Hablas de las mismas cosas con tus amigos que con tus amigas? ¿Por qué?

Estudiante B: ¿Qué cualidades son más importantes para ti en un amigo o amiga? ¿Cómo conociste a tu mejor amigo/a? ¿Por qué consideras a esta persona como tu mejor amigo o amiga? ¿Crees que tú eres un buen amigo/una buena amiga? ¿Por qué?

2-15. Vocabulario: Antes de escuchar. En la miniconferencia de este *Tema* van a escuchar una presentación sobre las relaciones entre amigos. Para prepararse, identifiquen la definición que corresponde a las expresiones escritas en negrita.

Expresiones en contexto

friendship

1. Dos personas que tienen una **amistad** verdadera saben que pueden contar la una con la otra en cualquier situación.　　　　　　　　　C.

place

2. Las familias estadounidenses cambian de **lugar** de residencia frecuentemente.　　　　　　　　　E.

lasting

3. Conocí a mi mejor amiga cuando teníamos cinco años. Nuestra amistad **duradera** es todavía muy fuerte hoy.　　　　　　　　　F.

environment

4. El **entorno** cultural determina lo que es o no es aceptable.　　A.

loyalty

5. La característica más importante de los amigos es la **lealtad**.　　B.

6. La comunicación abierta es la mejor manera de llegar a una comprensión y evitar el **rechazo** mutuo.　　　　　　　　　D.

rejection

Definiciones

a. el conjunto de cosas que nos rodean

b. calidad de ser honrado y fiel　*quality of being honest & faithful*

c. el tipo de relación entre amigos

d. cuando una persona no acepta las ideas o la manera de ser de otra persona

e. donde está algo o alguien

f. adjetivo aplicado a cosas con una larga vida

Estrategia: Identificar los cognados

La identificación de los cognados puede ser muy útil para comprender un texto oral y escrito. Es fácil reconocer cognados cuando los vemos escritos, pero reconocerlos al escuchar otro idioma puede ser más difícil. Para ayudarte a reconocerlos mientras escuchas el texto, es importante que prestes atención a los sonidos básicos del español. Por ejemplo, las vocales son siempre secas y cortas en español, al contrario del inglés. Si recuerdas esta información mientras escuchas, podrás reconocer muchas más palabras que, aunque tienen un sonido diferente, son cognados de las mismas palabras en inglés.

2–16. Cognados. En la miniconferencia van a escuchar algunos cognados. ¿Saben la definición de estas palabras? Primero, identifiquen la definición de cada palabra. Después, túrnense para pronunciar cada palabra, concentrándose en pronunciar las vocales correctamente en español.

especializado   movilidad   calificar   establecerse   dinámica
interpersonal   anunciar   mínimo   intimidad   mutuo

1. dar un nombre o clasificar en una categoría
2. recíproco
3. un estado que requiere la compañía de un grupo de personas cercano a nosotros
4. situarse cómodamente en una posición nueva
5. la interacción de dos entidades
6. lo opuesto de estado estático, habilidad para cambiar de lugar
7. relativo a las relaciones entre dos o más personas
8. comunicar, avisar
9. dedicado a una actividad específica
10. muy pequeño

MINICONFERENCIA   La interpretación del término *amistad* y el etnocentrismo

Ahora su instructor/a va a presentar una miniconferencia.

2–17. Las ideas fundamentales. Expliquen la ideas fundamentales de la miniconferencia.

1. ¿Qué es el etnocentrismo?
2. ¿Cómo causa el etnocentrismo el rechazo mutuo en personas de diferentes culturas?
3. ¿Están de acuerdo con la miniconferencia y su descripción de la amistad estadounidense?

 2–18. Vocabulario: Después de escuchar. En parejas, escriban un párrafo breve sobre la amistad, usando todas las palabras que puedan de la lista de abajo. Pueden consultar la lista de vocabulario del capítulo si tienen dudas sobre el significado de alguna palabra.

entorno   duradero   lealtad   rechazo   amistad   lugar

> **MODELO**
>
> **Nosotros creemos que compartir las mismas ideas es un elemento importante en una amistad...**

los siguientes puntos. Dos personas deben presentar opiniones a favor y las otras
dos, opiniones en contra.

1. Las relaciones amistosas de los estadounidenses son más superficiales que las
   de los hispanos.
2. Los hispanos y los estadounidenses no pueden establecer amistades fuertes
   porque tienen demasiadas diferencias culturales.
3. La movilidad de la población no influye sobre las relaciones amistosas. Los
   amigos verdaderos no cambian durante toda la vida, no importa dónde vivamos.
4. A los hispanos no les gusta tener amigos estadounidenses porque piensan
   que son irresponsables, desleales y poco honorables.
5. La sociedad estadounidense valora más a los amigos que la sociedad hispana.

Gramática

Preterit and Imperfect in Contrast

In the course of a narration in Spanish you will have to use both the preterit and imperfect tenses to
refer to the past.

The **preterit tense** is used to talk about completed past events.

> Mi amigo Antonio no **anunció** su visita.
>
> *My friend Antonio did not **announce** his visit.*

As you can see in the previous sentence, the event (Antonio's giving notice) is viewed as completed,
over, or done with.

The **imperfect** is also used to refer to the past, but in a different way:

1. To refer to habitual events, repetitive actions,
   and to events that used to happen or things
   you used to do

   > Antonio nunca **anunciaba** sus visitas.
   >
   > *Antonio **would** never **announce** his visits.*

2. To describe a scene or to give background to
   a past event

   > La casa de Antonio **era** grande.
   >
   > *Antonio's house **was** big.*

3. To talk about an action in progress

   > Antonio **llamaba** a la puerta cuando el
   > teléfono sonó.
   >
   > *Antonio **was knocking** on the door when
   > the telephone rang.*

4. To tell time in the past

   > ¿Qué hora **era** cuando llegó Antonio?
   >
   > *What time **was it** when Antonio arrived?*
   >
   > **Eran** las 9:00 de la noche.
   >
   > *It **was** 9:00 p.m.*

5. To indicate age in the past

   > Antonio **tenía** cinco años cuando vino a
   > EE.UU.
   >
   > *Antonio **was** five years old when he came to
   > the U.S.*

6. To express a planned action in the past

   > Antonio me dijo el mes pasado que se **iba**
   > a casar (**se casaba**) con Marta.
   >
   > *Last month, Antonio told me that he **was
   > going** to marry Martha.*

See *Grammar Reference 2* for more about preterit/imperfect contrast.

2–20. Identificación. Aquí tienes el testimonio de Antonio, un mexicano que emigró con su familia a Estados Unidos hace ya muchos años. Identifica si los verbos que usa Antonio están en pretérito o en imperfecto y explica por qué él eligió cada uno, teniendo en cuenta el contexto.

Recuerdo bien mis primeros años de vida en México. Éramos cinco hermanos en mi familia y vivíamos bien, en una casa que tenía muchas habitaciones. Mi padre trabajaba como ingeniero para una compañía y mi madre era instructora de escuela. Pero un día todo esto cambió.

El 24 de marzo de 1964 nos despedimos de nuestros amigos y familiares. Aquel 24 de marzo, no sólo dijimos adiós a nuestros parientes sino también a nuestra cultura.

2–21. El amor en la época de mis abuelos. Antonio ha escrito un texto hablando de cómo era la vida cuando sus abuelos eran jóvenes, pero ha olvidado indicar cuál es el verbo correcto para cada frase. Una vez más, ustedes tienen que hacer de editor y arreglar el texto, incluyendo el verbo en el tiempo adecuado según el contexto.

En la época de mis abuelos las costumbres (fueron / eran) diferentes de las de hoy. Cuando mi abuelo (terminó / terminaba) el servicio militar (tuvo / tenía) veinte años. Poco después (conoció / conocía) a mi abuela, que (fue / era) la mujer más hermosa de Guadalajara, según mi abuelo. Durante su noviazgo, mi abuelo sólo (vio / veía) a mi abuela los domingos por la mañana en la iglesia, y sólo la (pudo / podía) ver en compañía de otras personas, nunca a solas. El día que mis abuelos (se casaron / se casaban) fue la primera vez que se les (permitió / permitía) estar solos. ¡Cómo han cambiado los tiempos!

2–22. Del pasado al presente. Lean con atención la siguiente pregunta: ¿Creen que las experiencias que viviste en tu familia determinan cómo te relacionan ahora con los demás? Aquí tienen dos respuestas a la pregunta.

A. Subrayen los verbos e identifiquen el tiempo (pretérito, imperfecto, presente). Identifiquen también la regla gramatical que determine el uso de los tiempos verbales.

B. Cada estudiante debe escribir su propia respuesta en un párrafo corto e intercámbienla con un compañero/a. ¿Son muy diferentes sus respuestas?

Bueno, mi familia estaba muy unida y a mis padres no les daba vergüenza ser románticos delante de mí o de mis hermanos. Aunque una vez sí que se pusieron colorados (blushed) cuando mis hermanos y yo los pillamos (caught) haciendo manitas (holding hands) por debajo de la mesa. Yo soy ahora muy cariñosa con mis amigos y amigas, y creo que es por lo que vi en casa de pequeña.

Mis padres se querían mucho pero no lo demostraban demasiado en público. Mi padre era muy serio con nosotros pero nos daba cariño a su manera (in his own way). Por ejemplo, el día que me gradué de la escuela secundaria me dijo con lágrimas en los ojos (tears in his eyes) que ése era el día más feliz de su vida. Yo soy un poco tímido en mis relaciones con los demás, sobre todo con las chicas. Es difícil decir si esto tiene algo que ver con mi experiencia familiar de niño. No lo sé.

2–23. Mi mejor amigo. ¿Quién era tu mejor amigo/a cuando eras pequeño/a? ¿Recuerdas bien a esa persona? Piensa en los detalles que hacían a esa persona tan especial para ti. Después, escribe un ensayo corto narrando tu relación con esa persona. Aquí tienes algunas sugerencias sobre la información que puedes incluir. Cuando termines, revisa la ortografía, los tiempos verbales y asegúrate de que usaste el imperfecto y el pretérito correctamente. Leéle la descripción a tu compañero/a.

¿Quién era?
¿Dónde se conocieron?
¿Dónde vivía?
¿Qué tenía de especial esta persona?
¿Qué actividades hacían juntos?
¿Continúa la relación en el presente?
Si la relación continúa, ¿cómo es ahora en comparación al pasado?

2–24. Mi amigo/a famoso/a y yo. Imagina que eres muy buen/a amigo/a de una persona famosa y que hacen muchas cosas juntos. Vas a narrar una ocasión especial en la que salieron juntos. Puedes imaginar una cita romántica o simplemente una actividad amistosa.

A. Toma notas muy breves sobre la ocasión:

1. día y mes
2. el lugar o destino
3. la manera de vestirse
5. descripción del tiempo, la hora, y el lugar
5. eventos o acciones que ocurrieron

B. En parejas, cada estudiante debe convertir sus notas en una pequeña narración oral. Recuerden usar correctamente el pretérito y el imperfecto. Compartan una de las narraciones con la clase.

2–25. En aquella época. Escribe un párrafo en el que narras la vida romántica de tus padres durante el noviazgo. Si no sabes mucho de cuando tus padres eran jóvenes, puedes inventar situaciones. Comienza tu narración con información de fondo (año o fecha, edad de las personas, lugar, etc.) y luego narra la acción. Incluye eventos completos, acciones habituales, acciones repetidas, etc. usando correctamente el imperfecto y el pretérito. Usen los siguientes verbos u otros que les sean útiles: tener, conocerse, salir, ir a, vivir en, estar, enamorarse, ser, besarse, gustar, pensar, escribir, invitar, comprar, casarse. Intercambia tu narración con la de un/a compañero/a, lee su narración y hazle dos o tres preguntas sobre el contenido.

Gramática

Comparatives

Comparisons are used to express equality or inequality. Comparisons of **equality** are formed in three different ways:

1. When we compare with an adjective or adverb → **tan** + *adjective/ adverb* + **como**

The adjective always agrees with the noun. Adverbs do not show agreement.

> Los amigos son **tan** importantes **como** la familia.
>
> *Friends are **as** important **as** family.*
>
> Las buenas amistades no se disuelven **tan** rápidamente **como** las amistades superficiales.
>
> *Good friendships do not dissolve **as** quickly **as** superficial friendships.*

2. When we compare with a noun → **tanto/a, tantos/as** + *noun* + **como, tanto** agrees with the noun in gender and number

> Rosa tiene **tantos** amigos **como** una estrella de cine.
>
> *Rosa has **as many** friends **as** a movie star.*

3. When we compare with a verb → *verb* + **tanto como**

The expression **tanto como** always follows the verb and shows no agreement.

> Mis padres me respetan **tanto como** yo los respeto.
>
> *My parents respect me **as much as** I respect them.*

Comparisons of **inequality** are expressed in two ways:

1. With adjectives, adverbs, and nouns → **más/menos** + *adjective, adverb, noun* + **que**

As with comparisons of equality, the adjective agrees with the noun, and adverbs show no agreement.

> Marisol y Anita son **más** altas **que** Juan.
>
> *Marisol and Anita are **taller than** Juan.*
>
> Tengo **más** amigos norteamericanos **que** hispanos.
>
> *I have **more** North American friends **than** Hispanic friends.*

Anita habla **más** lentamente **que** Marisol.

*Anita speaks **more** slowly **than** Marisol.*

2. With verbs → *verb* + **más/menos** + **que**

Yo salgo **más que** mis padres.

*I go out **more than** my parents.*

 2–26. Identificación. A continuación tienen una serie de opiniones sobre las diferencias entre hombres y mujeres en las relaciones afectivas. En parejas, identifiquen las comparaciones de igualdad y las de desigualdad. Después, determinen si están de acuerdo o no con cada afirmación. Si no están de acuerdo, expresen su opinión con una comparación diferente.

1. Las mujeres son **más** fieles (*faithful*) **que** los hombres.
2. Las mujeres se casan **más** tarde **que** los hombres para disfrutar de la juventud.
3. Los hombres tienen **tantos** detalles (*gestures*) románticos **como** las mujeres.
4. A los hombres les gusta coquetear (*flirt*) **menos que** a las mujeres.
5. Las mujeres son **tan** sentimentales **como** los hombres.
6. Las mujeres hablan **más** por teléfono **que** los hombres.
7. Los hombres compran **tanta** ropa **como** las mujeres.
8. Las mujeres se acuerdan **menos** de los pequeños detalles **que** los hombres.

 2–27. ¿Quién es más atrevido/a? ¿Quién es más atrevido (*daring*) en las relaciones amorosas, el hombre o la mujer? A continuación tienen las opiniones de un grupo de estudiantes. ¿Piensan como ellos? En parejas, determinen si están de acuerdo o no con las opiniones de estas personas. Después, entrevisten a varios compañeros y preparen un documento comparando sus opiniones con las de estos estudiantes. ¡Usen comparativos para señalar semejanzas y diferencias!

Melinda, 20 años

Me gusta cuando es el muchacho el que toma la iniciativa porque yo no me atrevo (*dare*) a hacer eso. Creo que sí, que en general los chicos son menos tímidos que las chicas.

Raúl, 18 años

Las chicas que yo conozco no son nada inocentes. Son más atrevidas y más locas que nosotros. A mí me gustan mucho las chicas lanzadas (*daring*).

Anselmo, 20 años

Las muchachas son más inocentes y yo creo que eso las perjudica. También creo que son más tímidas que los chicos en general.

Lucía, 18 años

Yo soy más lanzada que la mayoría de novios que he tenido. No me preocupa si tengo que dar yo el primer paso. ¡A mi último novio lo invité yo a salir la primera vez!

Fernando, 19 años

Hoy por hoy (*nowadays*), las chicas son más atrevidas que los chicos. Yo lo prefiero así porque soy bastante tímido y necesito un empujoncito (*little push*).

2–28. ¿Y hace 100 años? Ahora, piensen en el año 1900. ¿Cómo era la dinámica entre el padre de familia y la madre de familia? Escriban seis comparaciones entre los hombres y las mujeres de principios del siglo pasado basadas en características, actividades y/o responsabilidades.

> **MODELO**
>
> **Las mujeres eran más hogareñas que los hombres.**
> **Los hombres trabajaban fuera de casa más que las mujeres.**

Vocabulario para conversar

Contar anécdotas

No vas a creer lo que me pasó el otro día. Estaba en un restaurante con mi novia y mi ex novia me llamó por el teléfono celular. Mi novia se puso furiosa conmigo.

¿Sí? ¿Y qué pasó después?

How do we tell stories and how do we react when others tell us something that happened to them?

Contar un cuento o una anécdota:

Escucha, te/Escuche, le voy a contar...	*Listen, I am going to tell you . . .*
Te/Le voy a contar algo increíble...	*I am going to tell you something unbelievable . . .*
No me va/s a creer...	*You are not going to believe me . . .*
Fue divertidísimo...	*It was so much fun . . .*
Y entonces...	*And then . . .*
Fue algo terrible/ horrible/ espantoso.	*It was something terrible/horrible/awful.*

Reaccionar al cuento o la anécdota:

¡No me digas! ¡No me diga!	*You are kidding me!*
¿Sí? No te/le puedo creer. ¡Es increíble!	*Really? That's incredible!*
¿Y qué pasó después?	*And what happened then?*
Y entonces, ¿qué?	*And then what?*

2–29. Palabras en acción. Completen estas anécdotas con expresiones para contar una historia y para reaccionar a una historia.

1. —...lo que pasó el domingo en la fiesta caribeña... pero allí estaba el mismo Enrique Iglesias. La fiesta duró hasta las cuatro de la mañana y todos bailamos como locos...
   —Reacción...
2. —Ayer mi compañero de cuarto y yo tuvimos una pelea fuerte por causa de sus amigos...
   —Reacción...
3. —Mi hermano pequeño se sentó a la mesa... empezó a jugar con la sopa, que acabó en la cabeza de mi padre.
   —Reacción...

2–30. Situaciones. En parejas, cada persona debe seleccionar una de las situaciones de la lista y contarle a su pareja lo que le ocurrió. La otra persona debe reaccionar de forma apropiada, usando las expresiones anteriores cuando sea posible. ¡Usen la imaginación y sean tan creativos como puedan!

1. lo que pasó cuando tuviste un accidente de tráfico con un conductor que no hablaba inglés
2. lo que pasó cuando encontraste a tu mejor amigo/a cenando a solas con tu novio/a
3. lo que pasó la primera vez que fuiste a una fiesta hispana en casa de tu vecino
4. lo que pasó cuando te enamoraste de una persona que no hablaba tu idioma
5. lo que pasó durante tu primer día en la clase de español

CURIOSIDADES

2–30. Prueba: ¿Seleccionaste bien a tu pareja?

1. En esta prueba se describen nueve aspectos de la personalidad que son muy importantes para mantener una relación estable y duradera con la pareja. Examina hasta qué punto eres compatible con tu pareja. Para obtener el resultado, suma todos los puntos obtenidos y luego divide el resultado entre dos. Si el producto final es menos de 45, debes pensar seriamente en cambiar de pareja. ¡Buena suerte!

Mi pareja y yo:
coincidimos casi siempre = 4 puntos
coincidimos con frecuencia = 3 puntos
coincidimos a veces = 2 puntos
coincidimos pocas veces = 1 punto
nunca coincidimos = 0 puntos

FÍSICO
Llevamos una vida sana   0 1 2 3 4
Nos preocupamos por mantener la higiene   0 1 2 3 4
Comemos saludablemente   0 1 2 3 4
Dormimos bien   0 1 2 3 4
Consumimos fármacos/ estimulantes/ alcohol   0 1 2 3 4
Suma: _____

EMOCIONAL
Somos fieles a nuestros compromisos   0 1 2 3 4
Verbalizamos nuestros sentimientos   0 1 2 3 4
Respetamos las decisiones de los demás   0 1 2 3 4
Solucionamos los problemas fácilmente   0 1 2 3 4
Hacemos muestras de afecto y ternura   0 1 2 3 4
Suma: _____

SOCIAL
Tenemos amigos   0 1 2 3 4
Nos gusta divertirnos   0 1 2 3 4
Somos sociables   0 1 2 3 4
Somos tolerantes con los demás   0 1 2 3 4
Nos preocupamos por los demás   0 1 2 3 4
Suma: _____

INTELECTUAL
Nuestras ideas sobre la educación son parecidas   0 1 2 3 4
Nos gusta compartir lo que sabemos   0 1 2 3 4
Nos interesa aprender cosas nuevas   0 1 2 3 4
Nos gusta leer   0 1 2 3 4

Tenemos una mente creativa   0 1 2 3 4
Suma: _____

PROFESIONAL
Tenemos deseos de superación profesional   0 1 2 3 4
Somos organizados   0 1 2 3 4
Somos honrados   0 1 2 3 4
Tenemos una actitud similar acerca del dinero   0 1 2 3 4
Nos gusta nuestro trabajo   0 1 2 3 4
Suma: _____

COMUNICACIÓN
Nos escuchamos el uno al otro con interés y respeto   0 1 2 3 4
Somos tolerantes con las opiniones del otro   0 1 2 3 4
Hablamos con facilidad de nuestros sentimientos   0 1 2 3 4
Somos muy egocéntricos cuando hablamos   0 1 2 3 4
Suma: _____

CRECIMIENTO PERSONAL
Reconocemos nuestros errores   0 1 2 3 4
Estamos dispuestos a mejorar   0 1 2 3 4
Pedimos y aceptamos consejos   0 1 2 3 4
Sentimos curiosidad, buscamos la verdad   0 1 2 3 4
Creemos que siempre tenemos razón   0 1 2 3 4
Suma: _____

INTERESES Y AFICIONES
Nos gusta viajar   0 1 2 3 4
Disfrutamos mucho el tiempo libre   0 1 2 3 4
Hacemos deporte   0 1 2 3 4
Tenemos pasatiempos   0 1 2 3 4
Somos persistentes, terminamos los proyectos que empezamos   0 1 2 3 4
Suma: _____

2. Escribe un párrafo de 50 a 70 palabras resumiendo los resultados de la prueba. No te olvides usar las formas comparativas.

Así nos divertimos

Lectura

Entrando en materia

En esta sección van a aprender sobre lo que a algunos hispanos les gusta hacer en su tiempo libre y las van a comparar con sus propias experiencias.

 2-32. Preferencias. En grupos de tres, completen una tabla con información sobre lo que cada persona hace en las siguientes situaciones. Después, presenten la información al resto de la clase.

- actividades de los sábados por la mañana, por la tarde y por la noche
- actividades de los domingos por la mañana, tarde y noche
- actividades del verano y del invierno
- actividades que hacen cuando se reúnen con su familia
- actividades de los días de clase/trabajo y el fin de semana

Por si acaso

dar un paseo	*to go for a walk*
invitar a	*to treat*
alguien a	*someone*
comer/cenar	*to lunch/ dinner*
levantar pesas	*to lift weights*
matar el tiempo	*to kill time*
tener una cita	*to have a date*
tiempo libre	*free time*

Por si acaso

Expresiones útiles para comparar respuestas con otro estudiante

¿Qué tienes/ pusiste en el número 1/ 2/ 3?
Yo tengo/ puse a/ b.
Yo tengo algo diferente.
No sé la respuesta./ No tengo ni idea.
Creo que la respuesta es a/ b, pero no estoy seguro/a.
Creo que es cierto./ Creo que es falso.

2-33. Vocabulario: Antes de leer. Las expresiones siguientes se encuentran en la entrevista que van a leer. Usando el contexto de la oración determinen el significado de las expresiones en negrita.

1. Hay muchas posibles actividades para **pasarlo bien** los fines de semana. Por ejemplo, nos reunimos en las fiestas con nuestros amigos.

   a. divertirse

   b. aburrirse

   c. rezar

2. Los domingos es típico **dar un paseo** por las plazas, parques o calles de la ciudad.

   a. compaginar, combinar

   b. hacer daño

   c. caminar, pasear

3. En la entrada de los bares españoles no te piden el **carnet de identidad** y se entra sin problema.

   a. lugar de residencia

   b. documento de identificación

   c. país de nacimiento

4. En algunos países hispanos los bares cierran muy tarde, a las cuatro o cinco de la **madrugada**.

   a. de la noche

   b. de la tarde

   c. de la mañana

5. Marta **echa de menos** a su familia y sus costumbres en España y extraña mucho su país.

   a. es muy baja

   b. está en un nuevo país

   c. está nostálgica

Pasando el rato

Esta breve entrevista apareció en una hoja informativa del departamento de lenguas romances de una universidad estadounidense, con motivo de la celebración de la Semana de la Diversidad. Las personas entrevistadas, una joven española y un joven mexicano, conversan informalmente con la entrevistadora sobre lo que les gusta hacer tiempo libre en sus países nativos.

ENTREVISTADORA: Muchas gracias a los dos por participar en esta breve entrevista que va a tratar sobre lo que la gente hace en sus países en su tiempo libre. Mi objetivo es publicar esta charla informal en la hoja informativa del departamento para poder así compartir sus comentarios con los alumnos del programa elemental de español. A ver Marta, tú que eres de España, cuéntanos qué hacen los españoles para **pasarlo bien.**

MARTA: Pues, por ejemplo, un día como hoy, domingo por la tarde, no encuentras en Madrid ni un sitio a donde ir porque hay mucha gente en la calle. A los españoles nos gusta mucho salir a pasear e ir a los bares con amigos.

ENTREVISTADORA: ¿Y ustedes, Pedro?

PEDRO: En México también es como lo que describe Marta en Madrid. Hay mucha gente por las calles **dando un paseo.** El paseo es una actividad muy común para nosotros y, contrariamente a lo que pueda parecer, no nos aburrimos haciéndolo. La gente sale a la calle a caminar por parques, plazas y otros lugares públicos donde se encuentra con amigos o conocidos. Es común tanto en los pueblos como en la ciudad.

MARTA: En España la gente joven sale de noche a las discotecas o a los bares. Allí, la edad de beber no es tan problemática como aquí. No te piden el **carnet de identidad** en la entrada de los bares ni nada por el estilo. Allí se entra a los bares sin problema. También, las discotecas están abiertas hasta las cuatro o cinco de la mañana, así que cuando salimos de noche no regresamos a casa hasta la **madrugada.** Aquí en Estados Unidos cierran los bares mucho más temprano.

ENTREVISTADORA: Ah, ya veo. Por una parte, tienen más libertad para beber alcohol que los jóvenes estadounidenses pero yo me pregunto si eso no tendrá efectos en los índices de alcoholismo de la juventud española.

MARTA: No sé exactamente cuáles son las estadísticas en España, pero leí un artículo que decía que el índice de alcoholismo de los países mediterráneos es el más alto del mundo.

PEDRO: En México también tenemos problemas con el alcohol, creo que es algo universal. Por otro lado, nosotros le dedicamos mucho tiempo a la familia durante los ratos libres. Por ejemplo, en mi familia siempre nos reunimos a comer los domingos. Pero claro, mis hermanos y yo vivíamos con mis padres cuando íbamos a la universidad. Sin embargo, aquí en Estados Unidos la norma es que la gente joven no viva con sus padres cuando asiste a la universidad.

MARTA: En mi casa también tenemos muchas reuniones familiares y la verdad es que las **echo de menos.** Todos los domingos, vienen a comer a casa de mis padres mis hermanos con sus esposas e hijos. Se llena la casa de gente y nos lo pasamos muy bien. Después de comer normalmente vemos un poco la tele o charlamos tomando café hasta que llega la hora de salir a la calle a dar un paseo.

ENTREVISTADORA: Bueno, no tenemos tiempo para más. Les agradezco mucho su participación.

 2–34. ¿Comprendieron? Indiquen qué oraciones se refieren correctamente al contenido de la entrevista. Corrijan las oraciones incorrectas.

1. La entrevista se publicó en el departamento de español de una universidad mexicana. F
2. Las respuestas de los entrevistados revelan muchas diferencias entre México y España. C
3. El paseo es una actividad que aburre a los dos entrevistados. C

4. En España los establecimientos públicos donde se sirve alcohol cierran más o menos a la misma hora que en EE.UU.

5. Según los entrevistados, no es raro que sus familias se reúnan todas las semanas para comer.

6. Pedro menciona que la mayoría de los universitarios mexicanos viven en residencias estudiantiles mientras asisten a la universidad.

2–35. Vocabulario: Después de leer. Piensen en su vida como estudiantes universitarios. ¿En qué contexto podrían usar las siguientes expresiones? Para cada expresión, escriban una oración que refleje algo de la vida del alumno típico aquí en este campus.

1. pasarlo bien
2. dar un paseo
3. carnet de identidad
4. madrugada
5. echar de menos

 2–36. Comparación y contraste. En la sección *Entrando en materia* hablaron de lo que les gusta hacer en su tiempo libre. En grupos de tres, revisen sus respuestas para completar estos pasos.

1. ¿Qué semejanzas y diferencias hay entre su grupo y lo que describen Marta y Pedro?

2. Escriban un breve resumen de las semejanzas y diferencias que encontraron y compártanlo con su grupo oralmente.

Gramática

Direct and Indirect-Object Pronouns to Talk About Previously Mentioned Ideas

In your review of direct-object pronouns in the previous chapter, you learned that direct-object pronouns answer the question *what* or *whom* and that the use of pronouns will allow you to speak and write Spanish more smoothly, without repeating words over and over. In this *Tema*, you will review your knowledge of indirect-object pronouns and how direct and indirect-object pronouns are used together.

Indirect Objects and Sequence of Object Pronouns

Indirect objects answer the question *to whom* or *for whom*. The indirect-object pronouns are as follows:

me	*to/for me*	nos	*to/for us*
te	*to/for you*	os	*to/for you (in Spain)*
le	*to/for him/her/it/you*	les	*to/for them/you*

As you can see, the indirect-object pronouns are the same as the direct-object pronouns except for the third person.

The following are important rules to remember.

1. An indirect-object pronoun always precedes the verb in negative commands.

   No hables. → No **le** hables. *Don't talk to him/her.*

2. Indirect-object pronouns are attached to affirmative commands.

   Hábla**le** claramente al instructor. *Speak clearly to your instructor.*

3. When both direct- and indirect-object pronouns appear together, the direct object follows the indirect object.

   ¿Quién **te** dio **una mala nota**? La profesora Falcón **me la** dio.

   Who gave you a bad grade? *Professor Falcón gave **it to me**.*

When both direct- and indirect-object pronouns are in the third person, the indirect-object pronoun **le** is replaced by **se**.

¿Cuándo **le** entregaste **Se la** entregué ayer.
   la composición? *I turned **it** in **to him/her** yesterday.*

When did you turn in
   your composition to him/her?

 2–37. Identificación. Mucha gente dedica parte de su tiempo libre a salir en citas (*dating*). En parejas, lean lo que dicen estos personajes e identifiquen los pronombres de complemento directo e indirecto. ¿A quién o a qué se refiere cada pronombre? Después, comparen sus opiniones a las de estas personas. ¿Están de acuerdo? ¿Hacen lo mismo?

La primera cita: Secretos para tener éxito (*to be successful*)

Si un muchacho te gusta, debes invitarle a salir a comer. Te recomiendo que le pidas su número de teléfono para confirmar la cita. La noche de la cita, no lo hagas esperar. A los muchachos no les gusta esperar mucho. No es buena idea hablarle de tu ex-novio y no es aconsejable preguntarle sobre sus opiniones políticas.

En la primera cita con una chica, no le compres un regalo muy caro; es mejor pagarle la cena o la entrada al cine. También las flores son un buen regalo para las chicas. Yo siempre se las regalo a mi novia. Te las recomiendo. Si la cita te va bien, pídele su número de teléfono para poder llamarla otra vez.

2–38. ¿Qué tienes? Cada estudiante debe marcar al azar (*at random*) cinco espacios en blanco de la lista a la izquierda.

Ahora, identifica la persona (un amigo, un familiar, un conocido) que te las dio.

(PERSONAS)

_____ una colección de música polca _____

_____ un póster de Elvis _____

_____ dos billetes para el concierto _____

_____ una copia del examen final _____

_____ (la) mononucleosis _____

_____ diez mil dólares _____

_____ un ramo de flores _____

_____ todos los CD de Eminem _____

_____ una moto Harley-Davidson _____

_____ ¡dos gatos y doce gatitos! _____

A. Explica a la clase 1) qué tienes y 2) quién te lo (la, los, las) dio.

MODELO

1) Tengo <u>una colección de música polca</u>.
2) Me <u>la</u> dio mi tía María.

B. Pregúntale a tu pareja (1) qué tiene, (2) a quién se lo va a regalar y (3) por qué. (Quizás no quieres regalárselo a nadie.)

MODELO

1) Tengo <u>un póster de Elvis</u>.
2) Voy a <u>regalárselo</u> a mi padre.
3) Porque le encanta Elvis.

2–39. Mala suerte. Un amigo les ha pedido que lo ayuden con su composición para esta semana. Obviamente él no sabe usar los complementos directos e indirectos. Ayúdenlo sustituyendo las partes en negrita con los pronombres apropiados.

La anécdota que voy a contar ocurrió la semana pasada. Era el cumpleaños de una compañera de clase y por eso invité **a mi compañera** a salir el sábado por la noche. Así que salí en mi coche y compré un regalo **para mi compañera**; yo le quería dar **el regalo a mi compañera** durante la cena. Después fui a buscar **a mi compañera**, pero de repente me di cuenta de que no sabía su dirección. Resulta que ella no me había dado **la dirección**. No tenía mi agenda de teléfonos así que no podía llamar **a mi amiga**. Para colmo, en un descuido, salí del coche y cerré **mi coche** con las llaves dentro. ¡Qué desastre! Así que llamé a la policía desde mi celular. Cuando llegaron, expliqué **a los oficiales** que mis llaves estaban dentro del coche. Entonces, ellos abrieron **el coche** y recuperaron **las llaves**. Está demás decir (*needless to say*), ya que era muy tarde. Decidí volver a mi apartamento para evitar más desgracias. Cuando llegué a mi apartamento, llamé a mi amiga para disculparme.

 2-40. ¿Qué hacen en estas situaciones? En parejas, hablen sobre lo que hacen por lo regular en estas situaciones. Recuerden sustituir nombres con pronombres en las respuestas para evitar la redundancia.

> **MODELO**
>
> **Necesitas dinero para salir esta noche. Tu madre está de visita en el campus. ¿Qué hace tu madre cuando le pides dinero?**
> **Me lo da porque es generosa y siempre me da lo que le pido.**
> **No me lo da porque tiene problemas económicos.**

1. Un amigo y tú van a comer a un restaurante. Tu amigo te dice que ayer lo despidieron de su trabajo por no llegar a tiempo y no tiene dinero para pagar. ¿Qué haces tú? ¿Qué hace él?
2. Tú necesitas un traje elegante para salir esta noche pero no tienes dinero para comprar uno nuevo. Tu compañero/a de cuarto tiene un traje perfecto, para la ocasión, pero a él/ella no le gusta prestar su ropa. ¿Qué haces? ¿Qué hace tu compañero/a?
3. Tienes dos entradas para un concierto de música clásica. A ti no te gusta la música clásica en absoluto pero a un/a vecino/a muy atractivo/a le encanta. ¿Qué haces?
4. Un compañero de la clase de español a quien no conoces muy bien te pide dinero prestado para poder ir al partido de fútbol este sábado. ¿Qué haces?

 2-41. ¿Qué pasó? En parejas, cada uno/a de ustedes debe explicarle a la otra persona lo que pasó en la situación que se indica a continuación. Recuerden que deben contar la historia con tanto detalle como sea posible y que pueden inventar sucesos.

Estudiante A: Tuviste una cita con un/a chico/a argentino/a guapísimo/a que no hablaba ni una palabra de inglés. Explícale a tu pareja qué hiciste para causar una buena impresión durante la cita y cuál fue el resultado final.

Estudiante B: Tú eres un/a estudiante argentino/a que acaba de llegar a Estados Unidos y no sabes nada de inglés. El día de tu llegada conociste a una persona fascinante en el aeropuerto y decidiste ir a cenar con ella. Cuéntale a tu pareja qué pasó durante la cena.

Vocabulario para conversar

Comparar experiencias

> Juan me invitó a un restaurante fenomenal y me regaló un ramo de rosas rojas en nuestra primera cita.

> Mi experiencia con Pedro fue completamente diferente. No me regaló nada y cenamos en McDonalds.

A common thing to do when we are exchanging stories or anecdotes with friends is to compare how our experiences are similar or different.

Indicar que tu experiencia fue parecida

Eso me recuerda (a mi amigo/a, a mi hermano/a, una ocasión).	That reminds me of (my friend, brother/sister, an occasion).
Mi (amigo/a, hermano/a) es como el/la tuyo/a.	My (friend, brother/sister) is like yours.
Es como el día en que...	It's like the day when . . .
Mi experiencia con... fue muy parecida.	My experience in . . . was very similar.

Indicar que tu experiencia fue diferente

Mi experiencia con... fue completamente diferente.	My experience with . . . was completely different.
La impresión que tengo de... es completamente opuesta.	The impression I have of/about . . . is completely the opposite.
La persona que describes es muy diferente de la que yo conozco.	The person you're describing is very different from the one I know.

Indicar que tu experiencia fue parecida y diferente a la vez

Mi experiencia con... fue parecida y diferente al mismo tiempo.	*My experience with . . . was similar and different at the same time.*
Lo que me pasó en... fue un poco parecido, la diferencia es que...	*What happened to me in . . . was a bit similar; the difference is that . . .*

 2–42. Palabras en acción. ¿Fueron sus experiencias similares o diferentes a las de estas personas? Escriban sus experiencias usando las expresiones adecuadas.

1. Un padre se enfadó con su hijo por una cuenta de teléfono de 800 dólares.
2. Una pareja de jóvenes se casó a los 15 años de edad.
3. Una profesora de español suspendió a un estudiante en un examen por mascar chicle.
4. Un joven se comió 15 hamburguesas en una tarde.
5. Una estudiante no llegó a tiempo a su examen final de la clase de español por no despertarse a tiempo.

 2–43. Un amigo común. Durante una conversación, tú y tu pareja se dan cuenta de que tienen un amigo en común, Manolo Camaleón. Inventen los detalles de la conversación, en la que comparan sus impresiones y opiniones sobre Manolo. Usen su imaginación y los detalles que se incluyen para representar este diálogo.

Estudiante A: Manolo y tú eran compañeros de cuarto en la universidad. Manolo nunca limpiaba el cuarto, escuchaba música de salsa cuando tú tenías que estudiar y siempre salía con las personas que a ti te gustaban.

Estudiante B: Manolo es ahora tu colega en una organización no lucrativa (*nonprofit*) que lucha contra el consumo de tabaco, alcohol y drogas. Es un buen amigo tuyo y vas a invitarlo a cenar la semana próxima para que conozca a tu novio/a.

COLOR Y FORMA

Naranjas atadas, de Diana Paredes

Diana Paredes nació en Lima, Perú. Comenzó a pintar a los ocho años de edad. Su arte sorprende a muchos por la atención que reciben los detalles y por la destreza de la artista en la expresión de emociones. Recibió su formación en la Academia de Arte Cristina Galvez, la Academia Miguel Gayo y el Instituto de Arte de Fort Lauderdale.

Naranjas atadas, de Diana Paredes, óleo en lienzo.

 2–43. Observaciones artísticas. En parejas, miren la obra con atención durante unos minutos. Después, respondan a las siguientes preguntas. ¿Se parecen sus respuestas?

1. ¿Qué elementos o cosas representa Diana Paredes en la obra?
2. Describan los colores de la obra.
3. Expliquen la relación entre el título y la obra.
4. Expliquen la relación entre el título, los elementos representados y los temas de la unidad que están estudiando.
5. Piensen en otro título para esta obra.

Lazos humanos, lazos históricos

Las obras literarias de Laura Esquivel, escritora mexicana contemporánea, exploran la conexión entre la comida, las emociones y el amor. El artículo de la página 79 describe a Esquivel con la palabra *alquimista* para referirse a los poderes mágicos de la comida que motivan la acción amorosa de sus novelas. El artículo también habla de la influencia de la cocina desde muy temprano en la vida de Esquivel, describe su producción literaria y ofrece algunas opiniones de la autora sobre lo doméstico y la reacción a su primera novela *Como agua para chocolate*.

Lectura

Entrando en materia

 2–45. Un vistazo rápido. Miren rápidamente todos los párrafos que componen el artículo de la página 79. ¿En qué párrafos (P1, 2, 3, etc.) se encuentran estas ideas?

1. la infancia de la autora
2. la novela que le dio fama internacional
3. los temas domésticos de Esquivel
4. otras obras de la autora

2-46. Vocabulario: Antes de leer. Teniendo en cuenta el contexto de la lectura, ¿qué creen que significan estas palabras? Seleccionen la opción correcta (a, b, c).

1. Y para mí es muy importante volver a darle ese sentido **sagrado,** de veneración, que la casa ha perdido.

   a. divino

   b. demoníaco

   c. cómico

2. Estas sabias mujeres, al entrar en el recinto sagrado de la cocina se convertían en **sacerdotisas.**

   a. esclavas

   b. ministras religiosas

   c. trabajadoras

3. No me importa que me llamen escritora *light,* creo que las más de las veces lo dicen por **envidia.**

   a. celos

   b. admiración

   c. crítica

4. No me importa que me llamen cursi por decir que creo en el amor, que me gusta estar en mi casa, cocinar y **bordar.**

   a. dar órdenes

   b. relajar

   c. adornar textiles

5. No se trata de volver al pasado. Se trata de regresar a la casa sin verla como un **castigo.**

   a. diversión

   b. penitencia

   c. edificio

6. La autora propone soluciones para algunos de los problemas que **aquejan** al mundo actual.

   a. modernizan

   b. calman

   c. afligen

7. La cocina es la única de las labores necesarias del **hogar** que presenta una posibilidad creadora.

   a. oficina

   b. casa

   c. jardín

Estrategia: Usar nuestras experiencias y conocimientos

Antes de leer este artículo sobre Laura Esquivel, puedes anticipar la información incluida si piensas en tus propias experiencias y conocimientos. Un artículo informativo sobre una escritora suele incluir cierto tipo de información. ¿Cuáles son algunos tipos posibles? Anota por lo menos tres detalles posibles, y después de leer, compara tus notas con el contenido del artículo. ¿Son similares? ¿Diferentes? ¿Pudiste predecir el contenido?

Laura Esquivel, alquimista del amor y de la cocina

P1   "Cocinera, alquimista, bruja de negros cabellos largos y ensortijados, amante del hombre y de la vida", así describe Elena Poniatowska a Laura Esquivel, novelista, guionista de cine y televisión, dramaturga y educadora. Nacida en la Ciudad de México en 1950, Esquivel es una de las escritoras latinoamericanas con más libros vendidos en los años recientes.

P2   Sin embargo, para Esquivel la escritura no es algo indispensable. "Si el día de mañana, por cualquier cosa, yo dejo de escribir, no me voy a sentir frustrada. Yo sé que igual estoy participando en la sociedad a partir de mi casa. Y para mí es muy importante volver a darle ese sentido **sagrado,** de veneración, que la casa ha perdido...". Para ella "la literatura es parte de la existencia, pero no es mi vida". Y explica: "la vida es ir al mercado, es bailar, cocinar, estar con mi familia, amar".

P3   Dice que su madre y su abuela le transmitieron el amor por el arte de la cocina, y su padre el amor por la vida. Empezó a cocinar a los siete años, porque a ella le tocaba preparar las salsas para las grandes comidas de su madre.

P4   "Los primeros años de mi vida los pasé junto al fuego de la cocina de mi madre y de mi abuela, viendo

cómo estas sabias mujeres, al entrar en el recinto sagrado de la cocina se convertían en **sacerdotisas,** en grandes alquimistas que jugaban con el agua, el aire, el fuego, la tierra, los cuatro elementos que conforman la razón de ser del universo." Ⓜ

Ⓜomento de reflexión

Pon una X al lado de todas las ideas que están expresadas en los párrafos 1, 2, 3 ó 4.

❑ *1. Laura Esquivel es una famosa escritora mexicana contemporánea.*

❑ *2. Esquivel es una mujer profesional; se dedica a la escritura y no tiene tiempo para otras actividades.*

❑ *3. De niña, Esquivel observaba con admiración a su madre y abuela en la cocina.*

P5   Su primera novela, *Como agua para chocolate* (1989), fue traducida a 33 idiomas, entre los que se encuentran el italiano, sueco, francés, ruso, húngaro, danés y japonés, y se vendió en más de veintiún países. El título hace referencia a la temperatura muy alta necesaria para disolver el chocolate en el agua y es una metáfora para el amor apasionado entre Tita y Pedro, los protagonistas.

P6   La escritora afirma: "No me importa que me llamen escritora *light,* creo que las más de las veces lo dicen por **envidia**". También sostiene: "No me importa que me llamen cursi por decir que creo en el amor, que me gusta estar en mi casa, cocinar y **bordar,** porque creo que cada uno de estos actos íntimos está transformando al mundo". Cuenta que en una ocasión, una periodista danesa le preguntó si acaso las mujeres habíamos luchado tanto para volver a lo mismo: la cocina. "No se trata de volver al pasado. Se trata de regresar a la casa sin verla como un **castigo**. Revalorizarla", fue su respuesta.

P7   La segunda novela de Laura Esquivel tardó cinco años en ser publicada, ya que tuvo que interrumpirla en numerosas ocasiones para filmar *Como agua para chocolate. La ley del amor* (1995) es una novela policíaca que transcurre en el año 2200 en la Ciudad de México. *En Íntimas suculencias: Tratado filosófico de cocina* (1998), la autora reúne una serie de ensayos en que propone soluciones para algunos de los problemas que **aquejan** al mundo actual. También incluye reflexiones sobre la condición humana y algunas consideraciones en torno a su reconocida novela *Como agua para chocolate*. La cocina reaparece como uno de sus intereses primordiales, porque para ella es la única de las labores necesarias del **hogar** que presenta una posibilidad creadora. Ⓜ

---

 omento de reflexión

Pon una X al lado de todas las ideas que están expresadas en los párrafos 5, 6 ó 7.
- ❏ 1. *Como agua para chocolate es una novela de amor apasionado.*
- ❏ 2. *Esquivel piensa que el amor es un tema literario superficial que no puede transformar al mundo*
- ❏ 3. *Lo doméstico es una fuerza positiva en la vida y en las obras de Esquivel.*

2–47. Vocabulario: Después de leer. Expliquen en sus propias palabras la filosofía de Laura Esquivel expresada en estas oraciones. P1, P2, etc. indican el párrafo del texto donde se encuentra la frase.

1. La vida es ir al mercado, es bailar, cocinar, estar con mi familia, amar. (P2)
2. Si el día de mañana, por cualquier cosa, yo dejo de escribir, no me voy a sentir frustrada. (P2)
3. Estas sabias mujeres, al entrar en el recinto sagrado de la cocina se convertían en sacerdotisas, en grandes alquimistas. (P4)
4. Me gusta estar en mi casa, cocinar y bordar, porque creo que cada uno de estos actos íntimos está transformando al mundo. (P6)
5. Para ella (la cocina) es la única de las labores necesarias del hogar que presenta una posibilidad creadora. (P7)

 2–48. Y ustedes, ¿qué piensan? En parejas, una persona debe hacer las preguntas correspondientes al estudiante A y la otra persona las correspondientes al estudiante B. Pueden hacerle preguntas adicionales a su pareja si necesitan aclaraciones. Resuman la información en un informe escrito y compártanlo con la clase.

Estudiante A: ¿Crees que las tareas domésticas presentan posibilidades creadoras? ¿Qué tareas las presentan y cuáles no? Piensa en las mujeres que conoces de tu familia y entre tus amistades. ¿Consideran ellas el trabajo del hogar un castigo? ¿un trabajo sagrado? ¿o tienen una posición intermedia? Explica. ¿Quién te preparaba la comida cuando eras niño? ¿Qué actitud tenía esa persona hacia el trabajo de la cocina? En esa época, ¿veías tú la cocina como un recinto sagrado de alquimia o representaba algo más banal para ti? Explica.

Estudiante B: ¿Te gustaría leer una o más de las obras de Esquivel? ¿Cuál o cuáles? ¿Por qué? ¿Qué temas te gustan a ti en las novelas o en las películas? ¿Consideras que Esquivel es una mujer tradicional o moderna? ¿Por qué? ¿Admiras a las personas que tienen capacidad creadora? Piensa en ejemplos de tu familia, de tus amistades o de las personas famosas. ¿En qué áreas expresan su creatividad?

Ven a conocer

2–49. Anticipación Hagan una lectura rápida del artículo siguiente para determinar cuáles de estos temas aparecen en el texto.

1. un lugar para visitar ruinas mayas
2. un lugar para observar la producción del chocolate
3. una reserva natural
4. un lugar para comprar artesanías típicas

Tabasco, México: La Ruta del Cacao

El cacao tuvo su origen en la región que ocupa hoy el estado de Tabasco, México durante la época de la antigua civilización olmeca. Los mayas heredaron el cultivo del cacao y mezclaban la semilla pulverizada con agua caliente, sin azúcar, para crear una bebida amarga y espumosa. El cacao se consideraba regalo de los dioses y los mayas celebraban un festival en honor de Chak Ek Chuah, dios del cacao. Sabían que el cacao era un estimulante y le atribuían poderes afrodisíacos. Las semillas de la planta servían también como moneda de intercambio en transacciones entre comerciantes mayas.

Hoy en día, Tabasco produce el 75% del chocolate mexicano y el recorrido turístico de la Ruta del Cacao incluye sitios arqueológicos mayas y antiguas plantaciones cacaoteras además de reservas naturales y pueblos pintorescos.

En la Zona Arqueológica de Comalcalco se puede visitar las ruinas de una ciudad maya que llegó a su esplendor entre el siglo III y el siglo IX, d. C. La acrópolis es típica de los complejos arquitectónicos mayas con pirámides y terrazas, plazas y templos. Los conocimientos astronómicos de esta civilización prehispana son evidentes en la orientación exacta de los templos hacia los puntos cardinales.

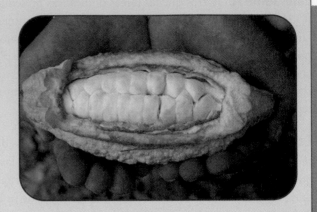

Las haciendas cacaoteras de Tabasco datan de la época colonial después de que Hernán Cortés, conquistador de los aztecas, llevó el cacao a España en el siglo XVI. La bebida se popularizó a pesar de la prohibición inicial de la iglesia católica, que asociaba el cacao con los ritos paganos de los indígenas. Para satisfacer la demanda, España fundó grandes haciendas cacaoteras, o plantaciones de cacao, en Tabasco, muchas de las cuales siguen produciendo y vendiendo chocolate en sus formas modernas. Durante una visita a las haciendas el visitante puede presenciar la elaboración de esta planta: la recolección; el lavado y secado del grano; su pulverización; la mezcla con azúcar, canela, soya, o leche; la introducción de la pasta en moldes; la refrigeración y la división del chocolate en diferentes figuras para ser empacadas. Muchas haciendas le sirven al visitante una versión moderna de la antigua bebida maya.

Los otros atractivos de la Ruta del Cacao incluyen reservas naturales, como el Centro Reproductor de Tortugas de Agua Dulce en Nacajuca, y la laguna Pomposú, en las afueras de Jalpa de Méndez. La hacienda cacaotera Finca Cholula también sirve como reserva para aves propias de la selva mexicana y para monos sarahuatos, nativos de Tabasco.

El turista no debe marcharse de Tabasco sin visitar sus pintorescos pueblos. La iglesia de la plaza de Cupilco está pintada con brillantes colores y es la más pintoresca de Tabasco. En Jalpa de Méndez se puede comprar la famosa artesanía de las jícaras, recipientes labrados de calabazo.

2–50. En detalle. Usen la información de la lectura para responder a las siguientes preguntas.

1. ¿Cuáles serían las diferencias entre una visita a Jalpa de Méndez y una visita a Cupilco?
2. Mencionen dos lugares para la conservación de especies animales. ¿Qué especie se conserva en cada lugar?
3. ¿Qué se hace en una visita a una hacienda cacaotera?
4. ¿Qué tipo de construcción había en la ciudad maya de Comalcalco?
5. ¿Cuáles son las dos funciones que tenía el chocolate en la antigua cultura maya?

Viaje virtual

Visita la página de la red sobre paradores turísticos en Tabasco, México: http://www.laregion.com.mx/tabasco/especiales/ecoturismo/paradores/turis.php. Lee la información y escribe un breve comentario descriptivo para cada una de las siete fotografías. También puedes encontrar información adicional sobre Tabasco usando tu buscador preferido.

2–51. Una postal. Imaginen que ustedes están en Tabasco donde han recorrido la Ruta del Cacao. Escriban una tarjeta postal a su instructor/a de español describiendo sus experiencias. ¡Recuerden usar bien el pretérito y el imperfecto para narrar en el pasado! También pueden comparar dos o más lugares usando los comparativos.

Redacción

2–52. Una autobiografía. En la sección anterior, Laura Esquivel narra sus experiencias personales. Ahora te toca a ti escribir una narración parecida sobre tus propias experiencias o las experiencias de otra persona.

Preparación

Piensa en los siguientes puntos:

1. ¿Quiénes serán los lectores de mi composición?
2. ¿Qué información voy a incluir en la introducción?
3. ¿Qué tema/s voy a incluir en cada párrafo?
4. ¿Qué información voy a incluir en la conclusión?

Ahora piensa en cómo vas a organizar la información en tu redacción. Aquí tienes algunas sugerencias.

1. Narrar las experiencias en orden cronológico.

> **MODELO**
>
> **Nací y crecí en una familia que para muchos parecía una familia de locos y quizás en algunos casos tenían razón, pero era mi familia y yo la quería con locura. Cuando era niño/a mi padre...**

2. Narrar desde la perspectiva de un hecho en el presente.

> **MODELO**
>
> **Hoy me llamó Roberto García por teléfono. Para que lo sepan, Roberto García y yo nos vimos por última vez en la fiesta de graduación de la escuela secundaria. Recuerdo muy bien aquella fiesta. Roberto era el chico más atractivo de todos y yo tenía el honor de ser su compañera...**

3. ¿Otros modelos de organización diferentes?

A escribir

1. Comienza tu redacción con una introducción interesante.

> **MODELO**
>
> **En ese frío día en el que cayó una histórica nevada de dos pies de nieve nací yo. Llegué al mundo a la hora del té, a las cuatro de la tarde...**

2. Desarrolla el contenido y organización que hayas seleccionado. Por ejemplo, si quieres describir el ambiente familiar en el que creciste y una experiencia importante durante la niñez y la juventud, puedes usar el ejemplo a continuación como guía.

MODELO

> **La vida en casa era muy tranquila. Mamá siempre en la cocina, papá siempre en su trabajo, y mis hermanos y yo siempre metidos en problemas. Recuerdo una vez que...**

3. Si quieres describir tu vida fuera del ambiente familiar en el presente, puedes usar este ejemplo como guía.

MODELO

> **Ahora que no estamos ya en casa, mis hermanos y yo seguimos dando problemas pero, claro, son de otro tipo...**

4. Escribe una conclusión que resuma de forma interesante el contenido de los párrafos.

MODELO

> **Y así es como llegué a ser quien soy hoy: un muchacho tímido, algo romántico, interesado en la cocina y también en la política. Una buena combinación, en mi opinión...**

5. Al escribir tu narración recuerda lo que has aprendido sobre el pretérito e imperfecto usados juntos. También usa las comparaciones, el *se* impersonal y los pronombres de objeto directo e indirecto si es necesario.

6. Las expresiones de la lista te servirán para hacer transiciones entre diferentes ideas.

a diferencia de, en contraste con	*in contrast to*
al fin y al cabo	*in the end*
después de todo	*after all*
en resumen	*in summary*
igual que	*the same as, equal to*
mientras	*while*
sin embargo	*however*

Revisión

Para revisar tu redacción usa la guía de revisión del Apéndice C. Después de hacer tu revisión, escribe la versión final y entrégasela a tu instructor/a.

Pablo Neruda (1904–1973)

El poeta chileno Pablo Neruda, ganador del Premio Nobel de Literatura en 1971, primero recibe reconocimiento internacional por su poemario *Veinte poemas de amor y una canción desesperada,* publicado en 1924. En la década de 1930, su poemario *Residencia en la tierra,* expresa la soledad personal de Neruda, la cual sirve de metáfora para la problemática existencia humana y su técnica refleja las tendencias vanguardistas de las corrientes artísticas europeas. En 1950, publica *Canto general,* visión poética de la historia del continente americano con una fuerte orientación política marxista. Neruda expresa en sus odas, género que convencionalmente celebra a Dios o a grandes héroes, otras de sus fuertes convicciones: que las cosas más simples de la vida son las más relevantes. Las odas de Neruda celebran comidas, como el tomate y la papa; animales, como el pájaro y el elefante; emociones, como la alegría y la tristeza; y objetos domésticos, como la cama y el plato. Usando metáforas extendidas a base del aspecto físico de la cosa y la personificación a través de

un hablante lírico que se dirige al objeto con "tú," Neruda encuentra un sentido para la vida humana en sus elementos fundamentales.

 2–53. Entrando en materia. Piensen en un objeto muy especial. Puede ser una prenda de ropa, un aparato, o cualquier instrumento que usan frecuentemente. En parejas, describan el objeto: ¿Cómo es? ¿Por qué te gusta? ¿Qué aspecto te agrada (su color, textura, olor, forma, etc.)?

En esta oda, Neruda describe los platos y su función en términos muy favorables. ¿Qué asocian con los platos? ¿Tienen los platos alguna asociación positiva o negativa para ustedes? ¿Por qué?

"Oda al plato"

1 Plato,
    disco central
    del mundo,
    planeta y planetario:
5 a mediodía, cuando
    el sol, plato de fuego,
    corona[1]
    el
    alto

10 día,
     plato, aparecen
     sobre
     las mesas en el mundo
     tus estrellas,
15 las **pletóricas**[2]
     constelaciones,
     y se llena de sopa
     la tierra, de fragancia

---

1. crowns;   2. full, brimming over;

el universo,
20 hasta que los trabajos
llaman de nuevo
a los trabajadores
y otra vez
el comedor es un vagón **vacío**³,
25 mientras vuelven los platos
a la profundidad de las cocinas.
Suave, pura **vasija**⁴,
te inventó el **manantial**⁵ en una
piedra,
luego la mano humana
30 repitió

el **hueco**⁶ puro
y copió el **alfarero**⁷ su frescura
para
que el tiempo con su **hilo**⁸
35 lo pusiera
definitivamente
entre el hombre y la vida:
el plato, el plato, el plato,
cerámica **esperanza**⁹,
40 **cuenco**¹⁰ santo,
exacta luz lunar en su **aureola**¹¹,
hermosura redonda de **diadema**¹².

2–54. Identificación. Identifiquen las líneas del poema (1–42) que corresponden a las ideas siguientes:

1. la metáfora del plato como planeta o estrella; el ciclo de la vida diaria comparado con el ciclo del sistema solar
2. la costumbre de volver a casa del trabajo para comer al mediodía
3. la historia del plato desde sus orígenes en la naturaleza
4. referirse al plato en segunda persona para personificarlo

 2–55. Nuestra interpretación de la obra. En parejas, comparen sus respuestas a estas preguntas.

1. El paralelismo entre los platos en la mesa de una casa y los planetas en el firmamento del cosmos se introduce en los primeros tres versos. ¿En qué sentido es el plato "disco central / del mundo"? Expliquen las implicaciones de la metáfora.
2. En el verso 27, se describe el origen del plato: "te inventó el manantial en una piedra." Expliquen el sentido literal de estas palabras. ¿Cuál fue el origen del plato para el ser humano prehistórico?
3. La importancia del plato en la vida humana también se expresa en los últimos cuatro versos del poema (39–42). Cada verso es una breve descripción del plato con lenguaje muy sugerente y metafórico. Estudien el vocabulario en estos versos y expliquen las implicaciones de las descripciones. (Por ejemplo, en el verso 39, "cerámica" se refiere al material del plato, ¿y esperanza? ¿En qué sentido es el plato "esperanza"?)
4. Hagan una observación sobre la forma del poema en la página. ¿Por qué creen que Neruda usó esa forma? ¿Qué efecto tiene?
5. Pablo Neruda usa la palabra "santo" para describir el plato. Antes en este capítulo, Laura Esquivel ha usado la misma palabra para describir la cocina. ¿Es esta veneración de la comida y de la cocina algo común en tu cultura? En tu familia, ¿hay una diferencia entre la actitud de personas de diferentes generaciones frente a la comida? ¿Piensas que en general los estadounidenses tienen una actitud similar o diferente de Neruda y Esquivel?

---

3. empty;   4. vessel;   5. flowing water;   6. concavity, hollow;   7. potter;   8. thread, line;   9. hope;   10. basin;   11. round glow;   12. jeweled crown

un duradero amistad

Ampliar vocabulario

afición *f*	hobby
al igual que	same as
ama de casa *f*	housewife
amistad *f*	friendship
aquejar	to afflict
aumento *m*	increase
bordar	to embroider
carnet de identidad *m*	ID card
castigo *m*	punishment
dar un paseo	to take a walk
duradero/a	lasting
echar de menos	to miss
en gran medida	in great part
entorno *m*	environment, setting
envidia *f*	envy
hogar *m*	home
imponer	to impose
índice	rate
jubilado/a	retired
lealtad *f*	loyalty
lugar *m*	place
madrugada *f*	dawn
pareja *f*	couple, partner
pasarlo bien	to have a good time
rechazo *m*	rejection
retrasar	to delay
sacerdote/sacerdotisa	priest, priestess
sagrado/a	sacred
tarea doméstica *f*	household chore

Vocabulario glosado

alfarero/a	potter
aureola *f*	round glow
coronar	to crown
cuenco *m*	basin
diadema *f*	jeweled crown
esperanza *f*	hope
hilo *m*	thread, line
hueco *m*	concavity, hollow
manantial *m*	spring, source, flowing water
pletórico/a	full, brimming over
vacío/a	empty
vasija *f*	vessel

Vocabulario para conversar

Para pedir y dar información

Con mucho gusto.	I'd be glad to.
Dime/Dígame...	Tell me, . . .
La verdad es que...	The truth is . . .
Lo siento, pero no lo sé.	I am sorry, but I don't know.
¿Me puedes/ Me puede explicar...?	Can you explain to me . . . ?
¿Me puedes/ puede decir...?	Can you tell me . . . ?
No tengo ni idea.	I have no idea.
Otra pregunta...	Another question . . .
Permíteme/ Permítame explicar...	Let me explain . . .
Quiero preguntar si...	I'd like to ask if . . .
Quiero saber si...	I'd like to know if . . .
Yo opino (creo) que...	I think that . . .

Para contar anécdotas

Escucha, te/ Escuche, le voy a contar...	*Listen, I am going to tell you . . .*
Fue algo terrible/ horrible/ espantoso.	*It was something terrible/horrible/awful.*
Fue divertidísimo...	*It was so much fun . . .*
¡No me digas! ¡No me diga!	*You're kidding me!*
No me va/s a creer...	*You are not going to believe me . . .*
¿Sí? No te/ le puedo creer. ¡Es increíble!	*Really? That's incredible!*
Te/ le voy a contar algo increíble...	*I am going to tell you something unbelievable . . .*
Y entonces...	*And then . . .*
¿Y entonces, qué?	*And then what?*
¿Y qué pasó después?	*And what happened then?*

Para comparar experiencias

Es como el día en que...	*It's like the day when . . .*
Eso me recuerda (a mi amigo/a, a mi hermano/a, una ocasión).	*That reminds me of (my friend, brother/sister, . . ., an ocassion).*
La impresión que tengo de... es completamente opuesta.	*The impression I have of/about . . . is completely the opposite.*
La persona que describes es muy diferente de la que yo conozco.	*The person you're describing is very different from the one I know.*
Lo que me pasó en... fue un poco parecido, la diferencia es que...	*What happened to me in . . . was a bit similar; the difference is that . . .*
Mi (amigo/a, hermano/a) es como el/la tuyo/a.	*My (friend, brother/sister) is like yours.*
Mi experiencia con... fue completamente diferente.	*My experience with . . . was completely different.*
Mi experiencia en... fue muy parecida.	*My experience in . . . was very similar.*
Mi experiencia con... fue parecida y diferente al mismo tiempo.	*My experience with. . . . was similar and different at the same time*

ADDITIONAL ACTIVITIES FOR EACH TEMA AND
ANIMATED GRAMMAR TUTORIALS AVAILABLE ONLINE.

CAPÍTULO

3

NUESTRA COMUNIDAD BICULTURAL

Objetivos del capítulo

En este capítulo vas a...

- explorar lo que implica pertenecer a dos o más culturas
- expresar inseguridad y duda
- expresar opiniones, reacciones y sentimientos
- dar y pedir consejos o recomendaciones a otras personas

TEMA

Nací en Maracaibo, Venezuela. Mi padre es médico venezolano y trabajaba para una empresa estadounidense. Como resultado, he vivido entre estadounidenses toda mi vida. Me eduqué en escuelas de Venezuela y EE.UU. y esta combinación me ha dado la capacidad de poder apreciar las dos culturas. ¿Conoces a alguien que haya crecido entre dos o más culturas?

Ser bicultural

Heritage (*Raíces*), de Leonardo Nuñez y el Latino Youth de Lompoc, California

Lectura

Entrando en materia

Por si acaso

Expresiones útiles para comparar respuestas con otro estudiante

¿Qué tienes/ pusiste en el número 1/ 2/ 3?
Yo tengo/ puse a/ b.
Yo tengo algo diferente.
No sé la respuesta./ No tengo ni idea.
Creo que la respuesta es a/ b, pero no estoy seguro/a.
Creo que es cierto./ Creo que es falso.

 3–1. Lo que sabemos. En parejas, piensen en las ideas que tienen sobre los inmigrantes de Estados Unidos. Después, lean las siguientes oraciones y determinen si están de acuerdo o en desacuerdo. Justifiquen sus respuestas.

- Todos los inmigrantes hispanos llegaron a EE.UU. al mismo tiempo.
- En muchos de los países hispanohablantes hay diversidad racial.
- No hay diferencias de clase social entre los inmigrantes hispanos.
- Todos los hispanos en Estados Unidos son de la misma raza.

3–2. Vocabulario: Antes de leer. Miren el contexto de estas palabras en la lectura e identifiquen la definición que corresponde a cada palabra.

1. inestabilidad
2. racial
3. crear
4. estadounidense
5. incluir
6. rasgos
7. valores
8. lazo
9. erróneo

a. sinónimo de *hacer* o *producir*
b. sinónimo de *características*
c. una persona de Estados Unidos
d. sinónimo de *incorrecto*
e. adjetivo derivado de *raza*
f. un elemento de unión entre dos o más partes
g. falta de equilibrio
h. creencias o formas de ver la vida
i. sinónimo de *contener*

3–3. Murales. Observen las imágenes de esta página y de la siguiente y comparen sus respuestas a estas preguntas con las de otro/a estudiante.

1. Las personas pintadas en los murales representan parte de la variedad de orígenes raciales de los hispanos en Estados Unidos. ¿Pueden ustedes identificar el origen de algunas de las personas? ¿Cómo se diferencian las personas de los distintos murales?

2. Lean la información sobre los dos murales y noten la ciudad estadounidense en que se encuentran. ¿De qué países descienden la mayoría de los hispanohablantes de esas regiones de Estados Unidos?

3. ¿Qué detalles de cada mural reflejan la herencia cultural de las dos comunidades (la del suroeste de EE.UU. y la del noreste de EE.UU.)?

4. ¿Qué otros símbolos reconocen en los murales?

Tributo a la Unión, de Alexandro C. Maya, Estrada Courts, Los Angeles Foto, Rich Puchalsky

Bomba y Plena (c) 2003 City of Philadelphia Mural Arts Program/Betsy Z. Casañas. Photo by Jack Ramsdale. Reprinted with permission.

Por si acaso

Antes de 1848, los estados de Utah, Nevada, California, Texas, Arizona, Nuevo México y áreas de Colorado y Wyoming eran territorio mexicano. El español se habló antes que el inglés en estos estados.

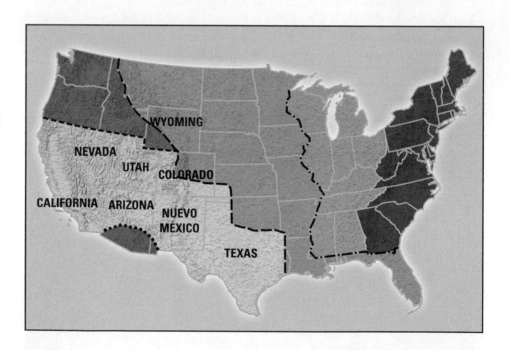

Ser hispano en Estados Unidos

de Arturo Fox

Virtualmente todas las naciones de Hispanoamérica están representadas en la comunidad hispana de Estados Unidos, pero el 80% de ella proviene de México, el 14% de Puerto Rico y el 6% de Cuba. Los estados del suroeste que bordean la frontera con México, es decir California, Arizona, Nuevo México y Texas contienen la mayor concentración de mexicano-americanos. En el estado de Nueva York reside la mayor parte de la población puertorriqueña, y la Florida, a 90 millas de Cuba, ha sido el destino natural de los cubanos, especialmente desde que en 1960 tuvo lugar el éxodo de exiliados opuestos al régimen de Fidel Castro.

En las últimas décadas, por otra parte, ha habido una tendencia hacia la dispersión, especialmente entre la población puertorriqueña, que de la Ciudad de Nueva York se ha trasladado hacia otras ciudades del mismo estado, o a otros estados como Nueva Jersey, Connecticut e Illinois. En el área de Chicago reside ya el mayor núcleo de puertorriqueños fuera de la Ciudad de Nueva York. En menor escala, los cubanos han ido formando importantes comunidades fuera de la Florida, notablemente en la costa este de Estados Unidos. Los mexicano-americanos han mostrado una menor tendencia a la dispersión. Cuatro de cada cinco de ellos todavía viven en los estados del suroeste.

Otro fenómeno ha sido la multiplicación de las nacionalidades representadas en Estados Unidos. Nueva York ha recibido una importante inmigración dominicana desde los años 60. Durante la década de los 70 la **inestabilidad** política de Centroamérica comenzó a producir una constante corriente de emigrantes, refugiados políticos y económicos de Nicaragua, Guatemala y El Salvador. Este grupo se ha concentrado especialmente en California. Los nicaragüenses, además, se han establecido en considerable número en el área de Miami. Ⓜ¹

¿Qué características permiten identificar a un individuo como "hispano"? Un criterio que ciertamente no debe usarse es el **racial**, ya que no existe una "raza hispana". El hecho es, sin embargo, que los dos grupos principales que **crearon** la imagen de los hispanos en Estados Unidos, los mexicano-americanos y los puertorriqueños, estaban formados en gran parte por personas "de color," lo cual creó en la mente del **estadounidense** la asociación de lo hispano con la categoría *"nonwhite"*.

¿Pero es correcto, en realidad, hablar de una "minoría hispana" o de una "comunidad hispana" en la que se **incluyan** todos los grupos hispanos de Estados Unidos? Algunos contestan esta pregunta de forma negativa debido a las notables diferencias económicas, étnicas y culturales que existen entre esos grupos. No obstante, es posible decir que existe una colectividad hispana en Estados Unidos con suficientes **rasgos** comunes para merecer tal nombre. Las distintas comunidades hispanas de este país no sólo comparten los más obvios indicadores culturales de origen hispano, el español como idioma, el catolicismo como religión predominante y un sistema común de **valores**, sino también un **lazo** de unión adicional y no menos importante: el hecho de que la sociedad estadounidense suele percibir a los hispanos como un grupo más o menos uniforme. **Errónea** o no, ésta es una percepción con la que el hispano tiene que enfrentarse en su vida diaria. La pregunta *"Are you Hispanic?"* demanda una respuesta afirmativa tanto del argentino como del peruano asentados en Estados Unidos, antes de que uno u otro pueda aclarar su nacionalidad de origen. Ⓜ²

---

¹Ⓜ**omento de reflexión**

¿Verdadero o falso?

__ 1. *Parte de la población hispana en Estados Unidos está distribuida de esta manera: los mexicano-americanos en el suroeste del país, los cubanos en la Florida y los puertorriqueños en el estado de Nueva York.*

__ 2. *La Florida, el suroeste de Estados Unidos y Nueva York son las únicas áreas geográficas donde se han asentado las diversas comunidades hispanas.*

__ 3. *Muchos hispanos de Guatemala, Nicaragua y El Salvador han emigrado a Estados Unidos en los últimos 50 años.*

---

²Ⓜ**omento de reflexión**

¿Verdadero o falso?

__ 1. *No hay hispanos de raza blanca.*

__ 2. *La comunidad hispana de Estados Unidos es esencialmente de raza negra.*

__ 3. *Los estadounidenses a menudo piensan que la comunidad hispana es un grupo uniforme.*

3-4. ¿Comprendieron? En parejas, completen la tabla de abajo con información de la lectura.

Países de origen de los diferentes grupos	Tres diferencias entre los grupos	Tres aspectos comunes entre los grupos	Dos razones que explican la emigración de estos grupos
méxico puertorico	*culturas origen*	*hablan en español*	

etnicas económicas

 3-5. Vocabulario: Después de leer. En parejas, escriban un párrafo describiendo el entorno cultural de su universidad. ¿Hay mucha diversidad? ¿Hay mucho contacto y comunicación entre las diferentes culturas? Incluyan tantas expresiones de la lista como sea posible. Comparen su párrafo con el de otra pareja. ¿Son similares o diferentes?

variedad racial	(in)estabilidad
ideas erróneas	estadounidenses
valores comunes	rasgos diversos
lazos culturales	se incluye(n)

Por si acaso

concentración de población
concentration of the population
crecimiento económico
financial growth
desventaja
disadvantage
impuestos
taxes
recursos económicos
economic resources
servicios médicos
medical services
servicios sociales
social services
ventaja
advantage

 3-6. Impresiones. En parejas, representen al estudiante A y el estudiante B. Cada estudiante debe hacerle las preguntas correspondientes a la otra persona. Respondan teniendo en cuenta lo que acaban de aprender en la lectura y lo que ustedes piensan acerca del tema de los inmigrantes. Justifiquen sus respuestas. Pueden hacer preguntas adicionales para aclarar ideas.

Estudiante A: ¿Cuál crees que es la causa de la inmigración? ¿Crees que hay muchas personas que emigran de Estados Unidos a otros lugares? ¿Por qué?

Estudiante B: ¿Conoces a algún inmigrante hispano? ¿Qué sabes de esta persona? ¿Crees que la inmigración es buena o mala para un país? ¿Por qué?

Gramática

Introduction to the Subjunctive

All verb tenses you have studied so far in *Más allá de las palabras* are part of the indicative mood.

In this unit you will learn more about another mood, the subjunctive, which you may have studied in previous Spanish classes. Tenses grouped in the subjunctive mood are used mostly in the dependent clause of certain compound sentences. Spanish speakers use the subjunctive to make statements that convey nonfactual messages or messages that imply emotion, uncertainty, judgment, or indefiniteness.

There are four tenses in the subjunctive mood. In this unit you will learn the forms of the present subjunctive and its uses.

Forms of the Present Subjunctive

To form the present subjunctive of regular verbs start with the first person (**yo**) of the present indicative. In **-ar** verbs, change the **-o** to **-e, -es, -e, -emos, -éis, -en**. In **-er** and **-ir** verbs, change the **-o** to **-a, -as, -a, -amos, -áis, -an**.

Infinitive	Present Indicative **yo** Form	Present Subjunctive	
caminar	camino	camine	caminemos
		camines	caminéis
		camine	caminen
comer	como	coma	comamos
		comas	comáis
		coma	coman
escribir	escribo	escriba	escribamos
		escribas	escribáis
		escriba	escriban

Irregular verbs that have the **yo** form of the present indicative as a basis for the present subjunctive: **decir, hacer, oír, poner, salir, tener, venir** and **ver**.

digo	diga, digas, diga, digamos, digáis, digan
hago	haga, hagas, haga, hagamos, hagáis, hagan
oigo	oiga, oigas, oiga, oigamos, oigáis, oigan
pongo	ponga, pongas, ponga, pongamos, pongáis, pongan
salgo	salga, salgas, salga, salgamos, salgáis, salgan
tengo	tenga, tengas, tenga, tengamos, tengáis, tengan
vengo	venga, vengas, venga, vengamos, vengáis, vengan
veo	vea, veas, vea, veamos, veáis, vean

Stem-Changing Verbs

-ar and **-er** stem-changing verbs undergo the same vowel-change pattern in the subjunctive that you have learned for the indicative.

cerrar	cierre, cierres, cierre, cerremos, cerréis, cierren (e → ie)
contar	cuente, cuentes, cuente, contemos, contéis, cuenten (o → ue)
defender	defienda, defiendas, defienda, defendamos, defendáis, defiendan (e → ie)
volver	vuelva, vuelvas, vuelva, volvamos, volváis, vuelvan (o → ue)

-ir stem-changing verbs undergo an additional change in the **nosotros** and **vosotros** forms, **e → i** and **o → u**.

| preferir | prefiera, prefieras, prefiera, prefiramos, prefiráis, prefieran (**e → ie, i**) |
| dormir | duerma, duermas, duerma, durmamos, durmáis, duerman (**o → ue, u**) |

Irregular Verbs

dar	dé, des, dé, demos, deis, den
estar	esté, estés, esté, estemos, estéis, estén
ir	vaya, vayas, vaya, vayamos, vayáis, vayan
saber	sepa, sepas, sepa, sepamos, sepáis, sepan
ser	sea, seas, sea, seamos, seáis, sean
haber	haya, hayas, haya, hayamos, hayáis, hayan

Uses of the Present Subjunctive

Present Subjunctive in Noun Clauses

The subjunctive occurs in the dependent clause when the verb in the independent clause expresses:

1. uncertainty, doubt, or denial
2. emotion
3. advice, suggestion, or recommendation

What is the difference between a dependent and an independent clause?

An independent clause is one that can stand alone like a simple sentence expressing a complete thought; a dependent clause cannot stand alone and does not express a complete thought. Note the difference between dependent and independent clauses in the example below.

Independent Clause	Dependent Clause
Muchas personas dudan	que la educación bilingüe sea buena.
Many people doubt	*that bilingual education is a good thing.*

First Use of the Subjunctive: After Expressions of Uncertainty, Doubt or Denial

When the verb in the independent clause expresses uncertainty, doubt or denial, use subjunctive in the dependent clause.

Among verbs that express doubt are **dudar, no estar seguro, negar** (*deny*)**, no creer,** and **no pensar**.

ATTENTION: **Pensar** and **creer** only trigger subjunctive in the dependent clause when they are in the negative form. Thus, if the independent clause bearing **pensar** or **creer** is affirmative, we get the following:

Independent Clause	Dependent Clause
Otras personas piensan	que la educación bilingüe **es** buena.
Other people think	*that bilingual education is a good thing.*
Otras personas creen	que la educación bilingüe **es** buena.
Other people believe	*that bilingual education is a good thing.*

Impersonal expressions (those without a specific subject) of doubt or uncertainty also require the use of the subjunctive. When they express certainty, use the indicative in the dependent clause; when they express uncertainty, use the subjunctive.

Certainty = Indicative

Es seguro (*It is certain*)
Es cierto (*It is true*)
Es verdad (*It is true*)
Está claro (*It is clear*)
Es obvio (*It is obvious*)
Es evidente (*It is evident*)

} que la educación bilingüe **es** beneficiosa.
(*that bilingual education is beneficial.*)

Uncertainty = Subjunctive

Es (im)posible (*It is (im)possible*)
Es (im)probable (*It is (im)probable*)
No es seguro (*It is not certain*)
Es dudoso (*It is doubtful*)

} que la educación bilingüe **sea** beneficiosa.
(*for bilingual education to be beneficial.*)

See *Grammar Reference 3* for information on the infinitive vs. the subjunctive.

3–7. La política y los hispanos. Aquí tienes un pequeño artículo que el editor de *La Universidad* ha escrito sobre el tema de los hispanos y la política en Estados Unidos. Cambia los infinitivos cuando sea necesario a la forma verbal apropiada, en el subjuntivo o el indicativo, según el contexto.

En EE.UU. los políticos creen que los hispanos (1) __forman__ (formar) un grupo demográfico importante. Eso no va a ser suficiente para que los hispanos tengan más poder y representación en el gobierno, pero (2) __ser__ (ser) un buen punto desde donde comenzar.

Si las leyes de inmigración se reforman pronto, es posible que las personas de origen hispano (3) __den__ (dar) más votos al partido que mejor los represente en las próximas elecciones. Para los políticos, el problema es que muchos hispanos dudan que el gobierno (4) __haga__ (hacer) algo significativo para mejorar la vida de la comunidad hispana.

Después, claro, está el problema de la comunicación. Para conseguir votos es importante (5) __comunica__ (comunicarse) con la gente en su propio idioma, y yo personalmente (6) __dudo__ (dudar) que muchos políticos estadounidenses (7) __hablen__ (hablar) bien español.

Sin embargo, con tantos ciudadanos estadounidenses que (8) __son__ (ser) de origen hispano, es posible que (9) __haya__ (haber) muchos más políticos hispanos en el futuro. Tal vez así, los hispanos se sentirán finalmente integrados a la política del país.

3–8. La gente opina. Una buena forma de aprender sobre otras culturas es leer publicaciones dirigidas a ese público en particular. En Estados Unidos hay muchas revistas escritas por latinos para latinos. Si lees alguna de estas revistas, podrás practicar el español y ponerte al día en cuanto a las preocupaciones, problemas, intereses, gustos, etc. de la comunidad hispana en nuestro país. A continuación te presentamos dos cartas publicadas en la revista latina *Más*. En estas cartas, los lectores expresan su opinión acerca de la revista en general. En parejas, lean las siguientes cartas al editor, prestando atención al uso del subjuntivo. Después, completen los pasos que se indican abajo.

Siempre leo su revista con mucho interés porque hay mucha información sobre la cultura hispanoamericana.

Doy clases de inglés a inmigrantes. La mayoría de mis alumnos son de América Latina. Creo que la información de su revista da modelos excelentes de hispanos con éxito en EE.UU. Estos modelos dan mucha motivación a mis alumnos. Dudo que alguien cuestione (*dispute*) el valor de *Más* para la comunidad hispana en EE.UU.

Daniel Weber, Albuquerque, NM

Más, muchas gracias por la referencia a los hispanos judíos (*Jewish*). No creo que muchas personas tengan esta información. No todos los hispanos son católicos, un grupo de nosotros somos judíos. Su artículo reconoce que la comunidad hispana es muy diversa. Gracias.

Alvin J. García, Tampa, FL

1. Las dos cartas dicen que la revista *Más* ofrece algo positivo para la comunidad hispana. ¿Qué aspecto positivo se menciona en cada carta?
2. Piensen en una revista que ustedes leen que les ofrece algo positivo. Escriban una breve carta al editor basándose en estas dos cartas como modelos. Incluyan por lo menos un comentario positivo y un comentario negativo (reales o inventados) sobre algún aspecto de la revista. Recuerden usar el subjuntivo para expresar dudas y el indicativo para expresar certeza.

3-9. Aquí no es común En tu ciudad, las personas que aparecen abajo te hacen estas preguntas. Responde diplomáticamente explicando que las costumbres que ellos mencionan no son típicas de tu cultura. En tu respuesta, usa expresiones de duda: dudar que, no pensar que, no creer que, ser imposible que, ser dudoso que, etc.

MODELO

La madre de una familia española te pregunta:
¿A qué hora salen las familias a dar un paseo el domingo?
No estoy segura de que aquí muchas familias den un paseo los domingos.

---

1. Tu vecino chileno te dice:
   Me gustaría conocer a otros señores mayores. ¿En qué plaza de la ciudad se reúnen los jubilados?
2. Tu amigo mexicano te pregunta:
   ¿Cómo celebran la fiesta de quinceañera las mujeres de tu familia?
3. Tu compañero de cuarto, que acaba de llegar de España, te comenta:
   Esta noche quiero salir de fiesta hasta las cinco o las seis de la mañana.
   ¿Qué discotecas me recomiendas?
4. Tu instructor de español, que es dominicano, te dice:
   Necesito ideas sobre algún lugar interesante para celebrar mi santo este año.
   ¿Tienes alguna sugerencia?

 3-10. Más estereotipos. ¿Recuerdan la discusión del *Capítulo 2, Tema 1* sobre los estereotipos? Aquí tienen otra serie de estereotipos. Usen lo que saben sobre las culturas hispanas para escribir una reacción positiva o negativa para cada estereotipo. Éstas son algunas expresiones que pueden resultar útiles:

(no) creo   (no) dudo   (no) pienso   (no) es probable
es (im)posible que   (no) es cierto

MODELO

Todos los hispanos hablan el mismo idioma. No hay variaciones regionales.
¡Dudo que todos los hispanos hablen el mismo idioma, sin variaciones regionales!

---

1. Las mujeres latinas siempren llevan tacones altos para ir al trabajo.
2. Todos los inmigrantes centroamericanos son pobres y vienen a Estados Unidos para hacerse ricos.
3. Los mexicanos trabajan muy despacio y por muy poco dinero.
4. La comida de todos los países hispanos es muy picante.
5. En la cultura hispana, se habla en voz muy alta.

3–11. Una prueba. En parejas, analicen la ilustración. Cada estudiante debe escribir una afirmación verdadera y una falsa sobre esta información. La otra persona debe leer las dos afirmaciones y expresar oralmente su reacción.

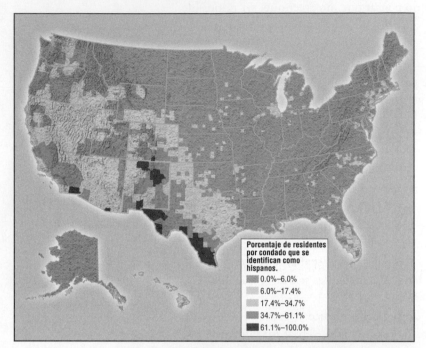

Porcentaje de residentes por condado que se identifican como hispanos.

- 0.0%–6.0%
- 6.0%–17.4%
- 17.4%–34.7%
- 34.7%–61.1%
- 61.1%–100.0%

Durante la década de 1980, Estados Unidos abrió sus puertas a más inmigrantes que en el pasado. La mayoría llegó de Latinoamérica y hablaba español. Estados Unidos es hoy el quinto país donde más se habla español. En 1990 el número de hispanos en EE.UU. sobrepasaba los 22 millones, en el año 2000 había más de 35 millones y en el 2007 había 45.5 millones.

 3–12. Cóctel de noticias. En parejas, lean estos titulares de un periódico imaginario. ¿Cuáles les parecen más probables? Reaccionen usando la lógica y las expresiones anteriores. Después, preparen tres o cuatro titulares de noticias que ustedes piensan que **sí** pueden ocurrir. Escriban titulares relacionados con la inmigración, la política, la educación, etc.

MODELO

El gobierno de Cuba devolverá las propiedades (*properties*) de los cubanos que se exiliaron en la década de 1960.
No es probable que el gobierno de Cuba devuelva las propiedades de los cubanos que viven en el exilio.

1. El gobierno de EE.UU. va a abrir las fronteras a todos los inmigrantes.
2. El español será el idioma oficial de California algún día.
3. Los emigrantes cubanos son esencialmente refugiados políticos.
4. En el año 3000 los estudiantes van a poder aprender español sólo por computadora.
5. ¡Nuevo en el mercado: un libro de texto para aprender español en una semana!

Expresar tus opiniones

When talking about a subject, you will express your opinions and also react to the other person's opinions on the subject. The following expressions will help you hold a discussion more effectively in Spanish.

Expresar tu opinión:

Creo que…	I think that…
En mi opinión…	In my opinion…
Me parece absurdo (una tontería).	It seems absurd (silly) to me.
Me parece interesante.	I think it is interesting.
Me parece…	I think (It seems to me)…
Prefiero…	I prefer…

Reaccionar a la opinión de otros:

(No) Estoy de acuerdo.	I (dis)agree.
(No) Tienes razón.	You are (not) right.
¿Por qué dices eso?	Why do you say that?
Absolutamente.	Absolutely.
Por supuesto.	Of course.
Yo también.	Me too.
A mí también me gusta/ me molesta.	I like it too / It also bothers me.
Yo tampoco.	Me either.
A mí tampoco me gusta/ me molesta.	I don't like it either / It doesn't bother me either.

Preguntar qué opinan:

¿Qué crees (opinas)?	What do you think?
¿Qué te parece?	What do you think?

3–13. Palabras en acción. El departamento de Humanidades de su universidad ha decidido cambiar los requisitos de graduación para asegurarse de que todos los estudiantes tengan una buena cultura y educación a nivel internacional antes de graduarse. Aquí tienen un resumen de las nuevas normas. En parejas, lean la información y expresen su opinión sobre cada punto. Después, entrevisten a otra pareja para saber su opinión. ¿Están de acuerdo?

Éstos son los nuevos requisitos adicionales de graduación para todos los estudiantes de Humanidades. Se deben cumplir en sustitución de los requisitos anteriores.

1. Todos los estudiantes deben estudiar un mínimo de dos idiomas durante los cuatro años de la carrera.
2. Todos los estudiantes deben pasar un mínimo de seis meses viviendo en una comunidad donde se hable uno de los idiomas que estudian.
3. Todos los estudiantes deben participar en una campaña política que defienda algún interés particular de la cultura que estudian.
4. Todos los estudiantes deben demostrar un amplio conocimiento del idioma y la cultura que estudian. Para demostrar este conocimiento, los estudiantes deben:
   • saber preparar un mínimo de tres platos típicos de esa cultura
   • conocer la música y los bailes tradicionales asociados con esa cultura
   • saber cuáles son las costumbres establecidas durante las celebraciones importantes
   • conocer la historia y el origen de esa cultura y ese idioma.
5. Todos los estudiantes deben conocer las obras más importantes en la pintura, literatura y otras artes de esa cultura. Los estudiantes que contribuyan sus propias obras de arte a alguna comunidad de esa cultura recibirán puntos adicionales.

 3–14. Debate. En grupos de cuatro, elijan uno de los temas de la lista para debatir en clase. Dos estudiantes deben expresar opiniones a favor y los otros dos en contra. Usen el vocabulario de la página 101 cuando sea necesario.

1. Los inmigrantes ilegales en EE.UU.: el gobierno debe reforzar (*reinforce*) la vigilancia en las fronteras para evitar la entrada de más trabajadores ilegales.
2. La educación bilingüe: el estado de California debe reconsiderar las consecuencias de la Proposición 227, según la cual el inglés debe ser la única lengua que se utilice en la enseñanza de las escuelas públicas.
3. El estudio de una lengua extranjera a nivel universitario: debe ser un requisito, ¿sí o no?
4. El estudio de las matemáticas y las ciencias a nivel universitario: debe ser un requisito, ¿sí o no?
5. La educación universitaria para los hispanos: las universidades deben facilitar la admisión de los alumnos hispanos.

CURIOSIDADES

"México Americano", de Los Lobos

Los Lobos comenzaron su carrera musical en Los Ángeles en los años 70. Desde entonces, su combinación ecléctica de rock, Tex-Mex, country, folk, R&B, blues, y música tradicional mexicana les ha encantado a los aficionados de todo el país. A veces componen sus letras en español, otras veces en inglés y en algunas ocasiones mezclan las dos lenguas. La letra de "México Americano" representa una celebración de las raíces biculturales de estos músicos; el ritmo y la instrumentación son del corrido, género musical tradicional de México.

 3–15. Análisis.

A. Lean la letra de la canción para encontrar dos referencias a cada uno de los siguientes temas:

1. el bilingüismo
2. la dignidad del méxico-americano
3. los dos países de la identidad méxico-americana
4. el aspecto bicultural de la identidad méxico-americana

B. En su opinión, ¿qué significan o comunican las siguientes frases?

1. "la raza de oro"
2. "por destino soy americano"
3. "los defiendo con honor"

México Americano

Por mi madre yo soy mexicano,
por destino soy americano.
Yo soy de la raza de oro.
Yo soy México Americano.

Yo te comprendo el inglés,
también te hablo en castellano.
Yo soy de la raza de oro.
Yo soy México Americano.

Zacatecas a Minnesota,
de Tijuana a Nueva York.
Dos países son mi tierra,
los defiendo con honor.

Dos idiomas y dos países,
dos culturas tengo yo.
En mi suerte tengo orgullo,
porque así lo manda Dios.

Por mi madre yo soy mexicano,
por destino soy americano.
Yo soy de la raza de oro.
Yo soy México Americano.

Ser bilingüe

Por si acaso

Expresiones útiles para comparar respuestas con otro estudiante

¿Qué tienes/ pusiste en el número 1/ 2/ 3?
Yo tengo/ puse a/ b.
Yo tengo algo diferente.
No sé la respuesta./ No tengo ni idea.
Creo que la respuesta es a/ b, pero no estoy seguro/a.
Creo que es cierto./Creo que es falso.

A escuchar

Entrando en materia

 3–16. Analizando las palabras. Trabajen en parejas para contestar lo siguiente:

- Mencionen un sinónimo de la palabra *lengua*.
- La palabra *bilingüe* tiene dos partes. Busquen cuáles son.
- Expliquen el significado de las dos partes de la palabra *bilingüe*.
- Mencionen dos palabras que contengan una de las dos partes.

3-17. Vocabulario: Antes de escuchar. Identifiquen la definición que corresponde a las palabras marcadas en negrita en el contexto en que aparecen.

Vocabulario en contexto	Definiciones

Vocabulario en contexto

1. Una persona es multilingüe cuando habla **al menos** dos lenguas.

2. La población **mundial** es de 6 mil millones de personas.

3. Se **estima** que para el año 2050 el número de personas bilingües en EE.UU. será mayor que el de hoy.

4. Muchas personas **cuestionan** los beneficios de la educación bilingüe.

5. La **veracidad** de las palabras se confirma en las acciones.

6. La **mitad** de cien es cincuenta.

7. La historia de El Dorado es un **mito**.

8. Es un **hecho** que el bilingüismo es tan común como el monolingüismo.

Definiciones

a. calcular aproximadamente

b. dato comprobado

c. cincuenta por ciento

d. adjetivo derivado de la palabra *mundo*

e. una historia, idea o creencia popular que no tiene base científica u objetiva

f. poner en duda

g. cualidad de ser verdad

h. como mínimo

Estrategia: Identificar los enlaces entre palabras

Si escuchas con atención a un hispanohablante, te darás cuenta de que a veces es difícil determinar dónde empieza una palabra y dónde termina. Esto ocurre porque en español existe el enlace, o *linking* en inglés. Por eso, la oración "Es importante empezar a estudiar" se pronuncia "E-sim-por-tan-tem-pe-za-ra-es-tu-diar". Como ves, las palabras se encadenan unas con otras sin pausas entre ellas. Antes de escuchar la miniconferencia de este capítulo, lee en voz alta estas oraciones de la miniconferencia y practica los enlaces entre palabras:

1. Lo encontramos en el hecho de que la mayoría de los países tienen una lengua oficial.

   Lo-en-con-tra-mo-se-ne-le-cho-de-que-la-ma-yo-rí-a-de-los-pa-í-ses-tie-ne-nu-na-len-gua-o-fi-cial.

2. ...siempre asociamos este país con el idioma alemán a pesar de que en diferentes partes de Suiza se habla también el francés.

   ...siem-pre-a-so-cia-mo-ses-te-pa-ís-co-ne-li-dio-ma-le-má-na-pe-sar-de-quen-di-fe-ren-tes-par-tes-de-Sui-za-se-ha-bla-tam-bié-nel-fran-cés.

Ahora su instructor/a va a presentar una miniconferencia.

 3-18. Vocabulario: Después de escuchar. Completen el párrafo con la expresión apropiada de la lista: **cuestionan, al menos, mundial, mitad, se estima, mito**.

Hoy en día, algunas personas _____ el valor de estudiar una lengua extranjera. Estas personas creen el _____ que no se puede aprender otro idioma después de cierta edad. Sin embargo, _____ que la mayoría de la población _____ es bilingüe o multilingüe y no todos dominan a la perfección todas las lenguas que hablan. Si más de la _____ de las personas hablan _____ dos idiomas, es obvio que el bilingüismo debe ser una aspiración de todos nosotros.

 3-19. Más detalles. En parejas, contesten estas preguntas y después comparen sus respuestas con las de otros grupos. ¿Entendieron todos lo mismo?

1. ¿Cuál de estos mitos tiene más importancia para ustedes? ¿Por qué?
2. ¿Están de acuerdo con la opinión del narrador sobre todos estos mitos? ¿Hay algún punto con el que no estén de acuerdo? ¿Cuál?
3. Como estudiantes de español, ¿qué lección práctica pueden derivar de la información sobre el tercer mito?
4. ¿Creen que la relación entre la edad y el estudio de una lengua extranjera es un factor determinante en la habilidad de hablar otro idioma correctamente?

Gramática

Second Use of the Subjunctive: After Expressions of Emotion

In *Tema 1*, you studied the use of present subjunctive to express uncertainty, doubt, or denial. In the following section you will learn information about the use of the subjunctive when there is an expression of emotion in the independent clause.

When the verb in the independent clause expresses emotion, use the subjunctive in the dependent clause.

The most common verbs that express emotion fall into three distinct patterns:

1. The person experiencing the emotion is the subject of the verb.

Los padres de niños bilingües **tienen miedo** de que sus hijos **pierdan** una de las dos lenguas.

*Parents of bilingual children **are afraid** that their children **may lose** one of their two languages.*

Other verbs in this pattern include: estar contento/a de que... or alegrarse de que... (*to be happy that...*) sentir que... (*to regret that...*), temer que... (*to fear that...*), and odiar que... or detestar que... (*to hate that...*).

2. The person experiencing the emotion is the indirect object of the verb.

Me pone triste que **haya** una ley en contra de la educación bilingüe en California.

*It **saddens me** that **there is** a law against bilingual education in California.*

Other verbs in this pattern include: sorprenderle que... (*to surprise someone that...*), preocuparle que... (*to worry someone that...*), entristecerle que... (*to sadden someone that...*), gustarle que... (*to please someone that...*), molestarle que... (*to bother someone that...*)

3. The emotion is communicated with an impersonal expression (SER + Adjetivo + que...).

Es bueno que los padres de los niños bilingües **hablen** las dos lenguas en casa.

*It's **good** for the parents of bilingual children **to speak** the two languages at home.*

Common impersonal expressions include: Es bueno (malo, lamentable, fantástico, increíble, interesante) que...

See infinitive vs. subjunctive in *Grammar Reference 3*.

 3–20. La gente opina. En parejas, lean las opiniones siguientes sobre la Proposición 227, la ley de la educación monolingüe en California. En cada opinión, identifiquen los ejemplos del subjuntivo para expresar una emoción. Después, completen las frases siguientes con un verbo lógico según la opinión de cada persona.

El lugar de la lengua española en EE.UU.

Opinión 1: Me criaron en el Valle de San Joaquín, California, viendo películas mexicanas y escuchando la música de Pedro Infante, Jorge Negrete y Los Panchos, entre

muchos otros. El español fue mi primer idioma. Ahora, cuando limpio la cocina o doblo la ropa, me encanta escuchar la música de los mariachis o baladas mexicanas en la radio. Somos 45.5 millones de hispanos en Estados Unidos. El español se ha hablado en Nuevo México desde el año 1600. Hablo español e inglés y no quiero perder ninguno de los dos. Los latinos reconocemos que aprender inglés es muy importante, pero me molesta que para aprender inglés tengamos que perder el español.

Opinión 2: Los hijos de la señora Gómez participaron en un programa de educación bilingüe. Hoy sus hijos tienen excelentes puestos de trabajo gracias a su dominio del inglés y del español. Por eso, a la señora Gómez le parece importante que los colegios ofrezcan clases en las dos lenguas. Su familia votó en contra de la Proposición 227 porque significa el fin de 30 años de educación bilingüe en California.

Opinión 3: El señor Feria votó a favor de la Proposición 227. "Honestamente, estoy sorprendido de que la gente esté en contra de esta proposición. La única manera de aprender inglés es por medio de la inmersión total", dijo el señor Feria. "Nunca participé en un programa bilingüe y hoy no podría ser instructor de vuelo sin hablar bien el inglés".

Opinión 1:

A la señora le molesta que los niños hispanos _____ su lengua materna.

Ella cree que es bueno que los latinos _____ el inglés.

Opinión 2:

La señora Gómez está contenta de que sus hijos _____ para compañías bilingües.

Le preocupa que los colegios no _____ clases bilingües en el futuro.

Opinión 3:

El señor Feria se alegra de que California _____ una ley de educación en inglés.

Le sorprende que muchas personas _____ en contra de la proposición.

En su trabajo, es importante que los instructores _____ inglés.

3-21. ¿Qué piensan ustedes? En grupos de cuatro personas, van a preparar un póster de dos partes para exponer opiniones sobre la educación bilingüe. Dos personas van a preparar la parte superior del póster, que debe incluir reacciones positivas hacia la educación bilingüe en los programas de educación primaria del país. Las otras dos personas van a preparar la parte inferior del póster, que debe incluir reacciones negativas hacia la educación bilingüe. Pueden usar las opiniones de las tres personas que votaron en California o pueden expresar otras opiniones. Aquí se incluyen algunas expresiones útiles.

es lamentable que   me molesta que   temo que   es fantástico que
siento que   es malo que   me sorprende que

 3-22. Conflictos. En parejas, representen la siguiente situación. Ustedes comparten el mismo cuarto y las diferencias personales están causando muchos problemas. Hoy, van a tener la oportunidad de decirle a la otra persona cómo se sienten. La otra persona debe responder de forma diplomática (no hay más cuartos disponibles, ¡así que tienen que llevarse bien!). Aquí tienen algunas expresiones útiles.

(no) gustar   (no) enojar   (no) molestar   (no) odiar

MODELO

Estudiante A: Odio que tu novio/a esté en nuestro cuarto todo el día.
Estudiante B: Me molesta que tú nunca te levantes antes del mediodía.

Vocabulario para conversar

Expresar tus sentimientos

Se me olvidó el vocabulario y saqué una F en el examen de español.

¿De verdad? ¡Qué mala suerte!

In addition to the expressions that require the subjunctive in the dependent clause, there are other ways to communicate your feelings or react to the feelings of others.

Expresar compasión:

¡Pobrecito/a!	*Poor thing!*
¡Lo siento mucho!	*I am very sorry!*
¡Qué mala suerte!	*What bad luck!*
¡Qué lástima/ pena!	*What a pity!*

Expresar sorpresa:

¡Qué sorpresa!	*What a surprise!*
¡Eso es increíble!	*That's incredible!*
¡No me digas!	*You don't say!*
¡Qué suerte!	*How lucky!*
¿De verdad?	*Really?*

Expresar molestia:

¡Ya no aguanto más!	*I can't stand it anymore!*
Siempre es lo mismo.	*It is always the same thing.*
Estoy harto/a de...	*I am fed up with . . .*
¡Es el colmo!	*It is the last straw!*

 3-23. ¿Cuál es la expresión apropiada? Ahora que ya resolviste tus diferencias con tu compañero/a de cuarto, es el momento de demostrar tu solidaridad hacia esta persona. Responde a estos comentarios de tu compañero/a, con una expresión adecuada.

1. ¿Sabes qué? Mi gato se rompió una pata ayer y ahora no puede caminar.
2. Mi novio/a ya no va a molestar más. El sábado le propuso matrimonio a otra persona.
3. Si saco buenas notas en mis clases de inglés, mi padre me va a regalar un Ferrari.
4. Oye, ayer me puse tu chaqueta nueva para ir a una cita y la manché *(stained)* con café.
5. No tengo suficiente dinero para llamar a mi país todas las semanas.

 3-24. Situaciones. En parejas, seleccionen dos de las siguientes situaciones y represéntenlas. Preparen la situación durante cinco minutos y usen las expresiones útiles para expresar sus sentimientos o para reaccionar a los sentimientos de la otra persona.

Situación 1

ESTUDIANTE A: Eres un/a estudiante mexico-americano/a y no has sido admitido en la fraternidad/sororidad a la que pertenece tu amigo/a. Te quejas de tu situación porque crees que es un caso de discriminación racial.

ESTUDIANTE B: Reacciona al problema de tu amigo/a con sorpresa. Tú no crees que sea un caso de discriminación racial.

Situación 2

ESTUDIANTE A: Te acabas de enterar de que no te puedes graduar sin pasar el examen final de español. Tú estudias ingeniería y no entiendes por qué tienes que hacer ese examen. Estás muy enojado/a.

ESTUDIANTE B: Reacciona a la situación con compasión. Háblale a tu amigo/a de los beneficios que aprender español puede aportar a su carrera profesional.

Situación 3

ESTUDIANTE A: Tienes un/a vecino/a que escucha música a todas horas. Tú has llegado al límite de tu paciencia porque la música está muy alta y no puedes estudiar.

ESTUDIANTE B: Reacciona con sorpresa a las quejas de tu vecino/a.

CURIOSIDADES

El préstamo léxico

Uno de los efectos del bilingüismo y de las lenguas en contacto es que el vocabulario de las dos lenguas adopta y adapta palabras de la lengua vecina. El inglés presenta muchos ejemplos de este fenómeno que se llama préstamo *(borrowing)* léxico.

 3–25. Identificación de préstamos léxicos. En parejas, miren la lista de las palabras en inglés. ¿Pueden identificar la palabra en español que originó cada una? Después, van a crear su propia lista de préstamos léxicos. Su instructor/a les va a decir cuándo pueden comenzar. La pareja que prepare la lista más larga en un minuto, ¡gana!

Palabras en inglés	Palabras en español
calaboose (jail)	villa
Montana	lagarto
alligator	vaquero
lasso	juzgado
hoosegow (jail)	montaña
canyon	cañón
buckaroo	calabozo
villa	lazo

Lenguas en contacto

Lectura

Por si acaso

Expresiones útiles para comparar respuestas con otro estudiante

¿Qué tienes/ pusiste en el número 1/ 2/ 3?
Yo tengo/ puse a/ b.
Yo tengo algo diferente.
No sé la respuesta./ No tengo ni idea.
Creo que la respuesta es a/ b, pero no estoy seguro/a.
Creo que es cierto./Creo que es falso.

Entrando en materia

 3-26. Observaciones. Miren las ilustraciones de la lectura en la página 114.

- ¿Cuál es el tema de la conversación?
- La palabra *espanglish* aparece en la conversación. ¿Saben el significado del término *espanglish*?

3–27. Vocabulario: Antes de leer. Antes de leer, completen las siguientes oraciones con una palabra de la lista, para familiarizarse con el vocabulario. Observen el contexto de cada palabra en la lectura y/o consulten la lista de vocabulario al final del capítulo.

actual   **lectores**   **informática**   **echar una mano**   **tema**
enviar   **polémico**   **traductor**   **gracioso (cómico)**

1. El _tema_ central de esta unidad es la lengua española.
2. Mi hermano se ríe cuando hablo español porque piensa que es un idioma muy _graciosa_.
3. El bilingüismo en EE.UU. es un tema _polémico_ porque hay muchas personas a favor y en contra.
4. _Echar una mano_ es una forma coloquial para decir "ayudar".
5. A mí me gusta la música _actual_, como el *hip hop*. La música vieja no me gusta.
6. Un _traductor_ es una persona que cambia un texto de una lengua a otra.
7. Mandar una carta es lo mismo que _enviar_ una carta.
8. La _informática_ es la ciencia de la computación.
9. Las personas que leen un texto son los _lectores_ de ese texto.

¿Qué es el espanglish?

El espanglish o spanglish, como sugiere la palabra, es una forma de hablar que combina el español y el inglés (*Span: Spanish, -glish: English*). Esta mezcla entre las dos lenguas se manifiesta en el vocabulario y también en la sintaxis. El uso del espanglish, que se origina en el habla de la calle, es cada vez más común en los medios oficiales de comunicación como la radio y la televisión e incluso está presente en la literatura. Los detractores del espanglish lo consideran un ataque contra el idioma español o una forma de degradar el idioma. Los defensores ven el espanglish como un rasgo más de las culturas fronterizas, las cuales son híbridas en sus costumbres, comidas, música y arquitectura.

A continuación hay algunos ejemplos de espanglish: la carpeta (de *carpet*), la troca (de *truck*), las grocerías (de *groceries*), vacumear (de *to vacuum*), la marqueta (de *market*), el rufo (do *roof*).

Muchos estudiantes usan sin darse cuenta términos en espanglish en la clase de español, especialmente cuando no saben el significado de alguna palabra o cuando no están seguros de cómo se dice algo. ¿Puedes pensar en una ocasión en la que usaste una palabra que combinaba el español y el inglés?

Una presentación sobre el espanglish

Marta tiene que preparar una presentación sobre el fenómeno del espanglish para una clase de comunicación. Ha leído algunos artículos en la Red sobre el tema. En esta conversación, Marta habla de su presentación con su amigo Santiago.

3–28. ¿Comprendieron? Antes de seguir adelante con la lectura, ¿pueden identificar la siguiente información?

1. El tema central de la conversación entre Marta y Santiago.
2. El tipo de artículo que busca Marta.
3. ¿Qué característica debe tener el tema de la presentación de Marta?
4. ¿Qué le recomienda Santiago a Marta?

A continuación tienen el artículo "Ciberidioteces" que Santiago le recomendó a Marta.

Ciberidioteces

LA GUERRA ENTRE EL ESPANGLISH Y EL ESPAÑOL
Carta al director de *Web*

Estimado señor Martos:

Acabo de leer el artículo de la página tres de su revista y me he quedado tan sorprendido que no he podido resistirme a **enviarle** este mensaje. Soy **traductor** de cuestiones técnicas y de **informática** del inglés al español y me gustaría comunicarle mi reacción a la carta que usted les escribió a los lectores de la revista *Web*.

Me sorprende que usted use términos como "linkar" y que critique a los que usan "enlazar". Tampoco es aceptable que usted recomiende a sus lectores que lean el glosario de ciberespanglish creado por Yolanda Rivas. Debo decirle que Yolanda Rivas es una estudiante peruana que estudia en EE.UU. y que casi ha olvidado su español. A mí me da igual si usted habla ciberespanglish, lo que me preocupa más es que aconseje a los lectores de su revista que lo usen. Tengo la sospecha de que con su defensa del ciberespanglish usted intenta esconder su limitado conocimiento de la lengua española.

Un saludo cordial,

Xosé Castro Roig, Madrid

Xosé Castro Roig

3–29. Comprensión. Según la carta de Xosé Castro Roig, asocien los siguientes conceptos con una (o más) de estas personas: Yolanda Rivas (YR), Xosé Castro Roig (XC), el director de *Web* (DW):

_____ el ciberespanglish   _____ carta a los lectores
_____ traductor de informática   _____ estudiante peruana
_____ carta al director   _____ limitado conocimiento del español

¿Cómo se dice "linkar" (espanglish para *to link*) en español?

3–30. ¿Espanglish o español puro? Xosé Castro Roig es purista – le molesta que se use espanglish para hablar de la informática. Yolanda Rivas y el director de *Web* son menos puristas y usan el espanglish cuando escriben. ¿Qué opinan ustedes?

A. Primero, comenten las siguientes preguntas para determinar su opinión.

1. ¿Cómo se diferencia la lengua que ustedes hablan de la lengua que hablan sus padres? Piensen en tres ejemplos específicos de vocabulario, expresiones o gramática.

2. Muchas personas mayores critican fuertemente la jerga (*slang*) usada por los jóvenes en sus conversaciones y en sus comunicaciones electrónicas. ¿Cuáles son los argumentos de los mayores? ¿Cuáles son los argumentos en defensa de la jerga de los jóvenes?

3. El uso de espanglish ha crecido entre las nuevas generaciones de hispanos que han nacido en Estados Unidos donde el inglés y el español están en contacto. ¿Se pueden usar los mismos argumentos de la pregunta 2 para criticar/defender el espanglish? Escriban un argumento en contra y un argumento a favor del uso del espanglish.

4. En el futuro, ¿será el espanglish más o menos común? ¿Pueden coexistir el español "puro" y el espanglish? ¿Es importante conservar el español puro? Expliquen sus respuestas.

B. Ahora, escriban una carta al director de *Web* expresando su opinión sobre el espanglish o español puro. Incorporen expresiones de duda y certeza del *Tema 1* y verbos de emoción del *Tema 2*. Deben incluir una introducción ("Estimado...") y una despedida ("Un saludo cordial").

C. Comparen sus opiniones con las de otros grupos de la clase. ¿Son similares? ¿Qué grupo escribió la carta más convincente?

Gramática

In the previous conversation between Marta and Santiago, you read how Santiago gave a recommendation to Marta when he said "Te recomiendo **que lo leas**." In this section you will learn how to give recommendations and advice to others using the subjunctive.

Third Use of the Subjunctive: After Expressions of Advice and Recommendation

When the verb in the independent clause expresses advice, recommendation, or makes a request, use subjunctive in the dependent clause.

Independent Clause	Dependent Clause
Advice:	
El instructor **aconseja**	que los estudiantes **estudien**.
*The instructor **recommends***	*that the students **study***.
Suggestion:	
Sugiero	que **busques** información en la red.
I suggest	*that **you look for** information on the Web.*

Request:

El estudiante **quiere**   que el instructor **explique** el subjuntivo.
*The student **wants***   *the instructor **to explain** the subjunctive.*

The following expressions are commonly used to give advice, to give suggestions or to make requests:

aconsejar que	pedir que	recomendar que	decir que (*when a*
desear que	preferir que	mandar que	*synonym with*
permitir que	es importante que	rogar que (*to beg*)	**querer, pedir**)
querer que	insistir en que	es necesario que	
sugerir que	prohibir que	es aconsejable que	

See more on using the subjunctive with *decir* in *Grammar Reference 3*.

3–31. En clase. Aquí hay una serie de afirmaciones sobre la clase de español. Identifica las cosas que haces o no haces en clase haciendo una marca en el espacio en blanco indicado a la derecha. Presta atención a las formas verbales.

                                                                       Lo hago   **No lo hago**

1. Mi profesor/a <u>recomienda</u> que le**amos** el material el día antes de clase.   _____   _____
2. Mi profesor/a <u>insiste en</u> que los estudiantes siempre habl**en** español en clase.   _____   _____
3. Mi profesor/a <u>sugiere</u> que los estudiantes de esta clase estudi**en** la gramática en casa.   _____   _____
4. Mi profesor/a <u>prohíbe</u> que los estudiantes com**an** en clase.   _____   _____
5. Mi profesor/a <u>desea</u> que los estudiantes escrib**an** todas las composiciones del libro de ejercicios.   _____   _____

3–32. ¿Qué hago? El instructor de Marta le ha dado un papel con algunas recomendaciones para preparar su presentación. El problema es que a Marta se le cayó el café encima del papel y ahora no sabe qué ponía al principio de cada frase. ¿Puedes ayudarla a completar las recomendaciones? Aquí tienes algunas expresiones útiles.

aconsejar que	permitir que	recomendar que	sugerir que
querer que	prohibir que	insistir en que	decir que
desear que	mandar que		

> **MODELO**
>
> ...un tema interesante.
> Te sugiero que escojas un tema interesante.

1. ...el tema conmigo antes de preparar la presentación.
2. ...un esbozo (*outline*) de las ideas más importantes.
3. ...un esbozo muy largo.
4. ...información para hablar durante diez minutos.
5. ...más de diez minutos.
6. ...tu presentación varias veces.
7. ...notas extensas durante la presentación.

3–33. El consultorio cultural. Un grupo de estudiantes ha abierto un consultorio de asuntos culturales en el sitio web de la universidad. Todos los estudiantes pueden enviar cartas electrónicas para pedir consejos sobre temas relacionados con el idioma o la cultura. Hoy, ustedes están trabajando como voluntarios en este consultorio y deben responder a una de las cartas.

1. Primero, determinen cuál es el problema de la persona que envió la carta. Después, hablen sobre las posibles soluciones para ese problema.
2. Preparen una carta de respuesta para el/la estudiante. Deben aconsejarle y recomendarle algunas soluciones al problema.
3. Comparen su carta con las de otros grupos para determinar qué grupo logró encontrar la mejor solución.

✉ **Situación difícil**   ▾◾ _ ❏ ✕

Para: consultorio@universidad.com
De: Frustrada
Ref: Situación difícil

Queridos amigos del consultorio:

Les escribo porque me encuentro en una situación difícil y no sé cómo resolver mi problema. Soy una joven latina, nacida y criada en EE.UU., hija de padres mexicanos, nacidos y criados en México. Mis padres son muy tradicionales y esto es bueno en algunos aspectos y malo en otros. La situación en que me encuentro es difícil. Yo amo y respeto a mis padres pero ellos no me entienden. Yo salgo con un chico estadounidense desde hace tres años y ahora que voy a terminar mis estudios en la universidad, quiero mudarme a un apartamento con mi novio. Los padres de mi novio dicen que es una idea estupenda y que así los dos podemos determinar si somos el uno para el otro. Mi mamá dice que una "señorita decente" no abandona el hogar paterno hasta que se casa. Yo no creo que sea una buena idea que mi novio y yo nos casemos tan pronto, y tampoco entiendo por qué mis padres no me permiten vivir como algunas de mis amigas estadounidenses. ¿Qué puedo hacer para explicarles que yo amo a mi familia pero que quiero vivir mi vida como mis amigas? No quiero hacerles sufrir, pero tampoco quiero seguir viviendo allí. Ayúdenme a encontrar una solución, por favor.

Frustrada

3-34. Necesito consejos. A continuación tienes una nota electrónica que Marta le escribió a su instructor con algunas preguntas sobre su proyecto. Imagina que eres el profesor García y escribe una respuesta al mensaje de Marta con recomendaciones.

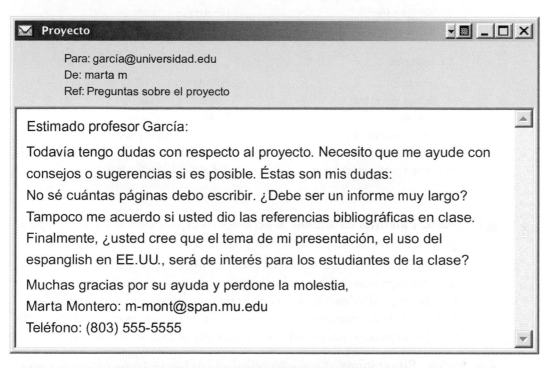

Proyecto

Para: garcía@universidad.edu
De: marta m
Ref: Preguntas sobre el proyecto

Estimado profesor García:

Todavía tengo dudas con respecto al proyecto. Necesito que me ayude con consejos o sugerencias si es posible. Éstas son mis dudas:

No sé cuántas páginas debo escribir. ¿Debe ser un informe muy largo?

Tampoco me acuerdo si usted dio las referencias bibliográficas en clase.

Finalmente, ¿usted cree que el tema de mi presentación, el uso del espanglish en EE.UU., será de interés para los estudiantes de la clase?

Muchas gracias por su ayuda y perdone la molestia,
Marta Montero: m-mont@span.mu.edu
Teléfono: (803) 555-5555

Vocabulario para conversar

Pedir y dar consejos

Trate de estudiar con otros compañeros de clase.

Tengo problemas con la clase de geografía, ¿qué me recomienda?

Common expressions used to ask for and give advice are listed at the top of the following page.

3–35. Palabras en acción. Seleccionen las expresiones de *Vocabulario para conversar* que mejor respondan a estas preguntas.

1. ¿Qué dices si no estás seguro de cómo resolver un problema?
2. ¿Qué expresión usas para saber lo que piensa otra persona?
3. ¿Qué expresión/ones usas para pedir una sugerencia o recomendación?
4. Cuando le das consejos a otra persona, ¿qué expresión usas para convencerla?
5. ¿Qué expresión usas para dar soluciones alternativas a un problema?

 3–36. Situaciones. En parejas, elijan una de las siguientes situaciones para representarla frente al resto de la clase. Recuerden que deben usar las expresiones para pedir y dar consejos siempre que sea posible.

Situación 1

ESTUDIANTE A: Tú eres el director de estudios internacionales de la universidad. Tienes que seleccionar a los mejores candidatos para estudiar en una universidad española durante un año con todos los gastos pagados. También debes aconsejar a los estudiantes que estén interesados en el programa para que tomen las clases necesarias.

ESTUDIANTE B: Tú eres un/a estudiante de español de primer año que está muy interesado/a en el programa internacional. El problema es que normalmente la universidad no acepta a estudiantes de primer año en este programa. Convence al director de que eres la persona ideal para estudiar en España el próximo año.

Situación 2

ESTUDIANTE A: Tú eres el padre/la madre de un/a niño/a que acaba de empezar el primer grado. Tu hijo/a no habla inglés y quieres asegurarte de que la escuela ofrece clases bilingües para niños/niñas como tu hijo/a. Habla con el/la instructor/a para explicarle tu situación.

ESTUDIANTE B: Tú eres instructor/a de una clase de primer grado en una escuela pública. Tu escuela no ofrece clases bilingües pero tú hablas español muy bien. Habla con el padre/la madre de tu estudiante y recomiéndale qué hacer en su situación.

Cielo / Tierra / Esperanza (*Heaven / Earth / Hope*), de Juan
Sanchez, 1990. Litografía y colagrafía en papel hecho a mano.

Cielo/Tierra/Esperanza, de Juan Sánchez

 3–37. Mirándolo con lupa. Juan Sánchez nació
en Brooklyn, Nueva York, en 1954 de padres
puertorriqueños. Su temática es frecuentemente
política: critica los efectos del colonialismo
estadounidense en Puerto Rico pero demuestra un
fuerte optimismo para el futuro de los
puertorriqueños en Estados Unidos. *Cielo/Tierra/
Esperanza* combina símbolos del pasado con un
mensaje para el futuro. En parejas, completen los
siguientes pasos para analizar la obra de este artista.

1. Estudien la parte superior de la obra ("cielo").
   ¿Qué símbolos incorpora Sánchez? ¿Qué
   representan esos símbolos?
2. ¿Y en la parte inferior ("tierra")?
3. Describan la fotografía de las dos niñas: cómo
   son, dónde están, cómo es su entorno. ¿Qué
   representan las niñas? ¿Por qué están en la parte
   superior?
4. ¿Cuál es el tema y/o el mensaje de la obra?

Otra lengua, otra cultura

Billy Hustace/Photographer's Choice/Getty Images

Lectura

Entrando en materia

3–38. ¿Por qué estudias español? Antes de leer, en parejas, piensen en las siguientes preguntas y determinen si tienen la misma opinión.

1. ¿Por qué razones estudian español?
2. ¿Cuáles son los aspectos más frustrantes de ser estudiantes de español? ¿Y los más interesantes? ¿Por qué?
3. ¿Qué posibilidades futuras tienen para usar el español en una situación real?

3–39. Vocabulario: Antes de leer. Respondan a estas preguntas sobre algunas expresiones de la lectura. Las expresiones están marcadas en negrita en el texto. Usen el contexto para comprender el significado de las expresiones. Si responden **no** a la pregunta, deben dar la respuesta correcta después de leer el folleto.

1. ¿Son las palabras **idioma** y **lengua** sinónimos?

   (Sí)   No

2. ¿La expresión **todas las puertas se te abrirían** significa que la persona que sabe una lengua extranjera tiene muchas oportunidades?

   (Sí)   No

3. ¿La palabra **destreza** es un cognado de la palabra inglesa *dexterity*?

   (Sí)   No

4. ¿La expresión **salir bien en los estudios** significa tener éxito académico?

   (Sí)   No

5. ¿La palabra **empleado** es un cognado de la palabra *amplify* en inglés?

   Sí   (No)

6. ¿La palabra **multiplicarán** es un cognado de la palabra *multiply* en inglés?

   (Sí)   No

Estrategia: Prestar atención a los elementos visuales

Hay ciertos tipos de textos que casi siempre van acompañados de dibujos o fotografías, como folletos publicitarios, artículos periodísticos y otros. Además de fotos e ilustraciones, hay otros elementos visuales que podemos usar para obtener información antes de leer un texto. Por ejemplo, ciertas partes del artículo pueden estar escritas en un tipo de letra especial o en un tamaño diferente para llamar la atención del lector. La lectura de esta sección incluye varios tipos de elementos visuales. Antes de leer el contenido, encuentra todos los que puedas y anota la información que te sugieren. Después, lee el texto para verificar si tus predicciones fueron acertadas.

Beneficios de aprender un idioma extranjero

Aprender otras lenguas te ofrece oportunidades

El mundo está lleno de **lenguas** diversas y no hay que hacer mucho esfuerzo para darse cuenta de que la anterior afirmación es cierta. Piensa en **todas las puertas que se te abrirían** si hablaras una lengua extranjera: podrías leer el periódico y libros en el **idioma**, podrías entender películas y programas de televisión, podrías visitar múltiples sitios en Internet y podrías conocer gente y lugares nuevos.

Beneficios intelectuales

¿Sabías que el estudio de un segundo idioma puede mejorar las **destrezas** en matemáticas y en inglés, y que también puede mejorar los resultados de los exámenes SAT, ACT, GRE, MCAT y LSAT?

La investigación ha demostrado que los resultados de las partes verbal y cuantitativa del examen SAT son más altos con cada año de estudio de una lengua extranjera.

Hay muchos norteamericanos que hablan otras lenguas además del inglés. Si has pensado en ser enfermero, médico, policía o dedicarte a los negocios, tus oportunidades de tener éxito profesional se **multiplicarán** por dos si hablas otro idioma. Los directores de empresa cuentan más con los empleados que saben más de un idioma porque los consideran valiosos instrumentos de comunicación y de expansión comercial.

Conocer otras culturas: Ir más allá del mundo que te rodea

Conéctate a otras culturas. Conocer otras culturas te ayudará a ampliar tus horizontes y a ser un ciudadano responsable. El hecho de que puedas comunicarte con otros y obtener información que va más allá del mundo anglosajón que te rodea, será una contribución positiva a tu comunidad y tu país.

Esto significa que cuanto más tiempo estudies un idioma, más posibilidades tendrás de **salir bien en los estudios** en general.

Beneficios profesionales

Cada vez hay más contacto empresarial entre Estados Unidos y otros países. Las empresas necesitan **empleados** que puedan comunicarse en otras lenguas y comprender cómo funcionan otras culturas. Al margen de la carrera que hayas elegido, saber una lengua extranjera siempre te dará ventajas.

Entusiásmate por saber otro idioma

Al igual que las matemáticas, el inglés y otras materias, aprender un idioma lleva tiempo. ¿Deberías continuar con el estudio de un idioma después de la escuela secundaria? ¡Sí! No pierdas el tiempo y el esfuerzo ya invertido; lo que hayas aprendido te servirá como base para continuar mejorando. No lo dejes.

Usa tu segundo idioma en el trabajo, busca oportunidades para usarlo en tu comunidad, escoge cursos de perfeccionamiento en la universidad y considera estudiar en el extranjero durante un verano, un semestre o un año entero.

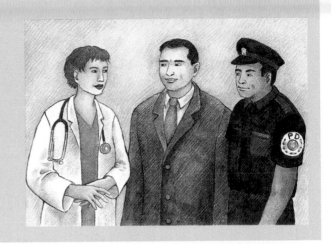

3-40. **¿Comprendieron?** Respondan a las siguientes preguntas según la información presentada en el artículo.

1. ¿Qué puertas se abren para una persona que habla una lengua extranjera? *Hay más profesiones disponibles*

2. ¿Qué beneficios intelectuales se pueden obtener del conocimiento de otro idioma? *Usted puede tener una mejor comprensión de la cultura*

3. ¿Por qué es beneficioso hablar otro idioma en el campo profesional? *Las empresas necesitan empleados que pueden viajar y hablar.*

4. ¿Qué significa la expresión "ciudadano responsable" en el contexto de la lectura? *como ciudadano es responsable de ampliar su comprensión de las culturas (otro)*

3-41. Ustedes tienen la palabra. En grupos de cuatro personas, completen los siguientes pasos.

1. Preparen un debate sobre la enseñanza obligatoria de un idioma extranjero desde el primer grado de la escuela elemental. Dos de ustedes deben apoyar este requisito y las otras dos personas deben estar en contra. Dediquen unos minutos a preparar sus argumentos y después, mantengan un debate de cinco minutos para convencer a la otra pareja de que su postura es la mejor.

2. Ahora, los cuatro miembros del grupo deben preparar un folleto para animar a estudiantes de otras culturas a aprender inglés. Deben incluir por lo menos diez ventajas o beneficios de estudiar inglés. Tengan en cuenta la información que leyeron en el folleto e incluyan tantos beneficios como puedan para convencer a los estudiantes de otros países de que aprender inglés es la mejor inversión que pueden hacer como estudiantes.

3–42. Anticipación. ¿Qué saben de El Álamo? ¿Qué es? ¿Dónde está? ¿Cuál es su relevancia histórica? ¿Qué significa "Recuerden El Álamo"? Estudien el texto siguiente para encontrar las respuestas a esas preguntas.

San Antonio, Texas: El Álamo

HISTORIA

El Álamo en San Antonio, Texas, es una de muchas misiones que España mandó construir en California y Texas en el siglo XVIII para convertir a los indígenas al catolicismo y asimilarlos a la cultura de las colonias españolas. Las misiones eran iglesias fortificadas que servían como centros administrativos de comunidades en que los indígenas trabajaban la tierra bajo la supervisión del sacerdote misionero. La asimilación de los coahuiltecos, término colectivo para los grupos indígenas de Texas, ayudó a España a retener sus intereses territoriales y prevenir la intrusión francesa. No hay duda de que la más conocida de las misiones de Texas es la que ahora se llama "El Álamo."

La fama de El Álamo se debe a la legendaria batalla de 1836. A partir de su independencia de España en 1821, México había invitado a ciudadanos estadounidenses a establecerse en Texas. Muchos de los que aceptaron, llegaron con esclavos para cultivar la tierra. En 1829 México prohibió la esclavitud y los anglo-tejanos comenzaron a organizarse para crear una república independiente. Los secesionistas perdieron la batalla de El Álamo pero ganaron la independencia poco después y formaron la *Lone Star Republic*. El grito "Recuerden El Álamo" representa para algunos el espíritu de rebeldía e independencia de Texas mientras que para otros significa la defensa del interés económico y la violación de los derechos humanos de los esclavos africanos.

LA VISITA

Los visitantes que llegan a la misión de hoy, restaurada y localizada en el mero centro de la ciudad de San Antonio, primero observarán una bella fachada típica de la arquitectura misionera: su puerta principal está rodeada de un sencillo diseño de columnas y arcos. Al pasar por la puerta, se entra en la modesta capilla colonial, al lado de la cual se encuentra un pequeño museo de artefactos históricos. Se visita también el convento, donde vivían los misioneros y los soldados residentes de la misión, y el cementerio, donde se enterraba a las muchas víctimas indígenas de las enfermedades europeas. Desde adentro también se hace evidente el objetivo protector de la misión: los muros altos, gruesos y sin ventanas protegían de ataques de los apache y comanche que no querían ver establecidas comunidades españolas en Texas.

PARA UNA VISITA SEGURA Y AGRADABLE

Los visitantes deben tener en cuenta que es posible que en el momento de su visita se celebren servicios religiosos que no se deben interrumpir. Los turistas no deben ni subirse ni sentarse en las murallas u otras estructuras.

 3–43. Impresiones del viaje. Con un compañero/a, imaginen que su instructor/a les recomendó una visita a El Álamo y ustedes siguieron la recomendación. Escriban una breve carta para informar a su instructor/a sobre su visita. Redacten dos párrafos: en el primero, incluyan tres hechos históricos que aprendieron en su visita, en el segundo, describan tres aspectos físicos de la misión que observaron. Deben incluir una introducción ("Estimado/a…") y una despedida ("Un saludo cordial").

Viaje virtual

Visita la página de la red sobre la región sureña de Texas: http://www.traveltex.com/intl/pdfs/SPA/ITTG_Spanish_southtxplains.pdf. Lee la información y escribe una lista de cuatro lugares para visitar con una pequeña descripción. Incluye un lugar de interés histórico, un lugar para ir de compras, un lugar divertido para los niños y un lugar para observar animales. También puedes encontrar información adicional sobre San Antonio y Texas usando tu buscador preferido.

Redacción

3–44. Una carta al editor. En esta sección vas a escribir un ensayo de opinión en forma de editorial usando la información del folleto anterior como punto de partida. El objetivo de esta carta al editor es expresar tu opinión sobre el requisito universitario de estudiar una lengua extranjera. Tu ensayo será "publicado" en el próximo número del periódico universitario.

Preparación

Piensa en los siguientes puntos:

1. ¿Qué postura *(position)* voy a expresar: a favor, en contra, neutral?
2. ¿Quién es el/la lector/a de mi carta?
3. ¿Cómo voy a comenzar la carta?
4. ¿Qué argumentos voy a dar para apoyar mi opinión?
5. ¿Cómo voy a concluir la carta?

A escribir

1. Presenta el objetivo de tu carta.

> **MODELO**
>
> **En esta carta quiero dar mi opinión sobre el requisito de estudiar una lengua extranjera que existe en varias universidades...**

2. Desarrolla el tema/los temas de tu carta. Aquí tienes un posible formato para organizar la información.

   - Describe el origen del requisito. ¿Por qué se ha establecido el requisito en tantas universidades estadounidenses?
   - Compara la presencia del requisito entre los diferentes estados de EE.UU. o entre las diferentes escuelas.
   - Presenta las diferentes posturas que hay sobre la existencia del requisito.
   - Defiende una postura y no olvides dar argumentos de apoyo.

3. Termina la carta resumiendo los puntos más importantes en la conclusión.

4. Para expresar tu opinión puedes usar expresiones como éstas:

es necesario que...   es importante que...

creo/ no creo que...   me molesta que...

dudo que...   es fantástico que...

Recuerda lo que has estudiado en este capítulo sobre cómo expresar opiniones.

5. Para hacer transiciones entre las ideas puedes usar las siguientes expresiones.

a diferencia de.../ en contraste con...	*as opposed to . . . /in contrast to . . .*
después de todo	*after all*
en general	*all in all*
en resumen	*in summary*
igual que	*same as, equal to*
por lo tanto	*therefore*
por un lado... por otro lado	*on the one hand . . . on the other hand*
sin embargo	*however*

Revisión

Escribe el número de borradores que te indique tu instructor/a y revisa tu carta usando la guía de revisión del Apéndice C. Escribe la versión final y entrégasela a tu instructor/a.

El escritor tiene la palabra

Alonso S. Perales (1899–1960)

El abogado Alonso S. Perales nació en Alice, Texas, en 1899. Sirvió en el ejército estadounidense durante la Primera Guerra Mundial y en el cuerpo diplomático en Washington, D.C. después. Como activista y organizador, fue miembro fundador de la Orden de los Hijos de América y de la Liga de Ciudadanos Unidos Latinoamericanos (LULAC, por sus siglas en inglés).

Dedicó su trabajo de escritor a la lucha por los derechos civiles de los mexicano-americanos de Texas y publicó ensayos y cartas al editor en español en varios periódicos hispanos además de pronunciar discursos en reuniones públicas en nombre de la causa. El discurso que leerán a continuación se pronunció en San Antonio, Texas, en 1923, y expresa la opinión de Perales sobre las fuentes de los prejuicios raciales en contra de los hispanos. Importante también es la definición que Perales ofrece del hispano como producto del mestizaje racial.

3-45. Entrando en materia. En grupos de tres comenten estas preguntas.

1. ¿Cuáles son alguna causas posibles de los prejuicios raciales? Hagan una lista de cuatro posibilidades.

2. Lean el primer párrafo del discurso donde Perales presenta su opinión. Escriban con sus propias palabras una oración que resuma el argumento de Perales.

3. En el segundo párrafo, Perales expresa su argumento con un dicho ("a cada quien se le dé lo suyo") y un refrán ("no porque todos somos del mismo barro, lo mismo da cazuela que jarro"). *El primero significa literalmente en inglés give each one his or her due y el segundo just because they're both made of clay, doesn't mean the pot is the same as the jug. ¿Cuál es la idea de Perales en este párrafo?*

   a. La conducta de un individuo tiene su origen en los valores de su comunidad.

   b. No debemos crear generalizaciones basadas en la conducta de un número limitado de individuos.

   c. Los mexicano-americanos usan utensilios de barro en la cocina y por eso muchos creen que son inferiores.

LA IGNORANCIA COMO CAUSA DE LOS PREJUICIOS RACIALES

Un detenido análisis de la situación nos lleva a la conclusión de que el prejuicio racial existente en contra de los mexicanos y de la raza hispana en general se debe, en parte, a la ignorancia de algunas personas que, desgraciadamente para los que aquí vivimos, abundan en el estado de Texas. El hecho de que se considere el mexicano sin excepciones como un ser inferior, demuestra falta de **ilustración**[1] y cultura.

No es mi **propósito**[2] convertirme en un apóstol del socialismo, sino sostener y **abogar**[3] porque *a cada quien se le dé lo suyo*. El mexicano debería ser tomado "por lo que es individualmente" y no por lo que suelen ser otros individuos del mismo origen, pues *"no porque todos somos del mismo barro, lo mismo da cazuela que jarro"*.

En el norte y el este de este país, los mexicanos y la raza hispana en general son bienvenidos y respetados. Cierto es que allá también **no deja de haber**[4] algunos ignorantes "**nenes**"[5], ya que no hay regla sin excepción y que hay algunas personas que por muy blanca que su piel sea, **se hallan**[6] aún **a la orilla**[7] de la civilización y de la cultura. En el norte y el este hay bastantes escuelas, colegios y universidades en donde el anglosajón aprende la historia y la psicología de la digna raza hispana.

La cultura está **al alcance**[8] de todos – pobres y ricos – dando por resultado que cuando el anglosajón abandona las aulas bien penetrado de los méritos y las **virtudes**[9] de nuestra raza, sabe que cuando se encuentre a un español o a un hispanoamericano, no debe despreciarle y **calumniarle**[10], sino darle la bienvenida, **siquiera**[11] en atención y respeto a los fundadores de este continente, y a los ilustres héroes que figuran en la historia hispano-americana. Esas personas que nos estudian para mejor comprendernos, no ignoran el grado de civilización que poseían los indios que habitaban la mayor parte de este continente muy antes de la conquista española; saben bajo cuáles auspicios fue descubierta América; no ignoran que los apóstoles que sembraron en el nuevo mundo las primeras **semillas**[12] de la **sabiduría**[13] no fueron anglo-sajones, sino hispanos; saben quiénes fueron Bolívar, Juárez, Hidalgo y Cuauhtémoc; y, por último, no desconocen los nombres de Ramón de Cajal, Francisco León de la Barra, y muchos otros que muy alto ponen el nombre de la raza hispana.

En el estado de Texas, la situación es muy diferente. Aquí la cultura no es un hecho; **cuando menos**[14] a esta conclusión nos guía la actitud de un gran número de anglo-texanos. Lenta pero seguramente, nos va **aniquilando**[15] la ley escrita.

Además de las humillaciones de que **a menudo**[16] son víctimas nuestros hermanos de raza, hay hoy día ciertos distritos residenciales en San Antonio, y otros lugares en que los mexicanos, no importa cuál sea su posición social, **tropiezan con**[17] dificultades para a fincar su residencia. Por consiguiente, aunque queramos ser optimistas, no podemos. Nuestra situación, si la verdad se ha de decir, no es nada satisfactoria.

No ha mucho[18] tuve el gusto de escuchar a un prominente abogado angloamericano de esta ciudad pronunciar un elocuente discurso **ante**[19] una **concurrencia**[20] mexicana. Dicho caballero dijo, entre otras cosas, más o menos lo siguiente:

"Amigos: respeto y admiro a la raza mexicana porque conozco su historia. Vosotros debéis sentiros **orgullosos**[21] de ser descendientes de Hidalgo y Juárez".

Un momento después, cuando yo hacía uso de la palabra, dije, aludiendo al discurso del ilustre jurisconsulto, que aquella había sido una bella alocución, la que agradecíamos, y que lo único que **era de lamentarse**[22] era **el que**[23] no hubiese sido pronunciada ante un auditorio

angloamericano, **toda vez que**[24] nosotros conocemos nuestra historia étnica, política y demás. Ahora lo que nos gustaría sería que aquellos angloamericanos que no nos comprenden, en vez de odiarnos, sin razón, se tomaran el trabajo en beneficio propio y en justicia para nuestra raza, de estudiarnos para mejor conocernos, y que se decidieran a "darle a cada quien, lo suyo"; es decir, a reconocer los méritos y las virtudes de la digna y noble raza mexicana.

---

1. *enlightenment*   2. *purpose*   3. *defend*   4. *there is no lack of*   5. *simpletons*   6. *find themselves*   7. *on the margins*   8. *within reach*   9. *virtues*   10. *slander*   11. *if anything*   12. *seeds*   13. *knowledge*   14. *at least*   15. *destroying*   16. *often*   17. *they encounter*   18. *not long ago*   19. *before, in front of*   20. *gathering*   21. *proud*   22. *was regrettable*   23. *the fact that*   24. *given that*

 3–46. Identificación de ideas. En grupos de tres, comenten las siguientes preguntas.

1. ¿Qué recomienda Perales para superar los prejuicios raciales?
2. En el tercer párrafo, según Perales, ¿qué se estudia en el norte y el este de Estados Unidos?
3. Al final del discurso, Perales describe una presentación de un "prominente abogado angloamericano." Según Perales, ¿cuál fue el problema con la "bella elocución" del "ilustre jurisconsulto"?

Por si acaso

Simón Bolívar (1783-1830) Figura clave del movimiento independentista de América del Sur, y primer presidente de La Gran Colombia.

Benito Juárez (1806-1872) Presidente de México y defensor de su constitución liberal; indígena Zapateco de Oaxaca.

Miguel Hidalgo (1753-1811) Sacerdote católico y general de las tropas mexicanas en la guerra por la independencia.

Cuauhtémoc (¿1495?-1525) Último emperador azteca; fue torturado y ejecutado por Hernán Cortés.

Santiago Ramón y Cajal (1852-1934) Autor y neurólogo español, premio Nobel de medicina en 1906.

Francisco León de la Barra (1863-1939) Político y diplomático mexicano; embajador en Washington entre 1909-1911.

3-47. Nuestra interpretación de la obra. En parejas, comparen sus respuestas a estas preguntas.

1. Perales usa la palabra "mexicanos" para identificar a los hispanos de Texas en 1923. Según lo que ustedes han aprendido en este capítulo sobre la relación histórica entre Texas y México, ¿en qué sentido son estas personas "mexicanos" y en qué sentido no lo son?

2. Perales también habla de la "raza" mexicana y de la "raza" hispana en general. Al final del tercer párrafo cuando se refiere al "pasado ilustre" de esa raza, los lectores comprenden que la identidad racial de los hispanos es variada o "mestiza." Identifiquen tres ejemplos de referencias al elemento indígena del pasado ilustre de los hispanos.

3. Según Perales, se pueden superar los estereotipos, los prejuicios y la discriminación contra los hispanos con la educación de los angloamericanos. ¿Están de acuerdo? ¿Es también importante la educación de los hispanos? ¿Y la educación de otros grupos? Expliquen por qué. ¿Cuáles son otras alternativas posibles para reducir o eliminar los prejuicios?

4. Este discurso se pronunció a principios del siglo XX. Hagan una lista de cuatro características de las relaciones raciales mencionadas en el discurso y digan si esas cuatro observaciones de Perales son todavía vigentes a principios del siglo XXI.

Vocabulario

empresas – employers
lengua extranjera – foreign

Ampliar vocabulario

abrírsele puertas (a alguien)	to have doors open for someone
actual	current, present
al menos	at least
crear	to create
cuestionar	to question
destreza *f*	skill, ability
echar una mano	to lend a hand, to help
empleado/a	employee
enviar	to send
erróneo/a	erroneous
estadounidense	United States citizen
estimar	to estimate
gracioso/a	funny, comical
hecho *m*	fact
idioma	language
incluir	to include
inestabilidad *f*	instability
informática *f*	computer science
lazo *m*	tie
lector/a	reader
lengua	language
mitad *f*	half
mito *m*	myth
multiplicar	to multiply
mundial	worldwide
polémico/a	polemical, controversial
racial	racial
rasgo	trait
salir bien/mal (en algo)	to do well/poorly (in something)
tema *m*	theme, topic
traductor/a	translator
valor *m*	value
veracidad *f*	truthfulness, veracity

Vocabulario glosado

a la orilla	on the margins; on the shore
a menudo	often
abogar	to defend
al alcance	within reach
aniquilar	to destroy
ante	before, in front of
calumniar	to slander
concurrencia *f*	gathering
cuando menos	at least
el que	the fact that
hallarse	to find oneself
ilustración *f*	enlightenment
nene	simpleton, child
no dejar de haber	to be no lack of
no ha mucho	not long ago
orgulloso/a	proud
propósito *m*	purpose
sabiduría *f*	knowledge
semilla *f*	seed
ser de lamentarse	to be regrettable
siquiera	if anything; at least
toda vez que	given that
tropezar con	to encounter
virtud *f*	virtue

Vocabulario para conversar

Para expresar opiniones

Absolutamente.	*Absolutely.*
A mí también (me gusta, me molesta)	*I like it too / It also bothers me*
A mí tampoco (me gusta, me molesta)	*I don't like either / It doesn't bother me either*
Creo que…	*I think that . . .*
En mi opinión…	*In my opinion . . .*
Me parece…	*I think (It seems to me) . . .*
Me parece absurdo (una tontería).	*It seems absurd (silly) to me.*

Me parece interesante.	*I think it is interesting.*
(No) Estoy de acuerdo.	*I (dis)agree.*
(No) Tienes razón.	*You are (not) right.*
¿Por qué dices eso?	*Why do you say that?*
Por supuesto.	*Of course.*
Prefiero…	*I prefer . . .*
¿Qué crees (opinas)?	*What do you think?*
¿Qué te parece?	*What do you think?*
Yo también.	*Me too.*
Yo tampoco.	*Me either.*

Para expresar sentimientos

¿De verdad?	*Really?*
¡Es el colmo!	*That's the last straw!*
¡Eso es increíble!	*That's incredible!*
Estoy harto/a de…	*I am fed up with . . .*
¡Lo siento mucho!	*I am very sorry!*
¡No me digas!	*You don't say! no! you're kidding/joking*
¡Pobrecito/a!	*Poor thing!*
¡Qué lástima/ pena!	*What a pity!*
¡Qué mala suerte!	*What a bad luck!*
¡Qué sorpresa!	*What a surprise!*
¡Qué suerte!	*How lucky!*
Siempre es lo mismo.	*It's always the same thing.*
¡Ya no aguanto más!	*I can't stand it anymore!*

Para pedir y dar consejos

¿Has pensado en…?	*Have you thought about . . . ?*
La otra sugerencia es que…	*The other suggestion is that . . .*
No sé qué voy a hacer.	*I don't know what I'm going to do.*
¿Por qué no…?	*Why don't you . . . ?*
¿Qué debo hacer?	*What should I do?*
¿Qué me aconsejas/ recomiendas?	*What do you recommend?*
¿Qué sugieres?	*What do you suggest?*
¿Qué te parece?	*What do you think?*
Te digo que sí (no).	*I am telling you yes (no).*
Tienes que…	*You have to . . .*
Trata de…	*Try to . . .*

CAPÍTULO 4

LA DIVERSIDAD DE NUESTRAS COSTUMBRES Y CREENCIAS

Objetivos del capítulo

En este capítulo vas a...

- informarte sobre creencias y costumbres que están en contraste con las tuyas
- dar explicaciones
- evitar la redundancia usando pronombres relativos
- expresar acuerdo y desacuerdo enfáticamente
- dar órdenes a otras personas
- expresar compasión, sorpresa y alegría

TEMA

Como parte de las costumbres de los países hispanos, se celebran festividades de diferentes tipos, generalmente religiosas. Aquí se presenta una danza azteca chichimeca durante el festival de la Virgen de la Guadalupe. ¿Qué festividades se celebran en tu comunidad?

Nuestras costumbres

Lectura

Entrando en materia

Cuando hablamos con otras personas acompañamos las palabras con gestos (*gestures*). Estas expresiones varían según la situación y pueden variar de una cultura a otra.

4–1. Expresiones de afecto. Basándose en sus propias costumbres, expliquen qué expresiones usan en las siguientes situaciones.

<table>
<tr><td>**Situaciones**</td><td>**Expresiones de afecto**</td></tr>
<tr><td>1. Alguien me presenta a otro/a estudiante.</td><td>a. Le doy la mano.</td></tr>
<tr><td></td><td>b. Le doy un abrazo.</td></tr>
<tr><td>2. Camino con mi amigo/a por la ciudad.</td><td>c. Le doy un beso.</td></tr>
<tr><td></td><td>d. Agarro el brazo de la persona.</td></tr>
<tr><td>3. Camino con mi madre por la ciudad.</td><td>e. No uso ninguna de las opciones. Lo que hago en esa situación es...</td></tr>
<tr><td>4. Veo a un buen amigo por primera vez después de un año.</td><td></td></tr>
</table>

4–2. Vocabulario: Antes de leer. Las palabras y expresiones de la lista aparecen en la entrevista que van a leer. Busquen estas palabras en el texto y, usando el contexto, emparejen cada palabra con la definición correspondiente.

1. saludar
2. mejilla
3. agarrar (el brazo)
4. alternar
5. tapas
6. por su cuenta

a. Es un sinónimo de *tomar*.
b. Hacemos esto cuando decimos cosas como *buenos días, hola, buenas noches*.
c. Ir a varios bares a beber y comer
d. Es una parte de la cara.
e. Pequeñas porciones de comida que se sirven en los bares
f. Independientemente

Costumbres de todos los días

Margarita (de México) y Tomás (de España) son los invitados de hoy en una clase de español. Los estudiantes de la clase les preguntan sobre algunas costumbres de sus países.

ESTUDIANTE: Una pregunta para Tomás: cuando **saludo** a una muchacha o un muchacho en un país hispano, ¿qué debo hacer?

TOMÁS: Depende del país. Por ejemplo, en España, con amigos del sexo opuesto, y entre mujeres, se dan dos besos, pero en otros países se da solamente un beso. Los hombres no se besan sino que se dan la mano o un abrazo. Bueno, hay que mencionar que la gente no se besa en la cara necesariamente. En la mayoría de los casos sólo se tocan las **mejillas**.

ESTUDIANTE: Tengo una pregunta para Margarita. En una ocasión vi un documental sobre México. Había dos mujeres y mientras caminaban, una mujer **agarraba** el brazo de la otra, ¿es ésta una costumbre normal entre las mujeres?

MARGARITA: Sí, es una costumbre, especialmente entre madres e hijas, pero también entre amigas. También lo hacen en otros países hispanos, no sólo en México.

ESTUDIANTE: Muy bien. Me gustaría hacer una pregunta sobre otro tema. Aquí en Estados Unidos no se permite a los niños entrar en los bares. He oído que en España esto es diferente. ¿Es verdad?

TOMÁS: Sí. En España los niños van con sus padres a los bares. Existe una costumbre que se llama **alternar**, que consiste en ir a varios bares, uno después de otro, y comer **tapas** acompañadas de un vaso de vino o de cerveza. Algunas familias hacen este recorrido de varios bares con sus hijos y grupos de amigos, especialmente los fines de semana. El ambiente de los bares españoles es muy diferente al de los bares de Estados Unidos. Por eso se permite que los niños entren acompañados por adultos.

ESTUDIANTE: Otra preguntita sobre los hijos... Un amigo mío de Venezuela me dijo que en su país es común que los hijos vivan en la casa de sus padres hasta que se casan. ¿No se van los jóvenes a vivir **por su cuenta** cuando asisten a la universidad?

Margarita: Mi hermano se fue de casa de mis padres a los treinta años, el día que se casó. Es frecuente que los hijos vivan con sus padres mientras hacen sus estudios universitarios y que no se independicen totalmente hasta que terminan sus carreras. No todo el mundo lo hace, hay jóvenes que se independizan antes, como se hace aquí en Estados Unidos. Aunque yo creo que esto no es sólo por cuestiones culturales, sino también por razones económicas y laborales.

Por si acaso

El bar y el *pub*

Los estadounidenses entienden el concepto "bar" de manera diferente a los españoles. En España hay una diferencia entre "bar" y *"pub"*. El bar ofrece a los clientes una variedad de comidas y bebidas que incluye bebidas alcohólicas. El *pub* ofrece bebidas alcohólicas y no alcohólicas. Algunos establecimientos pueden servir comida, pero se limita normalmente a simples tapas o tentempiés (*finger foods or snacks*). El bar puede ser un lugar de reunión para toda la familia mientras que el *pub*, que es similar al concepto de "bar" estadounidense, es un establecimiento para adultos donde raramente se admite la entrada de niños.

 4-3. ¿De qué hablaron? En parejas, cada persona debe hacerle las preguntas correspondientes a su compañero/a. Después, compartan sus opiniones con el resto de la clase.

Estudiante A: De los temas mencionados en la entrevista, ¿cuál te parece más interesante? ¿Por qué?

Estudiante B: En la entrevista se menciona que hay varias razones por las que los jóvenes hispanos se quedan en casa de sus padres hasta que se casan. ¿Cuáles crees que son estas razones? ¿Qué ventajas y desventajas crees que tiene vivir con los padres a esta edad? ¿Por qué?

 4-4. Vocabulario: Después de leer. En parejas, háganse a estas preguntas según su experiencia.

1. ¿Cómo **saludas** a los amigos íntimos?, ¿a las amigas íntimas?
2. ¿En qué circunstancias besas a otra persona en la **mejilla**?
3. ¿Tienes alguna costumbre parecida a la costumbre española de **alternar**?
4. ¿Has probado las **tapas** alguna vez? ¿Hay alguna costumbre similar en Estados Unidos?
5. ¿Desde qué edad vives **por tu cuenta**? Imagina que aún vives en casa de tus padres. ¿Qué aspectos de tu vida serían diferentes?

Gramática

Using Relative Pronouns to Avoid Redundancy

Relative pronouns are used to join two sentences into a single sentence, resulting in a smoother, less redundant statement.

Éste es el bar. **El bar** tiene tapas estupendas.	*This is the bar. **The bar** has wonderful tapas.*
Éste es el bar **que** tiene tapas estupendas.	*This is the bar **that/which** has wonderful tapas.*

In English the relative pronoun can be omitted in sentences like:

I love the food that I ate in that restaurant. → *I love the food I ate in that restaurant.*

In Spanish, **que** is never omitted.

Me gusta la comida **que** comí en ese restaurante.

Que

Use **que** in Spanish to express the relative pronouns *that/which/who*. **Que** can refer to both singular or plural nouns and it is the most common relative pronoun in everyday conversation. In the following examples, the antecedent is underlined (antecedent, i. e., the thing the relative pronoun refers back to).

Los <u>libros</u> **que** compraste eran excelentes.	*The <u>books</u> **that** you bought were excellent.*
El <u>hombre</u> **que** vino a cenar era mi jefe.	*The <u>man</u> **who** came to dinner was my boss.*
La <u>casa</u> de mi hermana, **que** tiene cuatro habitaciones, sólo tiene un baño.	*My sister's <u>house</u>, **which** has four rooms, only has one bathroom.*
Mi <u>hermano</u>, **que** tiene 25 años, se casó ayer.	*My <u>brother</u>, **who** is twenty-five, got married yesterday.*

One more thing: Observe that two of the relative clauses are set between commas and two of them aren't. The clauses without commas are said to be *restrictive* because they state a quality meant to single out an object or a person among a group of them. The clauses between commas are said to be *nonrestrictive* because they state a quality that is not meant to single out the object or person.

Lo que

Use **lo que** when referring back to an idea rather than a noun.

No comprendí **lo que** dijo Margarita sobre su hermano.

*I didn't understand **what** Margarita said about her brother.*

See *Grammar Reference 4* for more about relative pronouns.

4–5. Un viaje de fin de curso. Una costumbre muy común entre los estudiantes es la de hacer un viaje cuando finaliza el año escolar. Tu clase de español ha decidido organizar un viaje de fin de curso. Aquí tienes las notas con los planes para el viaje. Combina las frases usando pronombres relativos para evitar las repeticiones innecesarias, antes de darle la información al instructor/a.

> **MODELO**
>
> **Organizaremos una gran fiesta antes de salir.**
> **La fiesta va a durar toda la noche.**
> **Organizaremos una gran fiesta antes de salir que va a durar toda la noche.**

1. Vamos a reservar un yate. <u>El yate</u> tiene capacidad para muchas personas.
2. Julia y Cecilia van a traer la música latina. A la profesora le gusta <u>la música latina</u>.
3. Invitaremos a los mejores profesores. <u>Los mejores profesores</u> saben bailar salsa.
4. Vamos a contratar a un cocinero para el viaje. <u>El cocinero</u> sabe preparar platos de origen hispano.

 4–6. Acontecimientos memorables. Ustedes organizaron una fiesta para recolectar fondos para el viaje de fin de curso. Su instructor/a quiere saber cuáles fueron los momentos más interesantes de esa fiesta y les ha pedido que completen las siguientes oraciones con todos los detalles posibles. ¡No se olviden de usar los pronombres relativos!

> **MODELO**
>
> **Me gustó mucho...**
> **Me gustó mucho la comida hispana que sirvieron en la fiesta.**

1. No voy a olvidar la alegría...
2. Detesté aquel lugar...
3. Me encantó un/a invitado/a...
4. Me enfadé con un músico...
5. Me alegró ver a un/a chico/a...
6. No me gustó la sangría...

 4–7. Las fiestas hispanas en EE.UU. En parejas, lean las siguientes descripciones sobre algunas fiestas hispanas en EE.UU. Después, escriban una descripción adicional sobre alguna fiesta cultural que se celebre en su ciudad. Presten atención al uso de los pronombres relativos y los antecedentes para evitar redundancias.

Descripción 1: El Carnaval de Miami, <u>que</u> se celebra durante dos semanas en marzo en la calle Ocho de la Pequeña Habana, atrae cerca de un millón de personas cada año. Las personas <u>que</u> participan en este carnaval acuden desde diferentes partes de EE.UU.

Descripción 2: La Fiesta Broadway, <u>que</u> tiene lugar en Los Ángeles en abril, presenta cada año más de cien actos artísticos <u>que</u> incluyen música y teatro.

Descripción 3: La Fiesta de San Antonio, que se celebra en San Antonio, Texas, dura diez días y atrae a unos tres millones de personas.

Descripción 4: ¿...?

4–8. ¡Qué cosa tan extraña! En parejas, imaginen que un estudiante de origen hispano les pide que describan algunas costumbres de los EE.UU. Con sus propias palabras explíquenle estas costumbres:

1. potluck dinner
2. Saint Patrick's Day
3. to kiss under the mistletoe
4. tailgate party
5. Halloween
6. Mardi Gras
7. the 4ᵗʰ of July
8. April Fool's Day

Vocabulario para conversar

Dar explicaciones

¿Por qué tienes esa cara tan seria?

Éste es un día que me pone muy triste porque Paco y yo rompimos el día de San Valentín el año pasado.

In the course of a conversation, you may be asked to explain why you did or said something. These expressions will help you offer explanations in Spanish.

porque, puesto que,	*because*
por eso, por esta razón	*for this reason*
a causa de, por motivo de, dado que	*because of, due to*

Me acosté tarde anoche y **por eso (por esa razón)** llegué tarde a clase.
*I went to bed late last night and **for this reason** I was late to class.*

Se canceló el partido de fútbol **a causa de** la lluvia.
*The game was cancelled **because of** rain.*

Me quejé de mi vecino **porque** tiene muchas fiestas por la noche.
*I complained about my neighbor **because** he throws many parties at night.*

Explanations may be expressed as a cause-effect relationship.

Dado que me distraje hablando por teléfono, no lavé los platos y **por esa razón** tuve una discusión con mi mamá.
***Since** I got distracted while talking on the phone, I didn't wash the dishes, and **for that reason** I had an argument with my mom.*

4–9. Palabras en acción. Usen la imaginación para escribir una explicación para cada una de estas preguntas. Intenten usar varias de las expresiones que aparecen en *Vocabulario para conversar*.

> **MODELO**
>
> **¿Por qué no entregaste la tarea hoy?**
> **No entregué la tarea hoy porque se me olvidó en casa.**

1. ¿Por qué no estabas bien preparado hoy para la clase de español?
2. ¿Por qué saludaste a la chica hispana con un beso en la mejilla?
3. ¿Por qué le dijiste a tu jefe que sabías hablar español perfectamente?
4. ¿Por qué se te olvidó estudiar para el examen final de español?
5. ¿Por qué te enfadaste con tu compañero/a de apartamento?

 4–10. Mi vecino el pesado. En parejas, sigan las instrucciones correspondientes a cada estudiante para representar esta situación.

Estudiante A:
- Inicia la conversación. Las ilustraciones representan los problemas que tienes con tu vecino.
- Explícale estos problemas a tu amigo/a y pídele consejos.

Estudiante B:
- Escucha a tu compañero/a. No mires sus dibujos.
- Si no comprendes lo que dice, pídele una aclaración.
- Dale consejos a tu compañero/a. Usa el subjuntivo cuando sea necesario.

CURIOSIDADES

Los acertijos (*riddles*) son problemas de lógica que requieren el uso de pensamiento creativo. Muchos acertijos contienen la solución del problema en la expresión misma.

 4–11. Un acertijo. En parejas, lean el acertijo y presten atención a la pista (*clue*).

Felipe va a una fiesta que se está celebrando en el piso 12 de un edificio. Cuando sale de la fiesta, toma el ascensor y oprime el botón de la planta baja. Sin embargo, cuando vuelve a la fiesta, toma el ascensor y oprime el botón para el piso número 4. ¿Por qué?

Una de estas opciones es correcta:

a. El elevador está averiado y sólo funciona hasta el piso número 4.
b. Felipe es muy bajo de estatura.
c. Felipe quiere visitar a un vecino que vive en el piso número 4.

PISTA

Nuestras creencias

A escuchar

Entrando en materia

 4–12. La Noche de las Brujas. En parejas, hablen sobre las actividades típicas de la Noche de las Brujas (*Halloween*). ¿Comparten las mismas tradiciones en esta fecha? Si no, ¿cuáles son las diferencias? ¿Qué significado tiene esta tradición para ustedes ahora? ¿Cómo la celebraban cuando eran pequeños/as? ¿Cómo la celebran ahora? ¿Saben cuál es el origen de esta tradición? ¿Creen que existe esta celebración en otras culturas? Den ejemplos.

4–13. Actitudes hacia el tema de la muerte. El tema de esta sección es la muerte. Antes de seguir adelante, vamos a ver qué piensan sobre este tema.

1. Seleccionen las palabras que mejor reflejen su opinión personal sobre la muerte.

Hablar de la muerte es:

interesante ✓	triste _____	importante ✓
aburrido _____	incómodo _____	terapéutico ✓
difícil ✓	fácil _____	
absurdo ✓	de mal gusto _____	

2. **¿Cuál es su actitud?** En algunas culturas la muerte se celebra con fiestas. En grupos de cuatro, dos de ustedes deben presentar razones por las que los funerales deben ser alegres y festivos. Las otras dos personas deben presentar razones por las que los entierros deben ser serios por respeto a la persona que ha muerto. ¿Qué pareja encontró los argumentos más convincentes?

MODELO

Nosotros pensamos que en los funerales se debe celebrar una gran fiesta en honor a la persona muerta porque...

Nosotros pensamos que celebrar fiestas en un funeral es una falta de respeto hacia la persona muerta porque...

4–14. Descripción de fotos. Miren las siguientes fotos sobre la celebración del Día de Muertos (*Day of the Dead*) en México. Escriban una breve descripción sobre lo que ven en cada foto. Comparen sus descripciones.

4–15. Vocabulario: Antes de escuchar. El vocabulario en negrita forma parte de la miniconferencia que van a escuchar. Indiquen el significado apropiado de las palabras, seleccionando **a** o **b**.

4/5

1. Hablar de la muerte es algo que debe **evitarse** en ciertas culturas.

   a. no se debe hacer   **b.** es común

2. El Día de Muertos los familiares **acuden en masa** al cementerio a visitar a sus familiares difuntos.

   a. van en grandes grupos   **b.** manejan

3. **Ritualizar** la muerte significa que...

   a. se celebra con rituales   **b.** se murió una señora que se llamaba Rita

4. Hay ciertas culturas que ven la muerte como parte **integral** de la vida.

   a. la muerte no es un tema popular en absoluto   **b.** la muerte es normal en la vida diaria

5. En ciertas culturas, la muerte se toma a broma e incluso se cuentan **chistes** sobre ella.

   a. la gente cuenta historias sobre la muerte que hacen reír   **b.** la gente cuenta historias de terror sobre la muerte

Estrategia: Identificar el énfasis

Cuando escuchas un texto por primera vez, hay muchos elementos que te pueden ayudar a comprender la idea general. Uno de esos elementos es el énfasis que el narrador pone en diferentes palabras y oraciones. Mientras escuchas, fíjate en qué palabras y expresiones enfatiza el narrador. El énfasis se puede expresar levantando la voz o cambiando el tono. Ten en cuenta esta información mientras escuchas y anota los puntos que el narrador enfatiza. Después, usa esos datos para determinar cuál es el tema principal de la narración, según las expresiones en las que el narrador hace énfasis.

MINICONFERENCIA — Perspectivas sobre la muerte

Ahora su instructor/a va a presentar una miniconferencia.

La siguiente lista contiene los temas centrales.

1. primera perspectiva sobre la muerte
2. segunda perspectiva
3. descripción del Día de Muertos

4–16. ¿Comprendieron? Expliquen con sus propias palabras las dos perspectivas que se dan sobre la muerte. Después, reflexionen sobre las fotografías de las páginas 145–146 que representan el Día de Muertos. ¿A qué perspectiva de las mencionadas creen que corresponden las fotos? ¿Existe en su cultura un fenómeno similar a éste? ¿Con cuál de las dos formas de ver la muerte se identifican ustedes? ¿Y su familia? Expliquen sus respuestas.

4–17. Vocabulario: Después de escuchar. En parejas, usen la imaginación y las palabras de la lista, para escribir una descripción sobre algo que ocurrió en un funeral o en otra situación. La situación debe ser realista, aunque pueden ser creativos si quieren.

de mal gusto   en voz baja   incómodo/a   acudir en masa   disfraz

4–18. ¿Qué opinan? Nuestras ideas sobre la muerte están influidas por nuestra cultura, creencias y orientación espiritual. En grupos de cuatro, seleccionen uno de los temas a continuación. Cada persona debe exponer su punto de vista. Los demás deben escuchar y hacer preguntas para comprender mejor la perspectiva de cada persona.

1. el más allá: ¿existe?, ¿cómo es?
2. la reencarnación
3. la comunicación con los muertos
4. la existencia del cielo y el infierno

4–19. Controversia. En parejas, seleccionen una de las siguientes situaciones para representarla en clase. Dediquen unos minutos para preparar sus argumentos antes de hacer la representación.

Situación A: Una persona tiene una enfermedad mortal y expresa su deseo de morir para poder descansar en paz. La otra persona es el médico. El deber de un médico es salvar la vida de sus pacientes siempre que sea posible. Hablen de la situación para encontrar una solución.

Situación B: Uno de ustedes es un senador del estado que quiere imponer una ley que haga obligatoria la donación de órganos después de la muerte para salvar más vidas por medio de los transplantes. La otra persona es un senador que se opone a esta ley por razones religiosas. Intenten encontrar un punto común entre sus diferentes puntos de vista.

Situación C: Su ciudad no encuentra terreno para construir un cementerio nuevo. Uno de ustedes cree que deben incinerarse (*cremate*) todos los cadáveres para solucionar el problema. La otra persona está en contra de la incineración por razones religiosas. Busquen una solución para el problema que sea aceptable para los dos.

Gramática

The Imperfect Subjunctive in Noun Clauses

In Chapter 3 you learned the forms of the present subjunctive and how to use them. Now you will learn how to express desire, doubt and emotion in the past. To do so, you need to learn the forms of the past subjunctive. To form the past subjunctive, follow these steps:

1. take the third person plural form of the preterite, e.g., comier**on**

2. drop the **-on** → comier-

3. add **-a**, **-as**, **-a**, **-amos**, **-ais**, **-an** for all verbs

The **nosotros/as** form requires an accent in the stem. See the following chart:

INFINITIVE	THIRD PERSON PRETERIT FORM	PAST SUBJUNCTIVE	
caminar	caminar**on**	caminara	camináramos
		caminaras	caminarais
		caminara	caminaran
comer	comier**on**	comiera	comiéramos
		comieras	comierais
		comiera	comieran
escribir	escribier**on**	escribiera	escribiéramos
		escribieras	escribierais
		escribiera	escribieran

For stem-changing verbs, spelling-changing verbs and irregulars, you will still base the imperfect subjunctive on the third person preterit. For example:

estar → **estuvier**on → estuviera, -as, -a...

hacer → **hicier**on → hiciera, -as, -a...

dormir → **durmier**on → durmiera, -as, -a...

As you learned in Chapter 3, the subjunctive occurs in the dependent clause when the independent clause includes an expression that conveys:

- advice, suggestion or request
- opinion, doubt or denial
- emotion

See *Appendix B* for additional verb charts.

How do I know when to use the past subjunctive as opposed to the present subjunctive? If the verb in the independent clause expresses a past action, the verb in the dependent clause needs to be in the past subjunctive.

Advice, Suggestion, and Request

Independent Clause: Preterit

El año pasado mi instructor **sugirió**

*Last year my instructor **suggested***

Dependent Clause: Imperfect Subjunctive

que escribié**ramos** una composición sobre la Noche de las Brujas.

*that **we write** a composition about Halloween.*

Doubt or Denial

Independent Clause: Imperfect Indicative

Mi madre **dudaba**

*My mom **doubted***

Dependent Clause: Imperfect Subjunctive

que yo encontra**ra** adornos para la Noche de las Brujas en agosto.

*that I **would find** Halloween decorations in August.*

Emotion

Independent Clause: Imperfect Indicative

En la Noche de las Brujas, a mi hermana le **encantaba**

*On Halloween, my sister **loved***

Dependent Clause: Imperfect Subjunctive

que nos **dieran** tantos caramelos.

*that people **would give** us so much candy.*

4–20. Identificación. Marta y Margarita intercambian algunos mensajes electrónicos acerca de una fiesta a la que fue Margarita durante la Noche de las Brujas.

1. Lee el mensaje de Margarita e identifica los verbos en imperfecto de subjuntivo. ¿Por qué crees que aparecen esas formas en subjuntivo?

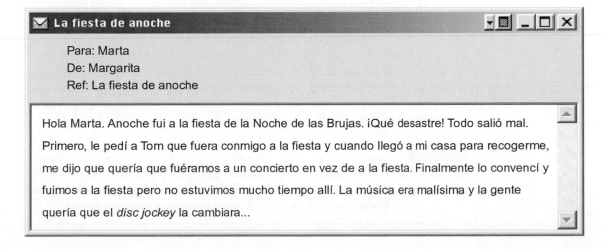

✉ **La fiesta de anoche**

Para: Marta
De: Margarita
Ref: La fiesta de anoche

Hola Marta. Anoche fui a la fiesta de la Noche de las Brujas. ¡Qué desastre! Todo salió mal. Primero, le pedí a Tom que fuera conmigo a la fiesta y cuando llegó a mi casa para recogerme, me dijo que quería que fuéramos a un concierto en vez de a la fiesta. Finalmente lo convencí y fuimos a la fiesta pero no estuvimos mucho tiempo allí. La música era malísima y la gente quería que el *disc jockey* la cambiara...

2. Aquí tienes la respuesta de Marta. Imagínate que tú no pudiste ir a la fiesta y tienes que contestar al mensaje de Margarita dándole una explicación de lo que pasó. Presta atención a los tiempos verbales en tu respuesta.

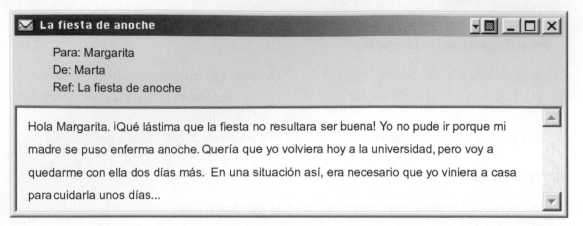

La fiesta de anoche

Para: Margarita
De: Marta
Ref: La fiesta de anoche

Hola Margarita. ¡Qué lástima que la fiesta no resultara ser buena! Yo no pude ir porque mi madre se puso enferma anoche. Quería que yo volviera hoy a la universidad, pero voy a quedarme con ella dos días más. En una situación así, era necesario que yo viniera a casa para cuidarla unos días...

 4–21. ¿Son supersticiosos? Con un compañero/a representen los papeles de Marta y Margarita. Imagina que eres Marta. Desgraciadamente Margarita no se creyó tu excusa. La verdad es que no fuiste a la fiesta porque una adivina (*fortune-teller*) te dijo que no fueras. Cuéntale la verdad a Margarita, explicándole lo que te dijo la adivina. Debes incluir la siguiente información:

1. Lo que te dijo la adivina.
2. Por qué te recomendó que no fueras a la fiesta.
3. Por qué te aconsejó que no le dijeras la verdad a Margarita.
4. Por qué era importante que siguieras sus consejos.

4–22. Sugerencias útiles. En parejas, representen esta situación. Después intercambien los papeles. Aquí tienen algunas expresiones útiles.

ser importante   ser necesario   recomendar   pedir   aconsejar

ESTUDIANTE A: Tú vas a ir a una fiesta hispana en casa de una persona que te gusta mucho. Tu compañero/a de cuarto, que también está interesado/a en la misma persona, te dio consejos sobre cómo comportarte, qué hacer y qué decir en la fiesta. Seguiste sus consejos pero el resultado fue desastroso. Ahora estás cuestionando las sugerencias de tu compañero/a y le pides explicaciones.

ESTUDIANTE B: Tú estás secretamente interesado/a en la misma persona que tu compañero/a de cuarto. Tu compañero/a fue a una fiesta hispana en casa de esa persona y tú le diste consejos sobre cómo comportarse, qué hacer y qué decir... con la intención de que la otra persona no se interesara por tu compañero/a. El problema es que ahora tus intenciones han sido descubiertas y necesitas inventarte alguna excusa para justificar lo que dijiste.

MODELO

Estudiante A: ¡Tú me aconsejaste que hablara en voz muy alta con todo el mundo!
Estudiante B: No, yo no dije eso. Yo te aconsejé que hablaras en voz muy alta si la música estaba fuerte y las otras personas no te podían oír.

Vocabulario para conversar

Expresar acuerdo y desacuerdo enfáticamente

> Sí, por supuesto, profesor. Le doy toda la razón.

> Srta. Smith, usted tiene que hacer más esfuerzo en mi clase. Intente entregar las tareas a tiempo.

In *Chapter 3* you studied some expressions to react to the opinions of others showing agreement or disagreement. In this section you will learn a few expressions that are commonly used to react to others' opinions in a more emphatic way.

Expresar acuerdo enfáticamente

Eso es absolutamente/ totalmente cierto.	*That is totally true.*
Le/ Te doy toda la razón.	*You are absolutely right.*
Creo/ Me parece que es una idea buenísima.	*I think that is a great idea.*
Por supuesto que sí.	*Absolutely.*
Lo que dice(s) tiene mucho sentido.	*You are making a lot of sense.*
Exactamente, eso mismo pienso yo.	*That is exactly what I think.*

Expresar desacuerdo enfáticamente

Eso es absolutamente/ totalmente falso.	*That is totally false.*
No tiene(s) ninguna razón.	*You are absolutely wrong.*
Creo/ Me parece que es una idea malísima.	*I think it is a terrible idea.*
Por supuesto que no.	*Absolutely not.*
Lo que dice(s) no tiene ningún sentido.	*You are not making any sense.*

4–23. Palabras en acción. Expresen enfáticamente su opinión con estos comentarios. Añadan información a las expresiones para justificar su propia opinión.

> **MODELO**
>
> **Tu compañero/a de apartamento te dice: El casero (*landlord*) me ha dicho que una vez más no has pagado tu parte del alquiler. Estoy harto/a de esta situación.**
>
> **Tú dices: ¡Eso es abolutamente falso! Dejé un sobre con el dinero del alquiler en el buzón del casero hace ya una semana.**

1. Un amigo hispano te dice: Los estadounidenses no saben divertirse. Los fines de semana, en vez de salir, se quedan en casa viendo películas y comiendo papitas.
2. Tu instructor de español te comenta: El español es un idioma fácil de aprender. La gramática no es complicada y se puede aprender en un mes.
3. Un compañero de clase te comenta: "Los cubanos, los mexicanos y los argentinos son todos iguales, hablan exactamente igual y comen las mismas comidas".
4. Tu padre te dice: "No es necesario aprender otro idioma porque el inglés es el idioma más importante y si hablas inglés, no necesitas saber otra lengua".

 4–24. Un día cultural. Un amigo y tú están pasando un día en México. No se pueden poner de acuerdo sobre qué hacer. Lean las instrucciones de la situación y representen el diálogo.

Estudiante A: Tú inicias la conversación. Quieres ir a ver una corrida de toros (*bullfight*) porque te parece fascinante. Tu ídolo era Paquirri, uno de los grandes toreros de la historia, y la corrida de hoy es un homenaje a él. Explícale a tu compañero/a por qué quieres ir, por qué tu idea es mejor que la suya y por qué es importante que te acompañe.

Estudiante B: Tu compañero/a inicia la conversación. Estás en contra de las corridas de toros y piensas que son horribles. Explica por qué no quieres ir, expresando tu desacuerdo enfáticamente, sugiere una idea mejor e intenta llegar a un acuerdo con tu compañero/a.

CURIOSIDADES

4–25. Numerología. En algunas culturas, los números tienen un significado que es importante en la vida de cada persona. ¿Sabes cuál es tu número personal? Sigue las instrucciones a continuación para calcularlo; después, puedes calcular el número de tus amigos. ¿Crees que la información es correcta?

Para saber el número que te corresponde debes sumar los números de tu fecha de nacimiento y reducirlos a un solo número. Por ejemplo, si has nacido el 26 de junio de 1982, debes hacer el siguiente cálculo:

2 + 6 (día) + 6 (mes) + 1 + 9 + 8 + 2 (año) = 34; 3 + 4 = 7.

El número 7 es tu número personal. Ahora ya puedes leer tu pronóstico para el próximo mes según tu propio número.

Los números 11 y 22 son números mágicos y no se pueden reducir. Si quieres aprender más sobre la numerología, haz una búsqueda en Internet escribiendo *numerología* en el buscador para aprender más sobre tu destino mientras practicas español.

1. Comienza para ti una etapa muy tranquila. Es una buena época para aclarar tus dudas sobre esa persona especial que acabas de conocer. Vas a dedicar más tiempo a los estudios. Déjate llevar por tus instintos y no te preocupes por la opinión de los demás.

2. En estos días vas a conseguir todo lo que quieras. Aprovecha la ocasión para atraer a esa persona que te gusta porque no va a poder resistir tus encantos (*charm*).

3. ¡Qué hiperactividad! Intenta tomarte las cosas con un poco más de calma, de lo contrario, puedes tener un accidente. Tendrás una ruptura con alguien especial en tu vida: tu mejor amigo/a o tu pareja. Pero esta ruptura te dejará aliviado/a (*relieved*).

4. ¡Muchos cambios en tu vida! Todos los cambios serán positivos. Es un buen momento para dedicarte a los estudios plenamente.

5. Necesitas cultivar tus dotes diplomáticas para conseguir tus objetivos. Tendrás que hacer el papel de mediador/a entre dos personas cercanas a ti.

6. Todo va muy bien. Tienes una actitud muy positiva y alegre. Eso siempre ayuda a la hora de hacer amigos. Vas a conocer a mucha gente nueva y vas a ser el centro de atención. Habrá tantas personas interesadas en ti que no sabrás a quién escoger.

7. ¡Bla! Todo te parece muy lento en estos días. Necesitas aplicarte una buena dosis de realismo y dejar de soñar despierto/a.

8. Estás lleno/a de energía. Las cosas te van de perlas (*very well*) y este mes vas a tener muchas ofertas divertidas: fiestas, viajes, excursiones, etc. Quizás cambies de ciudad o hagas un viaje en el que conocerás a gente muy interesante.

9. Mira a tu alrededor porque muy cerca de ti encontrarás a tu amor ideal. Esta relación va a ser muy seria. Tu único problema serán los estudios, así que concéntrate si no quieres reprobar (*fail*) tus clases.

Nuestra religión

Lectura

Entrando en materia

 4–26. Celebrar un día especial. Indiquen un día especial que asocien con las siguientes actividades:

- beber champán
- comer pavo
- dar y recibir regalos
- reunirse con la familia
- ir de picnic.

En parejas, hablen sobre estas celebraciones. ¿Cuál prefieren? ¿Por qué? ¿Hacen las mismas actividades en estas fechas? ¿Qué diferencias hay entre la forma en que las celebran?

Por si acaso

Expresiones útiles para comparar respuestas con otro estudiante

¿Qué tienes/ pusiste en el número 1/ 2/ 3?
Yo tengo/ puse a/ b.
Yo tengo algo diferente.
No sé la respuesta./ No tengo ni idea.
Creo que la respuesta es a/ b, pero no estoy seguro/a.
Creo que es cierto./Creo que es falso.

4–27. Religiones y símbolos. ¿Con qué religión asocian estos lugares, personas y objetos?

Religión

1. el Corán   judaísmo
2. la Biblia   islam
3. el Papa   catolicismo
4. el pastor (*minister*)   budismo
5. una mezquita   protestantismo
6. México
7. Hanukkah
8. la Navidad
9. una estatua de Buda
10. el Tora

4–28. Vocabulario: Antes de leer. A continuación van a leer unas frases que aparecen en la lectura. Presten atención a las palabras en negrita y al contexto e indiquen cuál es la definición más apropiada.

1. La diversidad de **días festivos** y celebraciones dentro del mundo hispano refleja la **idiosincrasia** de cada uno de los países que lo componen.

   días festivos

   a. día en el que los estudiantes de una fraternidad tienen una fiesta
   b. día en el que no hay que trabajar porque hay alguna celebración nacional

   idiosincrasia

   a. personalidad o características únicas
   b. una persona que no habla lógicamente

2. Una de las tradiciones de la fiesta son los **tamales** oaxaqueños que preparan los responsables de organizar la fiesta.

   a. sinónimo de la expresión "está mal"
   b. un tipo de comida

3. En algunos pueblos de Galicia, una región del noroeste de España, se celebra el día de San Juan **asando** sardinas en la playa por la noche.

   a. cocinar en una sartén con muy poco aceite o en contacto directo con el fuego
   b. cocinar con agua

4. El Santo Patrón puede proteger a personas que tienen una característica específica, por ejemplo, a las mujeres **embarazadas**.

   a. mujeres que están esperando un bebé
   b. mujeres que trabajan en la cocina

5. Sus padres eran **campesinos** muy pobres que no pudieron enviar a su hijo a la escuela.

    a. personas que trabajan en la ciudad

    b. personas que trabajan en el campo

6. Isidro se levantaba muy de **madrugada** y nunca empezaba su día de trabajo sin haber asistido antes a misa.

    a. Se levantaba muy tarde por la mañana.

    b. Se levantaba muy temprano por la mañana.

7. A los 43 años de haber sido sepultado, en 1173, sacaron de la **tumba** su cadáver y éste estaba incorrupto.

    a. el lugar donde descansan los muertos en el cementerio

    b. un ritmo de baile cubano muy popular

8. Por todos sus milagros, la iglesia católica lo **canonizó** como San Isidro en el año 1622.

    a. El Papa le dio a Isidro el título de santo.

    b. El Papa construyó una iglesia en su honor.

Por si acaso

Religiones del mundo hispano

El catolicismo es la religión predominante en el mundo hispano. Sin embargo, también se practican otras religiones, aunque de forma minoritaria. Estas religiones incluyen el protestantismo, el judaísmo, el islam y una variedad de religiones indígenas y de origen africano. Las siguientes cifras reflejan porcentajes de algunas de estas religiones. Para obtener más información sobre otras religiones en el Internet puedes usar tu buscador favorito.

Países	Católicos	Protestantes	Otras
Argentina	92%	2%	4%
Bolivia	95%	5% evangélica metodista	
Chile	70%	15% evangélica	1% testigos de Jehová, 4.6% otras
Colombia	90%		10%
Costa Rica	76%	13.7%	1.3% testigos de Jehová, 4.8% otras
Cuba	85%		15%
Ecuador	95%	5%	
El Salvador	83%	17%	
España	94%	6%	
Guatemala	50%	25%	25% mayas y otras
Honduras	97%	3%	
México	76%	6.3%	1.4% pentecostal, 1.1% testigos de Jehová, 13.8% sin especificar
Nicaragua	73%	15.1% evangélica, 1.5% Morava	1.9%
Panamá	85%	15%	
Paraguay	89%	6%	3%
Perú	81%		1.4% adventista del séptimo día, 16.3% sin especificar
Puerto Rico	85%	15%	
República Dominicana	95%	5%	
Uruguay	66%	2%	31%
Venezuela	96%	2%	2%

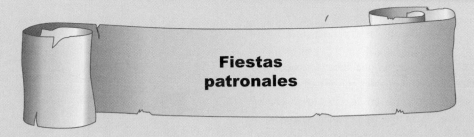

Fiestas patronales

La diversidad de **días festivos** y celebraciones dentro del mundo hispano refleja la **idiosincrasia** de cada uno de los países que lo componen. Algunas de las celebraciones giran alrededor de un tipo de producto o comida típicos de una región; otras celebraciones son semejantes a las de otros países no hispanos, como la Navidad y el Año Nuevo; y hay otro grupo de días festivos que tienen como propósito conmemorar o recordar a la Virgen María o a algún santo del calendario católico. A este tipo de celebración pertenecen las llamadas *fiestas patronales*. Las fiestas patronales varían mucho de país a país y de región a región, sin embargo, todas tienen algunas características en común. Por ejemplo, generalmente hay algún tipo de comida que se come durante esas fechas, puede haber competiciones deportivas, hay presentaciones de bailes regionales y puede haber música y baile en la plaza del pueblo. En Comotinchan, un pueblo ubicado en el Estado de Oaxaca,

México, una de las fiestas más importantes tiene lugar el 15 de mayo en honor del patrón del pueblo, San Isidro Labrador. Una de las tradiciones de la fiesta son los **tamales** oaxaqueños que preparan los responsables de organizar la fiesta.

En algunos pueblos de Galicia, una región del noroeste de España, se celebra el día de San Juan **asando** sardinas en la playa por la noche. Ⓜ

> **Ⓜomento de reflexión**
> ¿Verdadero o falso?
> __ 1. Las celebraciones religiosas en el mundo hispano son iguales.
> __ 2. Se mencionan tres tipos de días festivos.
> __ 3. Las fiestas patronales tienen características en común en el mundo hispano.
> __ 4. Hay una sola manera de celebrar una fiesta patronal.

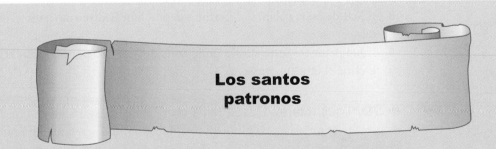

Los santos patronos

Un santo patrón es un santo protector. El santo patrón puede proteger a personas que tienen un tipo de trabajo, por ejemplo, a los agricultores. Puede proteger a personas que tienen una característica específica, por ejemplo, a las mujeres **embarazadas,** o puede proteger una ciudad o un pueblo. Ⓜ

> **Ⓜomento de reflexión**
> ¿Verdadero o falso?
> __ 1. El santo patrón tiene como función principal la protección de ciertas comunidades.

San Isidro Labrador

15 de mayo

San Isidro es el patrón de los agricultores del mundo. Sus padres eran **campesinos** muy pobres que no pudieron enviar a su hijo a la escuela. Pero en su casa le enseñaron principios religiosos. Cuando tenía diez años, San Isidro se empleó como peón de campo en una finca cerca de Madrid, donde pasó muchos años trabajando las tierras.

Se casó con una campesina que también llegó a ser santa y ahora se llama Santa María de la Cabeza (no porque ése fuera su apellido, sino porque su cabeza se saca en procesión cuando pasan muchos meses sin llover).

San Isidro se levantaba muy de **madrugada** y nunca empezaba su día de trabajo sin haber asistido antes a misa. El dinero que ganaba, lo distribuía en tres partes: una para la iglesia, otra para los pobres y otra para su familia (él, su esposa y su hijo).

San Isidro murió en el año 1130. A los 43 años de haber sido sepultado, en 1173, sacaron de la **tumba** su cadáver y éste estaba incorrupto. La gente consideró esto como un milagro. Por éste y otros muchos milagros, la iglesia católica lo **canonizó** como San Isidro Labrador en el año 1622.

 4–29. ¿Comprendieron? Antes de continuar, contesten estas preguntas para asegurarse de que comprendieron toda la información importante de la lectura.

1. ¿Cuál de estas palabras describe mejor el texto sobre San Isidro: diario personal, biografía, novela?
2. ¿A qué tipo de personas protege San Isidro?
3. ¿Cuál de estas palabras describe mejor a San Isidro: trabajador, alegre, triste?
4. ¿Qué parte del texto indica que San Isidro era una persona muy religiosa?
5. Define el término *milagro*.

 4–30. Vocabulario: Después de leer. En parejas, imaginen que acaban de presenciar un milagro. Ahora tienen que escribir un pequeño párrafo explicándole al resto de la clase lo que vieron. Para que resulte más interesante, deben usar las palabras que se incluyen abajo y toda la creatividad posible. ¡Lo más probable es que el resultado sea bastante cómico!

tumba   madrugada   campesino   embarazada   tamales   día festivo   asar

4–31. Su opinión. En parejas, preparen una encuesta para entrevistar a algunos estudiantes del campus. Tienen que averiguar qué porcentaje de los encuestados celebra el día de su santo, qué religión es la más popular entre los estudiantes, cuántos participantes en la encuesta asisten a celebraciones religiosas, con qué frecuencia, y cuál es su celebración favorita. Después, analicen los datos para presentarlos oralmente en clase.

Gramática

Formal and Informal Commands to Get People to Do Things for You or Others

The command forms fulfill the same functions in English and Spanish. Those situations that call for a command form in English will call for a command form in Spanish. In this dialogue between Margarita and Tomás, several command forms are used. Can you identify them?

T: Por favor, Margarita, dame la receta para los tamales.

M: ¿Vas a hacer tamales para la fiesta de San Isidro?

T: Pues sí.

M: Compra tomates verdes, cilantro... Si necesitas ayuda, llámame.

T: Gracias, así lo haré.

Let's look at the verb endings we need to use in Spanish when giving a command. Pay attention to the level of familiarity that you have with the person you are speaking to.

	Formal	Informal
caminar	(no) camine	camina, no camines
	(no) caminen	caminad, no caminéis (vosotros/as)
comer	(no) coma	come, no comas
	(no) coman	comed, no comáis (vosotros/as)
escribir	(no) escriba	escribe, no escribas
	(no) escriban	escribid, no escribáis (vosotros/as)

The **vosotros/as** form is only used in Spain. The rest of the Spanish-speaking countries use **ustedes** forms in both formal and informal situations.

You also need to pay attention to direct-object pronouns accompanying the command; when they occur they need to be attached to the end of the command.

Prepara la mesa. → Prepára**la**.

Set up the table. → *Set it up.*

Place the pronoun in front of the verb if the command is negative.

No **la** prepares.

Do not set it up.

Finally, there are some verbs whose command forms are irregular and you need to learn those as separate vocabulary items.

Irregular Formal Commands

decir
(Ud.) diga	no diga		
(Uds.) digan	no digan		

hacer
(Ud.) haga	no haga
(Uds.) hagan	no hagan

ir
(Ud.) vaya	no vaya
(Uds.) vayan	no vayan

poner
(Ud.) ponga	no ponga
(Uds.) pongan	no pongan

salir
(Ud.) salga	no salga
(Uds.) salgan	no salgan

ser
(Ud.) sea	no sea
(Uds.) sean	no sean

tener
(Ud.) tenga	no tenga
(Uds.) tengan	no tengan

venir
(Ud.) venga	no venga
(Uds.) vengan	no vengan

Irregular Informal Commands

decir
(tú) di	no digas
(vos.) decid	no digáis

hacer
(tú) haz	no hagas
(vos.) haced	no hagáis

ir
(tú) ve	no vayas
(vos.) id	no vayáis

poner
(tú) pon	no pongas
(vos.) poned	no pongáis

salir
(tú) sal	no salgas
(vos.) salid	no salgáis

ser
(tú) sé	no seas
(vos.) sed	no seáis

tener
(tú) ten	no tengas
(vos.) tened	no tengáis

venir
(tú) ven	no vengas
(vos.) venid	no vengáis

4–32. Identificación. Tu amiga María quiere preparar sangría, una bebida muy popular entre los hispanos, para una fiesta que va a dar para celebrar su santo. Tu vecina te ha dado una receta para María y como ella es muy educada ha escrito todo formalmente. Antes de darle la receta a María, identifica los mandatos. Después, cámbialos para que sean informales. ¡Al fin y al cabo, los amigos no se hablan de usted entre ellos!

En una jarra, mezcle cuatro vasos de vino tinto, cuatro vasos de agua, un vaso de azúcar y un vaso de jugo de lima. Con una cuchara, mueva el líquido varias veces. Añada una naranja en rodajas y medio vaso de trocitos de melocotón y piña. Ponga la sangría en el refrigerador. Antes de servir, añada cubitos de hielo.

4–33. Tu contribución personal. Tú eres la única persona estadounidense que va a asistir a la fiesta del santo de María. Para que no te sientas solo/a, la madre de María quiere preparar tu plato favorito. Imagina que tu compañero/a es la madre de María. Dale la receta con detalles. Recuerda que es la madre de tu amiga, así que debes dirigirte a ella formalmente.

4–34. La Feria de San Marcos. En la fiesta, la madre de María te explicó que ella es de Aguascalientes, una ciudad de México, donde se celebra la Feria Nacional de San Marcos. Tu compañero/a ha encontrado más información sobre esta feria. En parejas, lean el artículo y preparen un panfleto publicitario para promocionar la feria en el campus. Usen mandatos para animar a los demás estudiantes a hacer lo que sugieren.

> **MODELO**
>
> **Duerme una siesta si quieres asistir a las actividades nocturnas de la feria.**

Origen: La festividad tuvo su origen con la fundación del pueblo de San Marcos en el año 1604, que todos los años celebraba al santo patrono San Marcos. Con el paso del tiempo este pueblo se fue uniendo a la ciudad de Aguascalientes, y ahora esta ciudad es el centro de esta festividad que se llama Feria Nacional de San Marcos.

Descripción: Esta feria es considerada la mejor de todo México. Empieza la tercera semana de abril y dura hasta la primera semana de mayo. Se llevan a cabo doce corridas de toros. Tienen también lugar el Encuentro Internacional de Poetas, conciertos de mariachis, obras de teatro, exposiciones de artesanía y juegos infantiles. La diversión en la feria empieza temprano y concluye al amanecer del día siguiente.

Otras actividades: Aguascalientes tiene diversos museos y un centro histórico de gran interés con hermosos monumentos coloniales.

4–35. Echando una mano. Ustedes trabajan como voluntarios en una iglesia de la comunidad, ayudando a jóvenes con problemas personales y académicos. Hoy están ayudando a un grupo de sexto grado que tiene que preparar una composición para su clase de religión. En parejas, preparen una presentación oral explicando, paso a paso, cómo escribir la composición. ¡Recuerden que están hablando con varias personas, así que necesitan usar la forma plural de los mandatos!

> **MODELO**
>
> **Bueno, primero decidan cuál va a ser el tema de la composición. Tengan en cuenta la información que tienen. Busquen datos adicionales sobre el tema antes de comenzar. Después, dividan el trabajo entre los miembros del grupo.**

Vocabulario para conversar

Expresar compasión, sorpresa y alegría

¡No te vas a creer lo que me acaba de pasar!

¿Qué? ¡Cuéntame!

¡Me han tocado tres millones en la lotería!

¿De verdad? ¡No me digas! ¡Qué suerte tienes!

Expresar compasión

¡Pobre hombre/ mujer!	*Poor man/woman!*
¡Qué desgracia!	*What a bad luck!*
Me puedo poner en tu lugar.	*I can see your point/I can sympathize.*
Comprendo muy bien tu situación.	*I really understand your situation.*
Mi más sentido pésame.	*My deepest sympathy (at a funeral).*

Expresar sorpresa

¿De verdad?	*Really?*
¿En serio?	*Are you serious? Really?*
¡No me digas!	*No way! Get out of here!*

Expresar alegría

¡Cuánto me alegro!	*I'm so glad!*
¡Qué bueno! ¡Qué bien!	*Great!*
Pues, me alegro mucho.	*Well, I'm really glad.*

 4–36. Palabras en acción. ¿Cómo pueden responder a estos comentarios?

1. Tu amigo/a: Cuando venía a clase me caí y me rompí una pierna.
2. Tu abuela de 70 años: ¡Estoy embarazada!
3. Tu madre: ¡Nos ha tocado la lotería!
4. Tu profesor: Has sacado una A en el examen.
5. Un/a amigo/a especial: ¿Te quieres casar conmigo?

4-37. Reacciones. En parejas, sigan las instrucciones a continuación para describir algunas situaciones interesantes con las que practicar las expresiones anteriores.

Estudiante A: Tú inicias la actividad. Descríbele los dibujos a tu compañero/a y escucha su reacción a cada descripción. ¿Te parecen adecuadas sus reacciones?

Estudiante B: Tu compañero/a inicia la actividad. Escucha sus descripciones y reacciona con una expresión apropiada. Después, descríbele tus dibujos a tu compañero/a e indica si las expresiones que usó te parecen apropiadas o no.

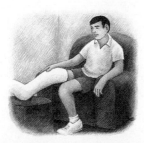 

La Sagrada Familia con Santa Ana y el niño Juan Bautista, de El Greco (Domenikos Theotokopoulos)

Conocido como El Greco, Domenikos Theotokopoulos nació en Creta, Grecia, hacia el año 1541. En 1577 se documentó por primera vez su presencia en Toledo, España, ciudad en la que permaneció hasta su muerte en 1614. Puede decirse que la mitad de su vida transcurrió en Toledo.

La Sagrada Familia con Santa Ana y el niño Juan Bautista, de El Greco, Museo de Santa Cruz, en Toledo, España.

 4–38. Mirándolo con lupa. En parejas, observen el cuadro con atención y después, respondan a las siguientes preguntas.

1. Describan a las personas que ven en el cuadro: ¿dónde está cada persona con respecto a la persona más cercana? ¿qué tipo de ropa llevan? ¿cómo es la expresión de las caras de estas personas?

2. Describan los colores: ¿son predominantemente oscuros o claros? ¿qué color o gama de colores predomina?

3. El tema de este cuadro, ¿es religioso o pagano? Justifiquen su respuesta.

4. ¿Qué sentimiento les producen o comunican las imágenes de este cuadro? ¿alegría? ¿tristeza? ¿tensión? ¿paz? ¿Les inspira contemplación espiritual? ¿Sienten lo mismo al mirar el cuadro? Si no es así, ¿cuáles son las diferencias?

Nuestras celebraciones

Lectura

Entrando en materia

4–39. Vocabulario: Antes de leer. Encuentren estas expresiones en la lectura y, según el contexto en que se encuentran, determinen qué opción describe mejor su significado.

1. El origen de la feria **se pierde en la historia.**
   a. No se conoce bien el origen de los Sanfermines.
   b. El origen de la feria es muy concreto.

Por si acaso

Los Sanfermines

La fiesta de San Fermín, o los Sanfermines, se celebra todos los años en Pamplona, España. La feria dura una semana y su componente más conocido es el encierro. La fiesta es popular a nivel internacional y son varios los estadounidenses que han participado en el encierro.

2. Las fiestas **se trasladaron** a julio.

   a. Los organizadores de la feria cambiaron la fecha de la celebración.

   b. Las fiestas siempre se celebraron en el mes de julio.

3. Las ferias taurinas consistían en la celebración de **corridas de toros.**

   a. Tradición en la que una persona corre delante de un toro.

   b. Tradición en la que una persona se enfrenta a un toro con el objetivo de matarlo.

4. **Poco a poco** se le fueron sumando otras actividades a la fiesta.

   a. lentamente, progresivamente

   b. un objeto pequeño

5. Los festejos incluyen **fuegos artificiales.**

   a. Es un tipo de fuego que no es real.

   b. Se usan en celebraciones especiales (como el 4 de julio) y llenan el cielo de luz y color.

6. La **aglomeración** es uno de los problemas de la celebración.

   a. Un enorme número de personas acude a la Fiesta de San Fermín.

   b. Mucha gente asiste a la iglesia durante la fiesta.

7. Las ferias **impactaron** a Hemingway.

   a. Fiesta de San Fermín tuvo mucho impacto en Hemingway.

   b. Hemingway no tuvo mucho interés en la fiesta.

8. El Ayuntamiento de Pamplona **rindió** un homenaje a Hemingway.

   a. El gobierno de Pamplona invitó a Hemingway a visitar la fiesta.

   b. El gobierno de Pamplona le ofreció un homenaje a Hemingway.

Por si acaso

corrales	*cattle pen*
lidia	*bullfighting*
manadas	*herds*
mansos	*tame*
pregón	*announcement*
riesgo	*risk*
taurino	*related to bulls*
tramo	*section*
trayecto	*distance*
vallada	*fenced in*

7 de julio, San Fermín

El origen

El origen de esta fiesta, **se pierde en la historia.** Hay crónicas de los siglos XIII y XIV que ya hablan de los Sanfermines, que hasta el siglo XVI se celebraron en octubre, coincidiendo con la festividad del santo, pero que **se trasladaron** a julio debido a que el clima en octubre era bastante impredecible.

Según los historiadores, los Sanfermines no nacieron espontáneamente sino que surgieron de la unión de tres fiestas distintas: las de carácter religioso en honor a San Fermín, las ferias comerciales organizadas a partir del siglo XIV, y las ferias taurinas que consistían en la celebración de **corridas de toros,** también desde el siglo XIV.

Poco a poco, a la conmemoración de San Fermín que se celebraba el 10 de octubre, se le fueron incorporando otros elementos como músicos, danzantes, comediantes, puestos de venta y corridas de toros. Esto motivó a que el Ayuntamiento de Pamplona le pidiera al obispo el traslado de la fiesta de San Fermín al 7 de julio, cuando el clima es más adecuado.

Así, con la unión de los elementos de las tres fiestas y con el traslado de fecha, en 1591 nacieron los Sanfermines, que en su primera edición se prolongaron durante dos días y contaron con pregones, músicos, torneos, teatro y corridas de toros. En años sucesivos se incluyeron nuevos festejos como **fuegos artificiales** y danzas, y las fiestas se extendieron hasta el día 10 de julio.

En el siglo XX los Sanfermines alcanzaron su máxima popularidad. La novela *The Sun Also Rises (Fiesta)*, escrita por Ernest Hemingway en 1926, animó a personas de todo el mundo a participar en las fiestas de Pamplona y vivir de cerca las emociones descritas por el escritor norteamericano. El interés que hoy despiertan los Sanfermines es tan grande que la **aglomeración** es uno de los principales problemas de esta celebración. Ⓜ¹

El encierro (o la encerrona)

El encierro es el evento que más se conoce de los Sanfermines y el motivo por el que muchos extranjeros llegan a Pamplona el 6 de julio. Básicamente consiste en correr delante de los toros un tramo de calle convenientemente vallada, y tiene como fin trasladar a los toros desde los corrales de Santo Domingo hasta los de la Plaza de Toros donde, por la tarde, serán toreados. En total corren seis toros de lidia y dos manadas de toros mansos, y el trayecto, que transcurre por diferentes calles del Casco Viejo de la ciudad, mide 825 metros de largo. La peligrosa carrera, que se celebra todas las mañanas del 7 al 14 de julio, comienza a las 8:00 de la mañana, aunque los corredores deben estar preparados para el recorrido antes de las 7:30 de la mañana.

La carrera tiene una duración media de tres minutos, que se prolongan si alguno de los toros se separa de la manada. Aunque todos los tramos son peligrosos, la curva de la calle Mercaderes y el tramo comprendido entre la calle Estafeta y la plaza son los que más riesgo representan.

Actualmente, la aglomeración es uno de los principales problemas del encierro y aumenta el peligro de la carrera, en la que los participantes no deberán correr más de 50 metros delante de los toros. El resto del recorrido deben hacerlo detrás de los toros.

Todos los tramos del recorrido están vigilados por un amplio dispositivo de seguridad y atención médica. No obstante, la peligrosidad de la carrera ha hecho que entre 1924 y 1997 se haya registrado un total de 14 muertos y más de 200 heridos. Ⓜ²

¹Ⓜomento de reflexión
Selecciona la opción que resume mejor el origen de la Fiesta:
❏ 1. La fiesta tuvo origen en el siglo XIV y tenía caracter religioso, comercial y taurino.
❏ 2. La Fiesta tiene su origen en el siglo XX.

²Ⓜomento de reflexión
¿Verdadero o falso?
__ 1. El encierro tiene como objetivo llevar a los toros desde los corrales hasta la plaza de toros.
__ 2. El encierro es la parte más popular y mejor conocida de la fiesta.
__ 3. Los participantes en el encierro corren aproximadamente una milla delante de los toros.

CONSEJOS ÚTILES

Además de ser el evento más conocido de los Sanfermines, el encierro también es el más peligroso. Para procurar que la carrera transcurra fluidamente y evitar peligros, conviene que los espectadores y los corredores tengan en cuenta unas mínimas normas que garanticen el normal transcurso del encierro.

1. Se prohíbe la presencia en el trayecto de menores de 18 años, con exclusión absoluta del derecho a correr o participar.
2. Se prohíbe desbordar las barreras policiales.
3. Es necesario situarse exclusivamente en las zonas y lugares que expresamente señalen los agentes de la autoridad.
4. Está absolutamente prohibido resguardarse en rincones, ángulos muertos o portales de casas antes de la salida de los toros.
5. Todos los portales de las casas en el trayecto deben estar cerrados, siendo responsables de ellos los propietarios.
6. Se prohíbe permanecer en el recorrido bajo los efectos del alcohol, de drogas o de cualquier forma impropia.
7. Se debe llevar vestuario o calzado adecuado para la carrera.
8. No se debe llamar la atención de los toros en el itinerario o en el ruedo de la plaza.
9. Se prohíbe pararse en el recorrido y quedarse en el vallado, barreras o portales, de forma que se dificulte la carrera o defensa de los corredores. Ⓜ

> **Ⓜomento de reflexión**
>
> ¿Verdadero o falso?
> — 1. Para poder participar en el encierro es necesario respetar las regulaciones de las autoridades, llevar ropa adecuada y no beber alcohol o comsumir drogas.
> — 2. Los participantes en el encierro pueden pararse a descansar en cualquier lugar del recorrido.

Hemingway y los Sanfermines

Ernest Hemingway (1899–1961) llegó por primera vez a Pamplona, procedente de París, el 6 de julio 1923, recién iniciadas las fiestas de San Fermín. El ambiente de la ciudad y, en particular, el juego gratuito del hombre con el toro y con la muerte le **impactaron** tanto que la eligió como escenario de su primera novela importante *The Sun Also Rises (Fiesta)*, publicada tres años después. El estadounidense regresó a los Sanfermines en ocho ocasiones más, la última en 1959, cinco años después de obtener el premio Nobel de Literatura y dos años antes de poner fin a su vida en Ketchum, Idaho.

El Ayuntamiento de Pamplona **rindió** un homenaje a Ernest Hemingway el 6 de julio de 1968, con la inauguración de un monumento en el paseo que lleva su nombre, junto a la Plaza de Toros, acto al que asistió su última esposa,

Mary Welsh. El monumento, obra de Luis Sanguino, lleva en su base la siguiente dedicatoria: "A Ernest Hemingway, Premio Nobel de Literatura, amigo de este pueblo y admirador de sus fiestas, que supo descubrir y propagar.

La Ciudad de Pamplona, San Fermín, 1968". (M)

> **M**omento de reflexión
>
> Selecciona la opción que resume mejor esta parte.
> _ 1. Hemingway asistió a los Sanfermines en muchas ocasiones y se inspiró en la feria para escribir una de sus obras.
> _ 2. La ciudad de Pamplona tiene mucho respeto y consideración por el famoso escritor.
> _ 3. Hemingway asistió personalmente a la inauguración en Pamplona del monumento en su honor.

 4–40. ¿Comprendieron? En grupos de cuatro, respondan oralmente a todas las preguntas de la tabla. Tienen cinco minutos para preparar sus respuestas. Después, su instructor/a va a hacer preguntas. El grupo que primero responda a cinco preguntas gana.

El origen	El encierro	Consejos útiles	Hemingway
¿Por qué se cambió la fecha de la feria de octubre a julio?	¿En qué consiste el encierro?	¿Quiénes pueden participar en el encierro?	¿Cuándo visitó el escritor la feria por primera vez?
¿Cuáles fueron los tres componentes que dieron origen a la feria?	¿Son bravos todos los toros que participan en el encierro?	¿Por qué está prohibido pararse o meterse en portales durante la carrera?	¿Qué obra suya está inspirada en la feria?
¿Qué hecho motivó la popularidad internacional de los Sanfermines?	¿A qué hora tienen que estar preparados los corredores?	¿Es aceptable llamar la atención de los toros durante el trayecto? ¿Por qué?	¿Cuántas veces visitó Hemingway Pamplona durante la feria?
	¿Qué distancia deben correr los participantes?		¿Quién asistió al homenaje que le hizo al escritor el Ayuntamiento de Pamplona?
	¿Por qué es la aglomeración un problema en los Sanfermines?		

4-41. Vocabulario: Después de leer. Escriban cinco recomendaciones para alguien que tiene la intención de participar en un encierro. Usen la información de la lectura y los mandatos que han estudiado en este capítulo. Usen también el siguiente vocabulario:

poco a poco   fuegos artificiales   aglomeración   impactar   corrida de toros

Ven a conocer

4-42. Anticipación. Lean los títulos del folleto turístico. Observen las fotos y completen estas ideas según lo que ustedes anticipan.

1. El panfleto turístico da información sobre un país que se llama...
2. El panfleto habla sobre...
3. La sección "Las reglas de la Tomatina" nos va a dar información sobre...

Por si acaso

La fiesta de la Tomatina ha inspirado el nombre de una cadena de restaurantes de EE.UU. que lleva el mismo nombre.

La Tomatina:
Fiesta del tomate en Buñol, España

El pueblo español de Buñol tiene una larga historia que se remonta a más de 50 mil años. Sin embargo, en la actualidad es conocido por una fiesta que se celebra desde hace sólo 60: la Tomatina. Es uno de los días más célebres del calendario de la región valenciana, en el que se lleva a cabo la lucha vegetal más grande del mundo con 40 mil personas y 200 toneladas de tomates.

Se celebra a finales de agosto cuando comienzan a llegar los turistas. No es que el clima sea mejor en esa época del año, tampoco es el comienzo de un festival cultural... Es el inicio de la Tomatina: una de las fiestas más divertidas de toda España y, por qué no, del mundo. Hacen falta sólo dos cosas para poder celebrar la Tomatina: muchos tomates y mucha gente. Los tomates los provee el ayuntamiento *(city hall)*.

Historia de la Tomatina

Hay muchas versiones sobre el origen de la Tomatina. La versión oficial es que el último miércoles de agosto de 1945 unos jóvenes, que estaban reunidos en la plaza del pueblo de Buñol, empezaron una pelea con otro grupo de jóvenes. La pelea empezó con empujones y puñetazos pero uno de los jóvenes agarró tomates de una tienda de verduras, que tenía cajas de vegetales y frutas en la calle, y empezó a usarlos como munición. De esta manera, la pelea que empezó a puñetazos, derivó en pelea a tomatazos. Al año siguiente, el tercer miércoles de agosto, estos jóvenes conmemoraron la pelea de tomates con otra pelea de tomates, pero esta vez trajeron sus propios tomates. Esta tradición continuó un año y otro, pero a principios de la década de 1950, las autoridades prohibieron la Tomatina. Finalmente, la celebración de la Tomatina se hizo oficial en 1957 y el mismo ayuntamiento la promociona y la usa para desarrollar el turismo del área de Buñol. Esta celebración es hoy tan importante que en 2008 tuvo lugar en Buñol el primer simposio de la Tomatina.

LAS REGLAS DE LA TOMATINA

Si pensaron que estaba todo permitido, casi aciertan. Pero la verdad es que para mantener el orden y evitar accidentes, se han establecido algunas reglas que todos deben seguir. Son fáciles de cumplir y más fáciles de aprender:

1) No está permitido llevar objetos que puedan producir accidentes, como por ejemplo botellas de vidrio.

2) Los tomates deben ser aplastados antes de ser lanzados para que no le hagan daño a nadie.

3) Los participantes deben empezar a lanzar tomates cuando el ayuntamiento les dé la señal y parar de lanzar cuando el ayuntamiento lo indique.

4-43. ¿Comprendieron? Completen las siguientes ideas con la información de la lectura o con su opinión.

1. El origen de la Tomatina no es claro porque...
2. Sabemos que la Tomatina es una celebración importante porque...
3. La mejor palabra para describir la Tomatina es... porque...
4. Una de las reglas de la Tomatina es que...
5. Quiero / No quiero participar en la Tomatina porque...
6. Si voy a la Tomatina, iré con...
7. En mi opinión, éstas son las características de las personas que quieren participar en la Tomatina:...

4-44. Recomienden la Tomatina. Ustedes quieren recomendarle a un amigo que visite la Tomatina. Piensen en dos o tres razones que le darían para animarle a participar en la Tomatina.

Viaje virtual

Visita http://www.revistaiberica.com/fiestas/interes_turistico.htm y ojea (*take a look at*) la lista de las diferentes fiestas que existen en diferentes lugares de España. Selecciona una de las fiestas y lee la información. Prepara un informe oral de unas 50–100 palabras. Tu informe debe incluir lo siguiente: 1) por qué te interesa la fiesta que seleccionaste, 2) un resumen de la información que leíste, 3) tu opinión sobre la calidad del sitio web.

4–45. Un artículo sobre turismo. El periódico *La Feria* te ha encargado que escribas un artículo con recomendaciones para el visitante a Pamplona durante la semana de los Sanfermines. Los lectores de tu artículo pueden ser turistas estadounidenses o de otros lugares del mundo. Tu artículo tiene como objetivo informar al lector sobre la feria y su historia y debe incluir una sección de consejos prácticos para que el turista saque el mayor partido de su visita. Para escribir este artículo debes convertirte primero en un "experto" en los Sanfermines. Consulta Internet u otras fuentes en la biblioteca para poder ampliar tus conocimientos sobre esta fiesta.

Preparación

1. Determina cuáles son los objetivos de esta composición:

   _____ describir la realidad cultural estadounidense

   _____ analizar la actitud de la gente hacia las corridas de toros

   _____ convencer al lector de un punto de vista determinado

   _____ narrar una historia

   _____ informar al lector

   _____ resumir las fuentes sobre esta celebración

   _____ reportar información

   _____ una combinación de dos o más de los objetivos listados arriba

2. Decide a qué tipo de lector va dirigida tu composición:

   _____ el público en general

   _____ estudiantes de español

   _____ turistas estadounidenses

   _____ turistas de todo el mundo

   _____ estudiantes de antropología

   _____ profesores de Historia

   _____ otros _____

3. Basándote en la información obtenida en tu investigación sobre el tema, ¿qué información vas a incluir en tu artículo? Escribe una lista de las ideas que puedes incluir.

4. Piensa cómo vas a organizar las ideas:

   a. ¿Cuál es el título de mi artículo?

   b. ¿Qué información voy a incluir en la introducción?

   c. ¿Qué tema/s voy a incluir en cada párrafo?

   d. ¿Qué información voy a incluir en la conclusión?

Más allá de las palabras

A escribir

1. Escribe una introducción que capte el interés del lector.

> **A las 8:00 de la mañana de cada 7 de julio, se pueden sentir el nerviosismo y la emoción en el ambiente del encierro de San Fermín, en Pamplona.**

2. Desarrolla el cuerpo de tu artículo. Puedes seguir la estructura siguiente:
   a. Describe la historia de la feria con cierto detalle.
   b. Resume los aspectos más importantes de la feria.
   c. Ofrécele al lector una serie de recomendaciones para disfrutar al máximo de su visita.

3. Escribe una conclusión resumiendo el tema.

> **Espero que el lector tenga ya la información necesaria para sentirse cómodo en la feria. Ahora sólo le falta hacer las maletas y presentarse en Pamplona el 7 de julio. ¡Viva San Fermín!**

Revisión

Escribe el número de borradores que te indique tu instructor/a y revisa tu artículo usando la guía de revisión del Apéndice C. Escribe la versión final y entrégasela a tu instructor/a.

El escritor tiene la palabra

Sor Juana Inés de la Cruz (1651–1695)

Sor Juana Inés de la Cruz es una de las pocas escritoras de su tiempo. Nació en México y se crió entre los libros de la biblioteca de su abuelo. Ya desde muy joven, antes de cumplir los veinte años, decidió dedicarse a la vida religiosa e ingresó en un convento de la orden de San Jerónimo. Su escritura se clasifica dentro del periodo literario llamado Barroco, que se caracteriza por el uso frecuente de dobles sentidos. Estos dobles sentidos aparecen en el soneto *En perseguirme, Mundo, ¿qué interesas?*

4–46. Entrando en materia.

1. Identifiquen qué actividades de la siguiente lista se relacionan con los conceptos "valores espirituales" y "valores materiales":

   a. matener la forma física   **d.** hacer trabajo voluntario

   b. leer sobre temas filosóficos   **e.** pensar en el dinero

   c. practicar una religión   **f.** buscar la fama

2. Lean el título. La pregunta "¿qué interesas?" está dirigida (*addressed*) a:

   a. una persona específica   **b.** nadie específicamente

3. Lean la primera estrofa (*stanza*). Seleccionen la opción que explica mejor esta estrofa.

   a. La poeta está interesada en cosas materiales.   **b.** La poeta no quiere pensar en cosas materiales.

EN PERSEGUIRME, MUNDO, ¿QUÉ INTERESAS?

En **perseguirme**[1], Mundo, ¿qué interesas?
¿En qué te ofendo, cuando solo intento
poner bellezas en mi **entendimiento**[2]
y no mi entendimiento en las bellezas?

Yo no estimo tesoros ni riquezas;
y así, siempre me causa más contento
poner riquezas en mi pensamiento
que no mi pensamiento en las riquezas.

Y no estimo **hermosura**[3] que, **vencida**[4],
es **despojo civil**[5] de las edades,
ni riqueza me agrada **fementida**[6],

teniendo por mejor, **en mis verdades**[7],
consumir vanidades de la vida
que consumir la vida en vanidades.

4–47. Nuestra interpretación de la obra.

Lean el poema y respondan a las siguientes preguntas.

1. Identifiquen las expresiones que están relacionadas con valores materiales.
2. Identifiquen las expresiones que están relacionadas con valores espirituales.
3. La palabra "bellezas" aparece en la primera estrofa con dos significados, uno material y otro espiritual, ¿puedes identificar cuál tiene un significado material?
4. En la segunda estrofa, ¿qué palabra es casi sinónima de "gustar"?
5. En la tercera estrofa hay dos palabras que son casi sinónimas de "gustar", ¿cuáles son?
6. ¿Con qué estrofa o estrofas asocian estas afirmaciones?

   a. para la poeta la apariencia física no es importante

   b. para la poeta el dinero no es importante

   c. la poeta quiere dar disciplina a su pensamiento

4–48. Ustedes tienen la palabra.

Reescriban una de las estrofas cambiando algunas palabras o expresiones con palabras o expresiones sinónimas. Después, lean su estrofa a la clase.

---

1. *to hound*   2. *thoughts, mind*   3. *physical beauty*   4. *defeated*   5. *mundane refuse*
6. *deceiving*   7. *in my values*

los costumbres *Festejar*
las velas - candles

Vocabulario

Ampliar vocabulario

acudir en masa	*to flock to*
agarrar	*to hold*
aglomeración *f*	*crowd*
alternar	*to socialize*
asar	*to roast*
campesino/a	*peasant*
canonizar	*canonize*
chiste *m*	*joke*
corrida de toros *f*	*bullfight*
de mal gusto	*bad taste*
día festivo	*holiday*
disfraz *m*	*costume*
embarazada *f*	*pregnant*
evitarse	*to avoid*
fuegos artificiales	*fireworks*
idiosincrasia *f*	*idiosincrasy*
impactar	*to impact*
incómodo	*uncomfortable*
integral *m/f*	*integral, essential*
madrugada *f*	*dawn, daybreak*
mejilla *f*	*cheek*
perderse en la historia	*to get lost in history*
poco a poco	*little by little*
por su cuenta	*on his/her own*

rendir	*to give*
ritualizar	*to make into a ritual*
saludar	*to greet*
tamal *m*	*tamale*
tapas *f*	*snacks, appetizers*
trasladarse	*to move*
tumba *f*	*grave, tomb*
voz baja	*low voice*

Vocabulario glosado

bandera *f*	*flag*
broma *f*, truco *m*	*trick*
compartir	*to share*
desfile *m*	*parade*
despojo civil	*mundane refuse*
en mis verdades	*in my values*
entendimiento	*thoughts, mind*
fementida	*deceiving*
hermosura *f*	*beauty*
llamar a la puerta	*to ring the bell, to knock*
perseguir	*to hound*
reunirse	*to meet, to get together*
sorprender a alguien	*to surprise*
suerte *f*	*luck*
vencido/a	*defeated*

Vocabulario para conversar

Para dar explicaciones

a causa de, dado que, por motivo de	*because of, due to*
por eso, por esta razón	*for this reason*
porque, puesto que	*because*

Año nuevo
La noche de las brujas

Para expresar acuerdo enfáticamente

Creo/ Me parece que es una idea buenísima.	*I think that is a great idea.*
Eso es absolutamente/ totalmente cierto.	*That is totally true.*
Exactamente, eso mismo pienso yo.	*That is exactly what I think.*
Le/ Te doy toda la razón.	*You are absolutely right.*
Lo que dice(s) tiene mucho sentido.	*You are making a lot of sense.*
Por supuesto que sí.	*Absolutely*

Vocabulario

Para expresar desacuerdo enfáticamente

Creo/ Me parece que es una idea malísima.	*I think it is a terrible idea.*
Eso es absolutamente/ totalmente falso.	*That is totally false.*
Lo que dice(s) no tiene ningún sentido.	*You are not making any sense.*
No tiene(s) ninguna razón.	*You are absolutely wrong.*
Por supuesto que no.	*Absolutely not.*

Para expresar compasión

Comprendo muy bien tu situación.	*I really understand your situation.*
Me puedo poner en tu lugar.	*I can see your point/ I can sympathize.*
Mi más sentido pésame.	*My deepest sympathy (at a funeral).*
¡Pobre hombre/ mujer!	*Poor man/ woman!*
¡Qué desgracia!	*What bad luck!*

Para expresar sorpresa

¿De verdad?	*Really?*
¿En serio?	*Are you serious? Really?*
¡No me digas!	*No way! Get out of here*

Para expresar alegría

¡Cuánto me alegro!	*I'm so glad!*
Pues, me alegro mucho.	*Well, I'm really glad.*
¡Qué bueno! ¡Qué bien!	*Great!*

CAPÍTULO

5

NUESTRA HERENCIA INDÍGENA, AFRICANA Y ESPAÑOLA

Esta mujer guatemalteca de ascendencia maya pasa parte del día tejiendo, como lo vienen haciendo las mujeres de su cultura desde hace siglos. ¿Qué sabes tú sobre las culturas indígenas antes y después del descubrimiento de América?

Antes de 1492: La gente de América

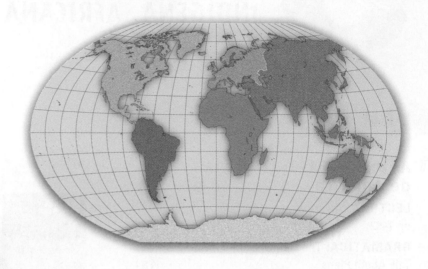

Lectura

Entrando en materia

 5–1. Repaso de geografía. En parejas, primero identifiquen todos los continentes del mapa ("Éste es...." o "Aquí está..."). Después, cada persona debe hacer una comparación entre dos de los mares y océanos según la extensión (más grande/pequeño). Finalmente, cada persona debe hacer una observación sobre la posición relativa de un continente y un mar u océano (estar al sur/norte/este/ oeste de...).

Los continentes: Norteamérica, Sudamérica, Asia, África, Europa, Oceanía, Antártida

Los océanos y mares: Atlántico, Pacífico, Mediterráneo, Caribe

5–2. Vocabulario: Antes de leer. Expliquen el significado de los cognados de la lista. Usen **una** de estas tres formas para explicar la palabra: a) sinónimos, b) antónimos, c) elaboración. Si es necesario, consulten el contexto de las palabras en negrita en la lectura o el vocabulario al final del capítulo.

1. descubrimiento
   - **a)** sinónimo   _____
   - **b)** antónimo   _____
   - **c)** elaboración   _____

2. compleja
   - **a)** sinónimo   _____
   - **b)** antónimo   _____
   - **c)** elaboración   _____

3. precolombinas
   - **a)** sinónimo   _____
   - **b)** antónimo   _____
   - **c)** elaboración   _____

4. avanzada
   - **a)** sinónimo   _____
   - **b)** antónimo   _____
   - **c)** elaboración   _____

5. jeroglífica
   - **a)** sinónimo   _____
   - **b)** antónimo   _____
   - **c)** elaboración   _____

América no fue descubierta en 1492

Antes de 1492, el continente americano estaba **habitado** por una gran variedad de grupos de personas, a los que se les llamó "indios". Cristóbal Colón llamó "indios" equivocadamente a los habitantes que encontró al llegar a América, y llamó al territorio Las Indias, creyendo que había llegado a ese lugar. Colón murió con esta idea errónea sobre las tierras que había encontrado.

La historia de los llamados indios empieza más de 30,000 años a. C. (antes de Cristo). Por consiguiente, el **descubrimiento** de América ocurrió literalmente en esta fecha y no en 1492. América comenzó a habitarse cuando unos nómadas asiáticos pasaron por un brazo de tierra que unía Asia y América. Estos primeros habitantes bajaron por el continente americano en dos o tres grandes migraciones

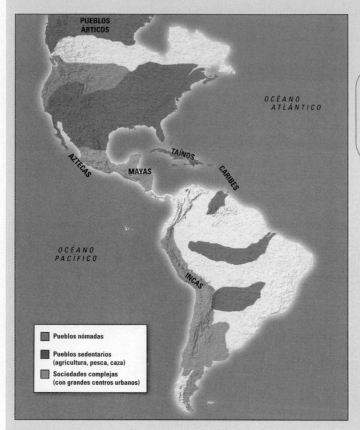

América antes de 1492

Pueblos nómadas

Pueblos sedentarios
(agricultura, pesca, caza)

Sociedades complejas
(con grandes centros urbanos)

durante un período de miles de años y así surgieron cientos de culturas diferentes. **M**

Momento de reflexión

Marca con una X la oración correcta.
- ❏ 1. *El descubrimiento de América ocurrió realmente hace unos 30,000 años.*
- ❏ 2. *Colón sabía que las tierras a las que llegó no eran Las Indias.*

La **variedad** cultural de estos grupos se manifiesta en el gran número de idiomas que hablaban. Estos pueblos indígenas hablaban un total de dos mil lenguas diferentes cuando los europeos llegaron al continente americano. Estos idiomas tenían diferencias comparables a las que existen entre el árabe y el inglés; es decir, eran muy diferentes entre sí.

La enorme diversidad de estos grupos indígenas también se manifiesta en el tipo de sociedades que desarrollaron. Los aztecas, por ejemplo, tenían una organización social **compleja** y estratificada de guerreros, comerciantes, sacerdotes, gente común y esclavos. El nacimiento determinaba el estatus del individuo y no había movilidad social. Sin embargo, otras sociedades indígenas se organizaban de forma más sencilla, sin muchas distinciones sociales rígidas. Los mayas, los incas y los aztecas constituían las sociedades **precolombinas** más **avanzadas**.

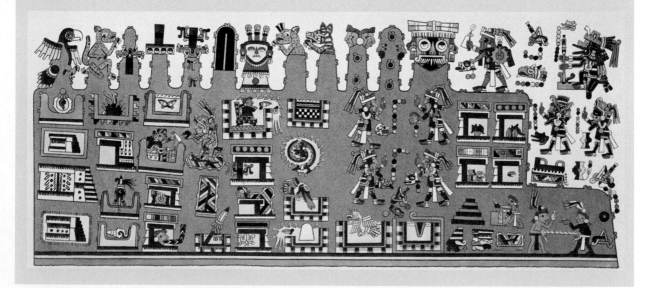

Sus ciudades tenían una población mayor que los centros urbanos europeos de la época y eran más limpias, con sistemas sofisticados de agua corriente. Los avances tecnológicos de arquitectura, agricultura y astronomía son también notables. Los mayas usaban una escritura **jeroglífica**, representaciones de palabras por medio de símbolos y figuras, y establecieron un sistema de numeración basado en veintenas que incluía el número cero. **M**

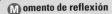 **omento de reflexión**

Marca con una X la oración correcta.
❏ 1. *Las diferentes lenguas indígenas eran muy similares.*
❏ 2. *Algunos pueblos indígenas tenían una organización social muy compleja.*

5–3. Información global. ¿Pueden responder brevemente a las siguientes preguntas sobre la lectura?

1. ¿Qué relación hay entre el título y la información de la lectura?
2. ¿Por qué el término *indio* es un término inexacto?

 5–4. Vocabulario: Después de leer. Piensen en la región de Estados Unidos donde nacieron o donde viven ahora. ¿Cómo era la sociedad indígena de esa región antes de la llegada de los europeos? Descríbanla con las características que tenía o no tenía. Escriban un párrafo usando el siguiente vocabulario para describir lo que saben de esa sociedad. Comparen sus párrafos con el de otro/a estudiante. ¿Son similares las sociedades descritas?

habitado/a   descubrimiento   variedad   complejo/a
avanzado/a   precolombino/a   jeroglífica

 5–5. Más detalles. Hagan una tabla con información de la lectura acerca de los cuatro temas que aparecen a continuación. Incluyan tantos detalles como sea posible.

- Origen de los primeros habitantes de América
- Cuándo ocurrió el descubrimiento de América
- Ejemplos de variedad cultural entre los pueblos indígenas
- Ejemplos de sociedades avanzadas

Gramática

The Future to Talk About Plans

In this section you will learn how to talk about future events and plans using the future tense. You already know a way to talk about future occurrences. Do you remember?

To form the future tense:

1. take the infinitive of a verb
2. add the endings **-é, -ás, -á, -emos, -éis, -án**

Regular Verbs

-ar verbs		-er verbs		-ir verbs	
hablar**é**	hablar**emos**	beber**é**	beber**emos**	escribir**é**	escribir**emos**
hablar**ás**	hablar**éis**	beber**ás**	beber**éis**	escribir**ás**	escribir**éis**
hablar**á**	hablar**án**	beber**á**	beber**án**	escribir**á**	escribir**án**

The irregular verbs shown below take the same future endings as the regular verbs. Note the changes in the stem.

Irregular Verbs

Drop last vowel in the infinitive		Replace last vowel in the infinitive with *d*		Other	
haber	→ **habr-**	poner	→ **pondr-**	decir	→ **dir-**
poder	→ **podr-**	salir	→ **saldr-**	hacer	→ **har-**
querer	→ **querr-**	tener	→ **tendr-**		
saber	→ **sabr-**	valer	→ **valdr-**		
		venir	→ **vendr-**		

When to Use the Future Tense

- Use the future tense in the same situations you would use future tense in English.

  Mañana mi hermana **visitará** el Museo de Historia Precolombina.

  *Tomorrow my sister **will visit** the Pre-Columbian History Museum.*

- The future tense and the expression **ir + a +** *infinitive* are interchangeable.

  Mañana mi hermana **va a visitar** el Museo de Historia Precolombina.

  *Tomorrow my sister **is going** to the Pre-Columbian History Museum.*

See *Grammar Reference 5* to learn about the use of the future tense to express probability.

5–6. Identificación. El astrólogo consejero de Moctezuma hizo algunas profecías sobre el destino de su pueblo. Lee las profecías e identifica los verbos en tiempo futuro.

"Nuestros reinos sufrirán terribles calamidades. Los invasores destruirán nuestras ciudades y nosotros seremos sus esclavos; la muerte dominará en nuestras ciudades. Tú verás toda esta destrucción porque todas estas cosas ocurrirán durante tu reinado."

5–7. ¿Qué aprenderemos? Y ya que estamos en el tema de las predicciones, ¿puedes predecir qué vas a aprender en esta unidad sobre el descubrimiento de América? Si completas el párrafo en la página siguiente, vas a averiguarlo. Los verbos de la lista te pueden ayudar a hacer tus predicciones.

encontrar   poner   venir   poder   querer   tener   escuchar   hacer

En este capítulo yo (1) _____ información sobre el nombre de América. Mis compañeros y yo (2) _____ hablar sobre la historia del descubrimiento. Después, el instructor (3) _____ un video sobre las culturas maya y azteca. Cuando estudiemos el Tema 2, toda la clase (4) _____ una miniconferencia sobre los instrumentos de exploración. Finalmente, al terminar la unidad, yo (5) _____ una composición usando el tiempo futuro.

5-8. Planes para mañana. Imagínate que mañana, por un solo día, vas a tener la oportunidad de vivir como un/a agricultor/a maya, que tiene una función importante en la estructura compleja de la sociedad. ¿Qué harás mañana? Usando los verbos de abajo, escribe una lista de dos actividades de la mañana, dos actividades del mediodía y dos de la noche. Después, comparte tus ideas con un compañero/a.

sembrar (*to plant*)	hacer	regresar	comer	rezar
preparar	salir	trabajar	sentarse	descansar

5-9. Un joven guerrero azteca. A los ocho años de edad, los varones aztecas iban al techpocalli, la escuela de entrenamiento para guerreros. A continuación tienen algunos detalles de su entrenamiento. En parejas, usen esta información y representen un diálogo entre un padre y un hijo. La persona que hace el papel de hijo debe hacer preguntas específicas sobre lo que hará durante el entrenamiento. La persona que hace de padre debe responder a las preguntas y asegurarse de que el hijo entiende sus explicaciones.

MODELO

Papá: ¿Crees que mi rutina diaria cambiará mucho?
Hijo: Tu rutina cambiará totalmente cuando comiences tu entrenamiento.

Durante los primeros días, los jóvenes se entrenan con armas de madera y cuando su entrenamiento está más avanzado, acompañan a los guerreros expertos como ayudantes. En general, la vida de los aprendices es muy dura. Tienen que aprender a ser humildes, haciendo trabajos de todo tipo y no se quejan por miedo a ser castigados. Los jóvenes pueden ir a sus casas durante algunas horas al día, pero incluso allí no pueden descansar, ya que tienen que ayudar a sus padres. En la escuela, aprenden canciones y danzas religiosas. Allí también estudian las leyes de la comunidad.

La mayoría de los aprendices tiene un comportamiento excelente, sobre todo porque se castiga con espinas (*thorns*) a los desobedientes o perezosos.

5–10. Reglas de comportamiento. Ustedes son cuatro indígenas que están muy preocupados por el comportamiento de los conquistadores en su tierra. Para evitar problemas, han decidido establecer reglas de comportamiento. Preparen un póster que incluya diez reglas básicas que todos los visitantes deben seguir.

> **MODELO**
>
> **No se casarán con nuestras mujeres.**

 5–11. En el reino de Moctezuma. ¿Recuerdan las predicciones del astrólogo de Moctezuma de la actividad 5–6? Imaginen que son súbditos de Moctezuma. ¿Qué harán para prevenir la catástrofe? ¿Qué harán los miembros de su familia? Hablen del tema para llegar a un acuerdo sobre qué hacer. Después, comparen su plan con el de otra pareja y determinen cuál de los dos tiene más probabilidades de éxito. Aquí tienen algunas sugerencias.

pedir consejo a los ancianos	hablar con Moctezuma	rezar
negociar con los europeos	emigrar a otro lugar	esconderse
luchar ferozmente contra los conquistadores	atacar al enemigo	

Vocabulario para conversar

Convencer o persuadir

We employ convincing or persuading when our points of view or desires enter in competition with those of someone else. We can persuade others by offering something in exchange on the spot, promising delivery of something in the near future, by simply presenting logical reasoning, by flattering our opponent or a combination of the four strategies. Below are some expressions that you can use while trying to persuade.

Proponer algo

Te/Le propongo este plan...   *I propose this plan . . .*

Yo te/le doy... y a cambio tú/usted me da(s) ...   *I give you . . . and in exchange you give me . . .*

Te/Le invito a cenar (en mi casa/ en un restaurante).   *Please come to dinner (at my house/at a restaurant).*

Prometer

Te/Le prometo que...   *I promise you that . . .*

Razonar en forma lógica

Tu/Mi plan tendrá consecuencias graves/   *Your/My plan will have grave/negative/positive/ beneficial*
   negativas/ positivas/ beneficiosas para...   *   consequences for . . .*

Creo que mi idea es acertada porque...   *I believe my idea is right because . . .*

Esto nos beneficiará a los dos porque...   *This will work well/be advantageous to us both because . . .*

Piensa/e lo que pasará si...   *Think about what will happen if . . .*

Alagar

Admiro tu/su inteligencia/ valentía/ dinamismo.   *I admire your intelligence/bravery/energy.*

Como siempre, tu/su lógica es admirable/ impecable.   *As usual, your ability to reason is remarkable/flawless.*

¡Qué guapo/a está(s)!   *You look great!*

Te/Le queda muy bien ese traje/ sombrero.   *That suit/hat looks great on you.*

¡Qué buen trabajo ha(s) hecho!   *What a nice job you've done!*

5–12. Palabras en acción. ¿Qué expresión será apropiada para cada una de las siguientes situaciones?

1. Tu padre comenta: Ya estoy harto de tus malas notas en la clase de español.
   Tú: _____

2. Tu compañero/a de apartamento: He decidido que me voy a cambiar de apartamento porque tú nunca quieres hablar en español conmigo y estoy cansado/a de hablar siempre en inglés.
   Tú: _____

3. Tu instructor/a: Me temo que si no preparas un buen informe sobre los mayas vas a reprobar esta clase...
   Tú: _____

4. Tu novio/a: Como no te gusta el desorden, he decidido limpiar el apartamento y ordenarlo todo. Así, tú puedes descansar.
   Tú: _____

5-13. El futuro de nuestra civilización. En parejas, representen la siguiente situación, utilizando las expresiones de la página anterior cuando sea necesario.

Estudiante A: Eres un marciano. Has llegado al planeta Tierra con intenciones hostiles. Tienes una conversación "ciberespacial" con el presidente de la Organización de las Naciones Unidas en la que le comunicas tus planes (le dices las cosas que harás). Tienes una debilidad: te gustan los nachos pero tu gente no sabe hacerlos.

Estudiante B: Eres el/la presidente/a de la Organización de las Naciones Unidas. Tienes que convencer al marciano hostil para que no destruya tu civilización. El marciano tiene una debilidad: le gustan los nachos, pero su gente no sabe hacerlos. Intenta llegar a un acuerdo pacífico y satisfactorio para ambas partes.

CURIOSIDADES

Los números mayas

Los mayas tenían un sistema de numeración vigesimal, es decir que el número 20 era la unidad básica, mientras que nuestro sistema es un sistema decimal, es decir que el 10 es la unidad básica. Otra diferencia entre el sistema maya y el nuestro se encuentra en los símbolos que usaban para representar los números.

0	1	2	3	4
5	6	7	8	9
10	11	12	13	14
15	16	17	18	19
20	21	22	23	24

5-14. Contemos. Estudien el sistema de números mayas. Observen que al llegar a 20, hay dos niveles de símbolos: el nivel superior representa el número de unidades de 20, el nivel inferior representa el número de unidades 0–20. Deben escribir la respuesta (o una posible respuesta) a estas preguntas, según el sistema numérico maya: 1) ¿Cuántos años tienes? 2) ¿Cuánto pagas por una comida para dos en un restaurante elegante? 3) ¿Cuántos alumnos se gradúan de tu escuela secundaria en un año típico? 4) ¿Cuántos años tiene el presidente actual de Estados Unidos? Ahora, léanle a la clase las respuestas de un/a compañero/a. (James tiene 19 años. James cree que el presidente tiene 52 años, etc.)

1492: El encuentro de dos mundos

A escuchar

Entrando en materia

5–15. Anticipar ideas. Mira el título de la miniconferencia en la página 189. ¿De qué tratará la miniconferencia? ¿Has estudiado antes las exploraciones al Nuevo Mundo? ¿Qué aprendiste? ¿Sabes cómo se guía un barco moderno? ¿Sabes cómo se guiaban los barcos en el siglo XV?

5–16. Vocabulario: Antes de escuchar.

A. Objetos de navegación. Lean las definiciones y después determinen qué dibujo le corresponde a cada una.

a.

d.

b.

e.

c.

f.

1. Se llaman **cuerpos celestes** porque están en el cielo. Sólo se ve un objeto celeste durante el día y se ven muchos objetos celestes durante la noche.
2. Se llama **brújula** y es un instrumento que sirve para determinar la posición del norte, sur, este y oeste.

Por si acaso

Expresiones útiles para comparar respuestas con otro estudiante

¿Qué tienes/ pusiste en el número 1/ 2/ 3?
Yo tengo/ puse a/ b.
Yo tengo algo diferente.
No sé la respuesta./ No tengo ni idea.
Creo que la respuesta es a/ b, pero no estoy seguro/a.
Creo que es cierto./ Creo que es falso.

3. Se llama **vela** y forma parte del mecanismo de los barcos que utilizan el viento como energía.

4. Se llama **reloj de arena** y sirve para medir el tiempo.

5. Se llama **mástil** y es un palo vertical que sirve para sostener la vela de un barco.

6. Se llama **reloj de sol** y sirve para determinar la hora según la luz del sol.

B. Palabras en contexto.
Lee estos segmentos que aparecen en la miniconferencia. Presta atención a las palabras en negrita y trata de adivinar su significado basándote en el contexto. Si no puedes determinar el significado exacto, escucha el texto de la miniconferencia y vuelve a intentarlo. También puedes consultar el vocabulario al final del capítulo.

1. Las **naves** se dirigieron primero a Canarias, de donde salieron el 9 de septiembre.

2. ...porque Colón pensaba que había llegado a las Indias Orientales, es decir, al territorio que **comprendía** India, Indochina y Malasia.

3. ...las tierras que encontró Colón no eran parte de las Indias Orientales **sino** otro continente desconocido.

4. La Pinta, la Niña y la Santa María son **embarcaciones**.

5. Al conocer a los indígenas, Colón les **obsequió** regalos para agradarlos.

6. Los regalos eran **collares** de **cuentas** que los indígenas podían usar para adornar el **cuello**.

Estrategia: ¿Qué sabes ya del tema?

Piensa en las predicciones una vez más. ¿Qué puedes predecir sobre el contenido del texto que vas a escuchar? Por ejemplo, el título indica que tratará sobre los instrumentos de exploración. Piensa en lo que aprendiste en tus clases de historia. ¿Qué tipo de instrumentos crees que usaban Colón y sus hombres? Después, piensa en lo que aprendiste sobre los orígenes de tu país. ¿Crees que el nombre de Amerigo Vespucci se mencionará en el texto? Dedica unos minutos a anotar tus predicciones acerca de este contenido, teniendo en cuenta lo que aprendiste sobre el tema en otras clases. Después de escuchar, vuelve a leer tu lista y modifica las predicciones que no eran correctas.

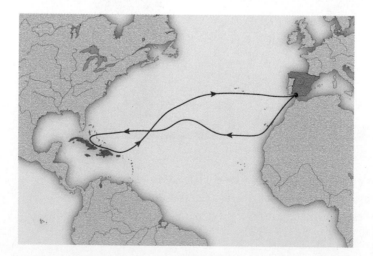

Capítulo 5 Nuestra herencia indígena, africana y española

Los instrumentos de exploración, el viaje al continente desconocido y el nombre de América

Ahora su instructor/a va a presentar una miniconferencia.

5-17. Detalles. Contesten estas preguntas sobre la miniconferencia para verificar su comprensión.

1. ¿Cuánto tiempo tardó Colón en llegar a América desde su salida del Puerto de Palos?
2. Según su diario, ¿cuál fue la primera impresión de Colón al llegar al Nuevo Mundo?
3. ¿Por qué crees que Colón llamó "indios" a los habitantes de estas tierras?
4. ¿Descubrió Colón que no había llegado a Asia sino a un continente desconocido para los europeos?
5. ¿Por qué eran las carabelas embarcaciones ideales para el primer viaje de Colón?
6. ¿Cómo sabían Colón y su tripulación (*crew*) dónde se encontraban sus embarcaciones cuando estaban en medio del Atlántico?

> **Por si acaso**
> **Fragmento del "Diario de a bordo" de Colón**
>
> *Primeras impresiones sobre los indígenas*
>
> *[...] Ellos andan todos desnudos como su madre los parió, y también las mujeres, aunque no vide más de una harto moza, y todos los que yo vi eran todos mancebos, que ninguno vide de edad de más de 30 años, muy bien hechos, de muy hermosos cuerpos y muy buenas caras, los cabellos gruesos casi como sedas de cola de caballo y cortos [...]*

Fuente: Cristóbal Colón. Diario de a bordo. En **Crónicas de América.** *Vol. 9. Edición de Luis Arranz. Madrid Historia 16, 1985.*

5-18. Vocabulario: Después de escuchar. Imaginen que acompañan a Colón en su expedición, y que tienen que enviar una nota a la reina Isabel hablando de sus impresiones del viaje y la llegada al Nuevo Mundo. Escriban una descripción breve del viaje y de sus primeras impresiones del continente, incluyendo tantas palabras de la lista como sea posible.

cuerpos celestes	embarcaciones	obsequiar	collares de cuentas
reloj de sol	brújula	comprender	

Gramática

Future and Present with *si* Clauses to Talk about Possibilities or Potential Events

You are already familiar with the present indicative tense, and you just learned the future tense in *Tema 1*. When you want to talk about an event that will happen only if certain conditions are met, you will use both the present and the future tenses in one sentence. These sentences have the following characteristics:

- In both English and Spanish, these sentences have two clauses, one in the present tense and one in the future.
- The two clauses are joined by *if* in English and **si** in Spanish.
- The *if* / **si** clause expresses the condition to be met.
- The remaining clause expresses the consequences.

Estados Unidos **colonizará** Marte en el futuro si la NASA **tiene** suficiente dinero.
        future   **present**

*The United States **will colonize** Mars in the future if NASA **has** enough money.*
        future   **present**

Can you express the sentence above switching the position of the clauses?

 5–19. Predicciones. ¿Recuerdan el documento que prepararon en la actividad 5–10 sobre el comportamiento que debían tener los conquistadores? Para asegurarse de que obedecen las normas, deben establecer las consecuencias de desobedecerlas. En parejas, revisen el documento e incluyan estas consecuencias.

MODELO

Estudiante A: **No se casarán con nuestras mujeres.**

Estudiante B: **Si se casan con nuestras mujeres, no tendrán derecho a vivir aquí.** (Opción 1)
                 No tendrán derecho a vivir aquí si se casan con nuestras mujeres. (Opción 2)

5–20. Conquistadores disidentes. Imaginen que ustedes con dos conquistadores disidentes que quieren ayudar a un grupo de indígenas a escapar de la opresión de los españoles. El dibujo de abajo representa diferentes rutas para escapar. Todas las rutas menos una tienen un obstáculo. En parejas, explíquenle al grupo de indígenas qué pasará si siguen las diferentes rutas e indiquen cuál es la mejor.

Cosas y animales: camino, serpiente, cañón, río, puente, espada
Acciones: caminar, escapar, ir por, matar, atacar, atar (*to tie*), cruzar (*to cross*)

MODELO

Si usan la ruta 1 para escapar, los morderán dos serpientes.

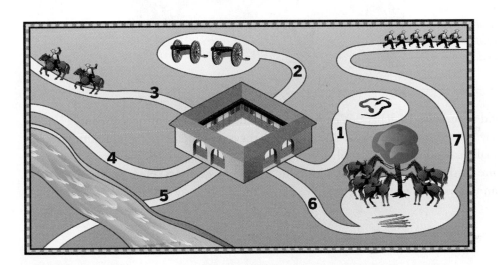

 5–21. El indígena exige respeto. Ustedes son los líderes de un grupo indígena. Han decidido dar un discurso público para alertar a su gente sobre lo que pasará si no detienen las acciones de los conquistadores. Aquí tienen el principio del discurso. En grupos de tres, deben completarlo y después, presentarlo frente a la clase. Es importante que animen a sus compañeros a defender sus derechos, que les expliquen las consecuencias de las acciones de los conquistadores y que, aun así, mantengan una actitud positiva, para mantener alta la moral del pueblo. ¡Sean tan creativos como puedan!

Queridos compañeros:

Nos dirigimos a ustedes para comunicarles el gran peligro que corremos si continuamos tratando al hombre europeo como nuestro amigo. Si estos hombres nos roban nuestro oro... Nuestra raza no será pura si... Además, nuestra lengua nativa... Otro aspecto a considerar es la salud de nuestro pueblo, si permitimos que los europeos nos transmitan sus enfermedades... Por último, debemos hablar de nuestra religión, si...

Acusar y defender

> Su Señoría, las acciones de este joven han sido totalmente inmorales e inexcusables.

> Su Señoría, la afirmación del señor fiscal es totalmente cuestionable y no está justificada con la evidencia que tenemos del caso.

Controversial issues lend themselves to debate. When a person is the center of controversy, people involved in a debate play roles similar to those of defending attorneys and prosecutors. In addition to the debaters, there's usually a moderator whose role is to maintain the debate within the limits of a civil discussion and to inquire further in order to clarify a point made by the debaters. Here are some expressions that you can use in a debate.

Acusar

La moralidad de... es muy cuestionable.	*The morality of . . . is very questionable.*
Esta persona es inmoral.	*This person has no morals.*
Las acciones de... son/ fueron irracionales.	*The actions of . . . are/were irrational.*
Las acciones de... son/ fueron inexcusables.	*The actions of . . . are/were inexcusable.*

Defender

Esa es una acusación injustificada.	*That is a groundless accusation.*
Su/Tu argumento no es convincente.	*Your argument is not convincing.*
Su/Tu argumento es débil.	*Your argument is weak.*
La información que tiene/s es incompleta.	*The information you have is incomplete.*
Eso no es verdad.	*That is not true.*
Eso es verdad pero...	*That's true but . . .*

Moderar

Es su/tu turno. Te toca a ti (le toca a usted).	*It's your turn.*
Por favor, modere/a sus/tus palabras.	*Please, moderate your words.*
¿Puede/s explicar mejor su/tu argumento?	*Can you elaborate more?*
Tengo una pregunta para ti/usted/ustedes...	*I have a question for you . . .*

5-22. Palabras en acción. Como saben, los indígenas tenían su propio sistema legal. Aunque las leyes cambian de un lugar a otro, en todos los juicios hay un acusado y un demandante o acusador. Teniendo en cuenta lo que ya saben de las culturas indígenas, completen estos diálogos con las respuestas que podría dar cada persona. Usen las expresiones anteriores siempre que sea necesario.

1. ACUSADO: No fui a cazar esta mañana porque estaba muy cansado.
   ACUSADOR: ...

2. ACUSADOR: Usted es una mentirosa, todo lo que ha dicho hasta ahora son mentiras.
   ACUSADA: ...
   MODERADOR: ...

3. ACUSADOR: Usted estuvo ayudando a los conquistadores mientras dormíamos...
   ACUSADO: Usted es un egoísta y un desconsiderado. La ley no prohíbe ayudar a los demás...
   MODERADOR: ...

4. ACUSADOR: Usted sabe que nuestras leyes prohíben que los europeos se casen con nuestras mujeres y aún así, ¡usted lo hizo!
   ACUSADO: ...

5. ACUSADOR: Nuestro pueblo ha sufrido mucho y la moralidad de este gobierno ha sido muy cuestionable. Por eso...
   ACUSADO: Déjeme responder. Usted ha hablado mucho tiempo de cosas sobre las que no sabe nada...
   MODERADOR: ...

5-23. Colón en el banquillo (*bench*). En grupos de cuatro, preparen una representación de un juicio del año 1500. Colón está siendo juzgado por los indígenas, por los daños que causó a su tierra y su pueblo. Un/a estudiante va a representar a Colón; otro/a va a hacer de abogado/a defensor/a; la tercera persona va a ser el/la fiscal (*prosecutor*) y la cuarta persona será el/la juez. Preparen sus argumentos y después, representen su juicio frente a la clase (la clase será el jurado que tomará la decisión final sobre la sentencia de Colón).

Estudiante A: Eres el/la abogado/a defensor/a de Colón. Aquí tienes notas para argumentar tu defensa.

Trajo a América animales domésticos: caballos, cerdos, ovejas, pollos, perros y gatos.
Llevó a Europa patatas, maíz, tomates, chocolate, tabaco.
El comercio del tabaco enriqueció a muchas personas.
Llevó mucho oro a Europa.
Aumentaron los conocimientos geográficos.
El oro permitió la construcción de muchos edificios históricos.
...?

Llevó tabaco a Europa.
Los indígenas perdieron sus tierras.
Muchos indígenas murieron por malos tratos y enfermedades.
Los indígenas tuvieron que aprender español.
Los indígenas perdieron su religión.
...?

Estudiante B: Eres el/la fiscal. Aquí tienes notas para argumentar tu acusación.

Estudiante C: Eres el/la juez (*judge*). Debes moderar el debate, indicar cuándo es el turno de cada persona, hacer preguntas y escuchar la decisión del jurado (la clase) sobre si Colón es inocente o culpable, y determinar una sentencia apropiada.

Estudiante D: Eres Cristóbal Colón. Expresa tu reacción a los comentarios de los abogados y el/la juez. Pide la palabra y defiende tu espíritu aventurero. Explícale al jurado todas las dificultades por las que pasaste y háblale sobre todos los hombres que murieron en el trayecto.

CURIOSIDADES

Menú de a bordo

¿Qué comían durante sus viajes los miembros de la tripulación colombina? El historiador Julio Valles publicó un libro titulado *Saberes y sabores del legado colombino* y en su capítulo II, "Comer en el mar", relata lo que se comía en las naves de Colón.

He aquí la lista de 'bastimentos' para el cuarto y último viaje colombino, que partió de Cádiz el 11 de mayo de 1502 con cuatro navíos y 150 hombres:

dos mil arrobas* de vino

ochocientos quintales* de bizcocho (*biscuits*)

doscientos tocinos (*salt pork*)

ocho barriles de aceite

ocho barriles de vinagre

veinticuatro vacas encecinadas (*cured*)

ochenta docenas de pollos

sesenta docenas de pescados

dos mil quesos

doce cahíces* de garbanzos (*dried chick peas*)

ocho cahíces* de habas (*dried beans*)

mostaza (*mustard*), ajos (*garlic*) y cebollas (*onions*)

Adaptado de *El Universal* Madrid, España, jueves 22 de junio de 2006

1 arroba = 15 litros; 1 quintal = 100 lbs.; 1 cahiz = 150 litros

 5–24. La dieta colombina. Estudien la lista de alimentos que se llevaron en el cuarto viaje de Colón y comenten las preguntas siguientes.

1. ¿Tuvo la tripulación de Colón una dieta equilibrada durante este viaje? Expliquen.
2. Imaginen que reciben a Colón al otro lado del Atlántico en las colonias españolas americanas y le preparan a él y a su tripulación su primera comida. Escriban el menú incluyendo comidas típicas de América.

El crisol de tres pueblos

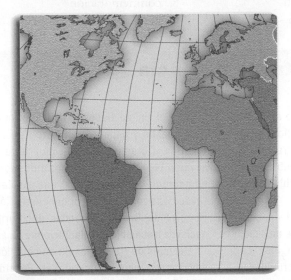

Lectura

Entrando en materia

 5–25. Anticipar ideas. Miren el título de la lectura de la página 196. ¿A qué se refiere "su triple herencia"? ¿Cuáles son los tres grupos que componen la herencia hispanoamericana? Miren el título de la lectura de la página 196. ¿Cuál es la importancia de la fecha 1992? ¿A qué se refiere la palabra "controversia"? ¿Por qué fue controvertido 1992?

5–26. Vocabulario: Antes de leer.

A. Estos fragmentos aparecen en la siguiente lectura. Presten atención a las palabras en negrita y seleccionen la definición que corresponde a cada palabra según su contexto.

Por si acaso

Expresiones útiles para comparar respuestas con otro estudiante

¿Qué tienes/pusiste en el número 1/2/3?
Yo tengo/ puse a/ b.
Yo tengo algo diferente.
No sé la respuesta./ No tengo ni idea.
Creo que la respuesta es a/ b, pero no estoy seguro/a.
Creo que es cierto./Creo que es falso.

Expresiones en contexto

1. Después de tres siglos de dominación española... Hispanoamérica es hoy el resultado de la **mezcla** de tres culturas: la europea, la indígena y la africana.

2. La herencia africana está presente fundamentalmente en las áreas **cercanas** al mar Caribe.

3. ...el indígena y el negro **reclaman** que seamos críticos de las consecuencias negativas de la invasión europea: **esclavitud** y genocidio.

Definiciones

a. sinónimo de pedir

b. antónimo de libertad

c. sinónimo de próximas, adyacentes

d. sinónimo de combinación

B. Cognados. Estas palabras se encuentran en la segunda lectura y tienen cognados en inglés. ¿Sabes cuáles son?

1. oposición
2. celebración
3. centenario

4. controversia
5. conmemoración
6. genocidio

Hispanoamérica y su triple herencia

Cuando llegaron los europeos al Nuevo Mundo en 1492, había en tierras americanas de 60 a 70 millones de habitantes. La mayoría poblaba la zona central de la cordillera de los Andes y la región que se encuentra entre Centroamérica y México. Se trataba de los pueblos inca, maya y azteca.

Cincuenta años después, más de la mitad de esta población indígena había perecido y, después de un siglo, sólo quedaba un cuarto de la población original. La muerte de tantos indígenas se ha atribuido a la crueldad y malos tratos de los españoles. Sin embargo, ciertas enfermedades importadas de Europa, como la viruela y el sarampión, también contribuyeron a la desaparición de la población indígena, la cual no tenía defensas inmunológicas contra tales enfermedades.

Con el fin de hacerse con más mano de obra, los portugueses y españoles llevaron esclavos africanos a América. Durante los tres siglos anteriores a 1850, se llevaron 14 millones de esclavos africanos a Latinoamérica, comparado con los 500,000 que se llevaron a Estados Unidos. Las zonas de mayor concentración africana fueron el norte de Brasil y las islas del Caribe, donde estos esclavos trabajaban en plantaciones de azúcar.

Después de tres siglos de dominación, España perdió sus últimas colonias americanas, Puerto Rico y Cuba, en 1898. Después de cinco siglos, Hispanoamérica es hoy el resultado de la **mezcla** de tres culturas: la europea, la indígena y la africana. Junto a la lengua española, se hablan otras lenguas indígenas. Entre 20 y 25 millones de indígenas hablan su lengua nativa además del español. Aunque la mayoría de la población indígena es bilingüe, existen comunidades en las que sólo se habla la lengua indígena. Las lenguas nativas más habladas son el quechua y aymará en Perú, Bolivia y Ecuador; el chibcha en Colombia, el mam y quiché en Guatemala, y el náhuatl y el maya en México. La herencia africana está presente fundamentalmente en las áreas **cercanas** al mar Caribe y su influencia se observa en rituales religiosos y en manifestaciones artísticas como la música, el baile y las esculturas de madera.

1992: CONTROVERSIA DESPUÉS DE 500 AÑOS

Hacia 1515 el padre Bartolomé de las Casas escribió para el rey de España un documento de quinientas páginas en defensa de los indígenas. Este documento es una de las bases de la **oposición** a la **celebración** del *V Centenario*. Quienes se oponen a la celebración consideran que los europeos no descubrieron América sino que la invadieron, dando lugar al genocidio de millones de nativos en todo el continente.

La **controversia** sobre la **conmemoración**, que ha causado tantas reacciones diversas, reside en nosotros mismos. Mientras el español que llevamos dentro quiere que celebremos el *V Centenario*, el indígena y el negro **reclaman** que seamos críticos de las consecuencias negativas de la invasión europea: **esclavitud** y **genocidio**.

Fuente: "El otro punto de vista", *Más*, mayo-junio 1992, vol. IV, No. 3, p. 75

5-27. Vocabulario: Después de leer. En parejas, representen la siguiente situación. Uno de ustedes defiende la perspectiva indígena respecto al *V Centenario*. La otra persona defiende la perspectiva española. Primero, cada uno debe escribir cuatro argumentos a favor de su perspectiva usando palabras de la lista. Después, cada persona lee sus argumentos, uno por uno, y la otra responde.

reclamar	esclavitud	mezcla	oposición	conmemoración
genocidio	centenario	celebración	controversia	

5-28. Astrología. Ustedes dos trabajan como astrólogos reales en la corte de los Reyes Católicos, Isabel y Fernando, y tienen que presentar predicciones astrológicas sobre el futuro de su reinado. Ustedes usan los signos del zodiaco para predecir el futuro. Sigan estos pasos para preparar sus predicciones.

1. Isabel nació el 27 de abril de 1451. Era Tauro. Fernando nació el 2 de marzo de 1452. Era Piscis. Usen estos datos para escribir predicciones para cada uno, usando el vocabulario de *Por si acaso*, cuando sea posible.

Por si acaso

beneficiarse	*to benefit*
construir	*to build*
destruir	*to destroy*
estar	*to be*
obligado/a a	*obligated*
hacer daño	*to hurt*
justicia	*justice*
progresar,	*to make*
mejorar	*progress,*
	to improve

MODELO

> **Tauro: La Reina tendrá que renunciar al trono por maltratar a los indígenas.**

2. Después de leer sus predicciones, los Reyes Católicos les han pedido que predigan qué pasará si actúan de forma diferente. Incluyan una alternativa para cada predicción. Después, comparen sus documentos con los de otros estudiantes para ver si tuvieron las mismas premoniciones.

MODELO

> **Si la Reina no maltrata a los indígenas, no tendrá que renunciar al trono.**

The Conditional and Conditional Sentences to Talk About Hypothetical Events

In this section you will learn how to use the conditional tense. The forms of the conditional are easy to learn because the stems are the same as the future. To form the conditional tense:

1. take the infinitive of a verb
2. add the endings -ía, -ías, -ía, -íamos, -íais, -ían

Regular Verbs

-ar verbs	-er verbs	-ir verbs
hablaría	bebería	escribiría
hablarías	beberías	escribirías
hablaría	bebería	escribiría
hablaríamos	beberíamos	escribiríamos
hablaríais	beberíais	escribiríais
hablarían	beberían	escribirían

The irregular verbs shown below take the same conditional endings as the regular verbs.

Irregular Verbs

Drop last vowel in the infinitive		Replace last vowel in the infinitive with *d*		Other	
haber	→ habr-	poner	→ pondr-	decir	→ dir-
poder	→ podr-	salir	→ saldr-	hacer	→ har-
querer	→ querr-	tener	→ tendr-		
saber	→ sabr-	valer	→ valdr-		
		venir	→ vendr-		

Conditional Tense and Past Subjunctive in Conditional Sentences

- You use the conditional to speculate about consequences to situations that are hypothetical or contrary to fact. The conditional expresses what would happen given a situation that doesn't exist now and may be unlikely to occur. You again use the **si** clause construction but instead of present and future, you use imperfect subjunctive and conditional. The imperfect subjunctive expresses the hypothetical situation and the conditional expresses the consequences.

  Si yo **fuera** explorador, no **invadiría** nuevas tierras.

  *If I **were** an explorer, I **would not invade** new lands.*

  imperfect subj.   conditional

Other Uses of the Conditional

- You use the conditional tense to express the result of an implied condition, that is, a condition that is not spelled out in the form of a **si** clause.

  Con un millón de dólares, yo **invertiría** en expediciones a Marte.

  *With a million dollars, I **would invest** in expeditions to Mars.*

- You use the conditional to make a polite request or suggestion with verbs like **deber, desear, gustar, poder, preferir** and **querer.**

  ¿**Podrías** ayudarme con mi tarea?

  Would/Could you help me with my homework?

See *Grammar Reference 5* **for the use of the conditional to indicate uncertainty and probability in the past.**

5–29. Identificación. Lee los ejemplos siguientes e identifica el uso del condicional: 1) resultado de una condición no real *(contrary to fact)* (expresada con imperfecto del subjuntivo en una cláusula con "si"), 2) resultado de una condición implícita, 3) petición cortés.

1. Con un billete de avión, llegaríamos a Cuzco en diez horas.
2. Me gustaría leer más sobre los aztecas. ¿Podría usted sugerir un buen libro?
3. Si pudiera conversar con Colón, le preguntaría sobre las condiciones sanitarias en las carabelas.
4. Antes de viajar a México, yo estudiaría las civilizaciones indígenas precolombinas.
5. Nos perderíamos en mar abierto si no tuviéramos instrumentos de navegación sofisticados.
6. ¿Preferirías tomar una clase de historia medieval europea o historia precolombina?

 5–30. Situaciones hipotéticas. Cada una de las siguientes situaciones representa una realidad errónea *(contrary to fact)*. Por lo tanto, todas se expresan con una cláusula con "si" y un verbo en el imperfecto del subjuntivo. Imaginen una consecuencia para cada situación hipotética y escríbanla.

1. Si los conquistadores se interesaran por las culturas indígenas,...
2. Si los seres humanos no discriminaran a las diferentes razas,...
3. Si Colón estuviera vivo hoy en día,...
4. Si todos compartiéramos un idioma universal,...
5. Si los indígenas tuvieran armas nucleares,...
6. Si nadie matara en nombre de la religión,...

5-31. Un futuro incierto. ¿Qué pasaría si nos visitaran los extraterrestres? ¿Creen que se comportarían como los conquistadores europeos? ¿Creen que nos tratarían como los colonizadores trataron a los indios americanos? Si ustedes fueran los embajadores encargados de recibir a los extraterrestres, ¿qué harían para darles la bienvenida, cómo los tratarían, qué precauciones tomarían para proteger a los ciudadanos (ya que no conocen las intenciones de los visitantes) y qué tratos harían con los extraterrestres para mantener la paz en la galaxia?

MODELO

Si nosotros fuéramos los encargados de recibir a los extraterrestres, planearíamos todos los detalles de la visita cuidadosamente.

 5-32. Si descubriéramos un planeta habitable... En grupos de cuatro, imaginen las consecuencias del descubrimiento de otro planeta con agua y una atmósfera compatible con la vida. El nuevo planeta representaría una oportunidad para desarrollar una sociedad ideal sin todos los problemas que tenemos aquí en nuestro planeta Tierra. ¿Cómo sería la nueva sociedad en ese planeta?

1. Dos de ustedes deben hacer una lista de cuatro elementos que NO habría en la nueva sociedad y dos de ustedes deben hacer una lista de cuatro características que tendría la sociedad. Para redactar su lista, piensen en las categorías siguientes: educación, relaciones raciales, trabajo, economía, justicia/crimen, gobierno, ocio, viviendas.

2. Los dos grupos deben comparar sus listas para encontrar ideas similares en las diferentes categorías usando las siguientes expresiones:

   ¿Tienen ustedes una idea para la educación/gobierno/viviendas/etc.? ¿Cuál es?

   Nosotros también dijimos que habría.../las personas tendrían.../etc.

3. Compartan con la clase dos de sus ideas similares.

 5-33. Reacción en cadena. En grupos de cuatro personas, siéntense formando un círculo. Van a jugar un juego en que cada persona inventa una consecuencia de una situación. La situación original es "ganarse la lotería." Una persona comienza la cadena diciendo "Si me ganara la lotería..." y añade una consecuencia con el verbo en el condicional. La siguiente persona usa la información de la consecuencia como la nueva situación e inventa otra consecuencia, y así sucesivamente.

MODELO

Estudiante A: Si me ganara la lotería, yo me compraría una casa en Chile.
Estudiante B: Si me comprara una casa en Chile, invitaría a mis amigos.
Estudiante C: Si invitara a mis amigos, invitaría también a mis padres.
Estudiante D: Si invitara a mis padres, mi madre reorganizaría todos mis muebles.
Estudiante E: Si ...

VocabularIo para conversar

Iniciar y mantener una discusión

Esta nueva forma de vestir que nos exige el decano a los profesores va a ser un tema muy controvertido.

Exactamente. Eso mismo pienso yo.

UNIVERSIDAD SABELOTODO

Iniciar y mantener una discusión

¿Qué piensa/s de...?	*What is your opinion of . . . ?*
¿(No) Cree/s que...?	*Do (Don't) you believe that . . . ?*
¿No te/le parece un buen tema?	*Doesn't it seem like a good topic?*
¿Cuál es tu/su reacción ante...?	*What is your reaction to . . . ?*
Es un tema muy controvertido pero...	*It is a very controversial topic, but . . .*
Es verdad.	*It's true.*
Es exactamente lo que pienso yo./ Eso mismo pienso yo.	*That's exactly what I think.*
Mira...	*Look . . .*
¿Bueno?	*OK?*
¿Verdad?	*Is it?, Isn't it?, Does it?, Doesn't it?*
Perdona, pero...	*Pardon me, but . . .*

5-34. Expresiones en contexto. Carmen y Mariam están hablando acerca de un problema que tiene una amiga común. Reconstruye la conversación completando los espacios en blanco con las expresiones correspondientes de la lista anterior u otras que aprendiste antes.

CARMEN: Ayer estuve toda la tarde hablando con Cristina y su novio.

MARIAM: _____ yo no sabía que Cristina tuviera novio...

CARMEN: Sí, es un chico español, es encantador. Pero la pobre Cristina está muy disgustada porque a su familia no le gusta que salga con él. Y él tiene el mismo problema con su propia familia.

MARIAM: ¿Por qué?

CARMEN: Las dos familias son muy cerradas. A la de él no le gusta que el hijo tenga una novia dominicana y de alta sociedad, y la de ella no quiere que su hija se case con un chico de la clase trabajadora.

MARIAM: ¿_____ eso es un poco exagerado? _____

CARMEN: _____ yo no lo veo exagerado, lo veo absurdo, increíble. Cristina intentó hablar con su madre, pero ése _____ en su familia, no quieren ni hablar de ello.

MARIAM: ¿Y _____ de Cristina y su novio _____ esta situación?

CARMEN: Ellos van a seguir intentando que sus familias vean las cosas de otro modo. Pero pase lo que pase, no piensan separarse.

MARIAM: ¿Tú _____ eso?

CARMEN: Creo que es lo mejor que pueden hacer. _____

MARIAM: _____

CARMEN: ¿Crees que podríamos ayudarlos?

MARIAM: Yo creo que si todos se conocieran... _____

CARMEN: ¡Pues vamos a pensar en algo!

5-35. Una discusión. En grupos de seis personas, representen una situación en la que se reúnen las dos familias del diálogo anterior. Dos personas van a representar a Cristina y a Esteban, su novio español. Otras dos personas, a los padres de Cristina, y otras dos, a los padres de Esteban. Sigan los siguientes pasos.

1. La pareja de novios debe presentar a su familia a los miembros de la otra familia.
2. Después, los padres de cada persona deben presentar las razones por las que no quieren que su hijo/a salga con la otra persona.
3. Finalmente, Cristina y Esteban deben presentar su punto de vista y explicar las razones por las que no están de acuerdo con las opiniones de sus respectivas familias.
4. Finalmente, deben hablar sobre el tema y sugerir ideas para resolver el conflicto, hasta que encuentren una solución satisfactoria para todos.

La conquista de México, de Diego Rivera

Diego Rivera, muralista y pintor mexicano, nació en 1886 y murió en 1957. Su obra se encuentra representada en edificios y museos de arte moderno de México, Estados Unidos y Francia.

Historia de México: de la conquista al futuro, 1929–35 de Diego Rivera, Palacio Nacional, Ciudad de México.

 5–36. Mirándolo con lupa. En parejas, observen el cuadro y completen las siguientes tareas.

1. Describan los objetos y los colores que observan en el cuadro.
2. Expliquen la relación que existe entre las imágenes del cuadro y el título.
3. Inventen un título diferente para el cuadro y expliquen por qué es más adecuado que el título real.
4. Finalmente, ¿cuál creen que es la relación entre el tema de este cuadro y el tema de este capítulo?

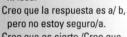

Entrando en materia

5–37. Investigar. Busquen información sobre la UNESCO y anoten los datos más importantes en un papel. Deben incluir qué función tiene esta organización en la política internacional y cuáles son sus objetivos. Si pueden, incluyan algún ejemplo específico de un proyecto que la UNESCO haya llevado a cabo en un país de habla hispana.

5–38. Vocabulario: Antes de leer. Antes de pasar a la lectura, busquen las siguientes palabras en los párrafos indicados y lean los sinónimos para aclarar su significado.

Párrafo 1	**Sinónimo**	**Párrafo 5**	**Sinónimo**
encuesta	cuestionario	diario	periódico
contundentes	fuertes	recriminaciones	críticas
Párrafo 2		estériles	inútiles
sujeción	control	inalterable	no se puede cambiar/ alterar
Párrafo 3			
puntos de vista	opiniones	fecundas	productivas
		acercamiento	estar cerca, en contacto
Párrafo 4			
detener	parar	talante	forma de ser, personalidad
pedir perdón	decir "lo siento"		

5–39. Una lectura rápida. Haz una lectura rápida del texto y determina si estas afirmaciones son ciertas o falsas. Corrige las afirmaciones falsas. Después, lee el texto otra vez prestando atención a los detalles y haciendo inferencias cuando sea posible.

1. El primer párrafo dice que la celebración del *V Centenario* es un tema controvertido.
2. El segundo párrafo dice que varias organizaciones indígenas están muy contentas con la celebración del centenario.
3. El tercer párrafo dice que el proyecto Amerindia 92, desarrollado por la UNESCO, trata de conciliar los varios puntos de vista indígenas.
4. En el cuarto párrafo, el autor opina que la creación del proyecto Amerindia 92 por la UNESCO va a tener mucho apoyo (*support*) en las comunidades indígenas.
5. El quinto párrafo dice que la UNESCO quiere encontrar una posición neutral.

Estrategia: Hacer inferencias

Muchas veces, cuando leemos una carta o un mensaje de un amigo o conocido, no sólo captamos lo que esa persona expresa con palabras, sino que también prestamos atención al mensaje que queda "entre líneas". En ocasiones, esa información que no se comunica abiertamente está implícita en el tono o las connotaciones de la información, y puede ser la más valiosa a la hora de comprender un texto. Por ejemplo, si te fijas en este segmento de la lectura:

"...el Estado español ha aportado casi ocho millones de pesetas a los programas de la UNESCO relacionados con el V Centenario. Pero no parece que esta presencia española vaya a detener los comentarios hostiles de las comunidades indígenas".

El autor en ningún momento ha dicho que la contribución monetaria de los españoles tuviera como objetivo "detener" los comentarios hostiles... sin embargo, al leer el párrafo, la impresión que recibe el lector es precisamente ésa.

"Celebremos 1991 en lugar de 1992".

"El V Centenario no representa la visión indígena de la Conquista".

"1992 es un año de reflexión y evaluación de la historia".

"Queremos oír las voces indígenas africanas".

Los indios americanos dan la espalda al V Centenario

La comisión del V Centenario ha recibido críticas severas a través de las respuestas obtenidas en una **encuesta** a 26 organizaciones de América del Norte y del Sur. Particularmente las dos preguntas que se refieren a la conveniencia o no de celebrar el V Centenario del descubrimiento de América y el papel de España en la realidad indígena han recibido respuestas **contundentes**.

Así, la organización de los indios kolla, en Argentina, propone "no celebrar los 500 años, cuando llegaron invasores de otra cultura y nos sometieron a una **sujeción** colonial". Los indios chitakolla de Bolivia dicen que "el V Centenario no puede ser un triunfalismo español u occidental".

Esta encuesta, que ha sido publicada con el título "Directorio de Organizaciones Indígenas de América", ha dado lugar al inicio de un proyecto de la UNESCO que se llamará "Amerindia 92", y que trata **puntos de vista** indígenas sobre el encuentro de dos mundos. Este proyecto cuenta con una importante presencia española: el propio director de la organización, Federico Mayor Zaragoza; Miguel Ángel Carriedo, representante del V Centenario y embajador español permanente en la

UNESCO; Luis Yanez-Barnuevo, Secretario de Estado para la Cooperación Internacional, y también el popular Miguel de la Cuadra Salcedo. Por su parte, el Estado español ha aportado casi ocho millones de pesetas a los programas de la UNESCO relacionados con el V Centenario.

Pero no parece que esta presencia española vaya a **detener** los comentarios hostiles de las comunidades indígenas. Según el movimiento Tuitsam de Perú: "No debemos festejar o celebrar el inicio y continuación de los genocidios, colonización y explotación". Otro grupo peruano, el Partido Indio AINI, propone, irónicamente, la creación de "los 500 años de resistencia anticolonial". Por su parte, la Asociación de Parcialidades Indígenas de Paraguay propone "que España **pida perdón** por todos los daños ocasionados a los pueblos indios del continente americano".

En medio de esta controversia, la UNESCO trata de colocarse en una posición intermedia similar a la que defiende el antropólogo mexicano Miguel León Portilla, uno de los participantes en "Amerindia 92". León Portilla escribía hace unos meses en un **diario** madrileño: "Más allá de **recriminaciones estériles**, porque el pasado es **inalterable**, el V Centenario tiene una significación universal, abrir la puerta a nuevas y **fecundas** formas de **acercamiento** multilateral", y haciendo gala de su **talante** conciliador citaba a Montaigne: "Nuestro mundo acaba de encontrar a otro no menos grande, extenso y fuerte".

> **M**omento de reflexión
>
> ¿Cuál de las siguientes afirmaciones es cierta según la lectura?
> ❑ 1. *Algunos grupos indígenas están en contra de la celebración del V Centenario.*
> ❑ 2. *El proyecto "Amerindia 92" es una organización formada esencialmente por representantes indígenas.*

5–40. Vocabulario: Después de leer. En parejas, una persona debe hacer las preguntas correspondientes al estudiante A y la otra debe hacer las preguntas correspondientes al estudiante B.

Estudiante A:

1. ¿Cuál es un ejemplo del texto de una respuesta contundente a la encuesta? Léemelo.
2. Explícame brevemente el punto de vista indígena sobre el V Centenario.
3. ¿Qué grupo quiere que España pida perdón por la conquista?

Estudiante B:

1. ¿Qué proyecto de la UNESCO tiene la intención de detener los comentarios hostiles de los grupos indígenas?
2. ¿Qué alternativa a las recriminaciones estériles propone León Portilla?
3. Dame dos ejemplos de cómo el mundo americano antes de 1492 era "grande, extenso y fuerte."

5–41. Más allá de 1992. Imaginen que ustedes forman parte de un panel de la UNESCO para planear "fecundas formas de acercamiento multilateral" en el futuro. Escriban una lista de tres iniciativas que ayudarán en el proceso de reconciliación. Piensen en posibles iniciativas de comunicación, educación y programas para mejorar la calidad de la vida de los grupos indígenas. Usen el tiempo futuro de los verbos para expresar las iniciativas. Compartan la información con la clase.

5–42. Anticipación. ¿Recuerdan la miniconferencia del Capítulo 1 sobre las plazas de las ciudades hispanas? En parejas, piensen en lo que aprendieron en esa miniconferencia para escribir respuestas a estas preguntas: ¿Cuál es el edificio más común de una plaza típica? ¿Cuáles son las actividades comúnmente asociadas con las plazas? Después, hagan una lectura rápida de esta lectura. ¿Se mencionan en la lectura los elementos que ustedes recordaron de la miniconferencia? ¿Qué otros edificios se mencionan en la lectura?

México, D.F.: El Zócalo

Esta plaza, con casi siete siglos de historia, constituye la sede del poder político, económico y religioso del México actual y también representa un espacio donde se mezclan el pasado indígena y el pasado colonial. En tiempos prehispánicos este sitio formaba el centro de la capital del imperio azteca, Tenochtitlán. En sus templos tenían lugar los ritos y ceremonias religiosas aztecas y en su palacio vivía el emperador Moctezuma. Los españoles conservaron la función religiosa y administrativa del lugar y construyeron su catedral sobre los restos del Templo Mayor azteca y en el lugar del palacio de Moctezuma, edificaron el Palacio del Virrey, la autoridad suprema de Nueva España. La catedral,

Randy Faris/©Corbis

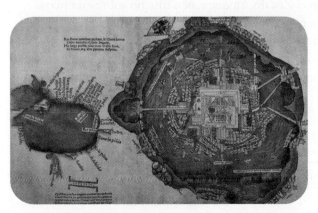

Mapa de Tenochtitlán y el golfo de México, de *'Praeclara Ferdinadi Cortesii de Nova maris Oceani Hyspania Narratio'*, de Hernán Cortés (1485–1547), 1524 (litografía, siglo XVI) / Newberry Library, Chicago, Illinois, USA, /The Bridgeman Art Library International

en su forma contemporánea, es sede de la Arquidiócesis de México y constituye la iglesia más grande de Latinoamérica. El actual Palacio Nacional es sede del poder ejecutivo mexicano. En el Zócalo se llevan a cabo las celebraciones del Día de la Independencia, bienvenidas a jefes de estado, protestas, fiestas y otros eventos culturales. De esa manera el Zócalo de la Ciudad de México es símbolo de la contemporaneidad y la herencia cultural mexicana.

ZONA ARQUEOLÓGICA Y MUSEO DEL TEMPLO MAYOR

La zona arqueológica del Templo Mayor azteca fue descubierta en la segunda mitad del siglo XX, durante las obras de construcción del metro de la Ciudad de México. Han quedado al descubierto las capas más antiguas de la pirámide que antes sostenía el doble templo de alrededor de 60 metros de altura. Fue aquí donde se encontraban los adoratorios de las más importantes deidades aztecas: Tláloc, dios de la Lluvia y por lo tanto de la agricultura, y Huitzilopochtli, dios del Sol y de la guerra. En la mitología azteca, fue Huitzilopochtli que guió al pueblo mexica a fundar Tenochtitlán y es él quien exige el sacrificio humano. En el museo se observan los artefactos encontrados entre las ruinas del Templo Mayor: ofrendas funerarias, enormes estatuas de piedra, máscaras, cráneos de los sacrificados y objetos del comercio y para adorno personal de gran belleza artística.

CATEDRAL METROPOLITANA

La Catedral Metropolitana fue construida a lo largo de tres siglos y así engloba los distintos estilos de la época virreinal: renacentista, barroco, gótico y neoclásico. Hernán Cortés colocó la primera piedra, la cual formaba antes parte del Templo Mayor azteca. En el siglo XVI, se realizó la demolición del edificio original y se iniciaron los trabajos en el interior del nuevo: la sacristía, el coro con sus dos órganos monumentales, las catorce capillas y los altares principales. El visitante puede apreciar los diversos tesoros religiosos y varias pinturas murales de la época colonial. Las obras en el exterior de la catedral se finalizaron en 1813 cuando el arquitecto Manuel Tolsá concluyó las fachadas y campanarios.

PALACIO NACIONAL

Desde épocas prehispánicas y hasta la actualidad, el lugar que hoy ocupa el Palacio Nacional en el lado este del Zócalo ha sido el centro político de mayor importancia en México. Además de su papel como edificio de ceremonias presidenciales, sus galerías están abiertas al público. Allí se guardan los famosos murales de Diego Rivera, pintados entre 1929 y 1945, que representan vívidamente la historia de México a través de miles de personajes plasmados en las paredes. El patio central del palacio también merece una visita para ver una fuente del siglo XVII, adornada con la figura mitológica de Pegaso, quien encarna las tres virtudes que deben formar parte del carácter de quien ocupe el palacio y gobierne al país: el valor, la prudencia y la inteligencia.

5–43. Recomendaciones para la visita. Ustedes van a viajar a México, D.F. con una excursión organizada por la agencia Viajes Mexica, S.A. El tercer día de la excursión visitarán el Zócalo. Ya que saben mucho sobre esta plaza, deben escribir una pequeña nota a los otros participantes con recomendaciones para su visita. A continuación tienen la lista de los participantes y sus intereses principales. Para cada individuo o pareja, incluyan dos o tres frases en su nota: las recomendaciones (Recomendamos/Sugerimos/Aconsejamos que...) y una explicación (...porque...).

Viaje virtual

Visita la página de la red del Templo Mayor: http://www. templomayor.inah.gob.mx/. Visita "EL TEMPLO", "ZONA ARQUEOLÓGICA", y dos de las salas del museo. Escribe dos notas de interés según la información de cada página. También puedes encontrar información adicional sobre el Templo Mayor y el Zócalo usando tu buscador preferido.

PARTICIPANTES	INTERÉS PRINCIPAL
Los señores Martin & Lucille Copeland	el arte
William Fludd	la arquitectura
Los hermanos Walsh (Robert & Alfred)	la historia
Virginia Silva	la arqueología

Redacción

5–44. Encuentros en la tercera fase Tú eres una figura importante de la *Asociación de Historiadores del Mundo* que trabaja en colaboración con la NASA. Para preparar a nuestra civilización para un posible contacto extraterrestre, NASA te ha pedido que escribas un informe describiendo qué pasaría si nuestra civilización y la civilización de estos extraterrestres estuvieran continuamente en contacto. Primero, elabora una descripción de esa civilización (¿Cómo es esta comunidad de extraterrestres?) y después describe qué pasaría si nuestra civilización y la suya entraran en contacto. ¡Prepárate para ser muy creativo/a!

Preparación

Piensa en los siguientes puntos:

1. ¿Quiénes son los lectores de mi composición?
2. ¿Qué título voy a usar?
3. ¿Qué información voy a incluir en la introducción?
4. ¿Qué tema/s voy a incluir en cada párrafo?
5. ¿Qué información voy a incluir en la conclusión?

A escribir

1. Al escribir tu informe recuerda lo que has aprendido en esta unidad sobre cómo formular hipótesis usando oraciones con **si**.

MODELO

Los hombres de esta civilización extraterreste se dedican exclusivamente a las tareas domésticas y al cuidado de los hijos. Las mujeres se dedican a trabajar fuera del hogar y su participación en las responsabilidades domésticas es mínima.

Si los hombres de nuestra civilización se dedicaran exclusivamente a las tareas domésticas, se formarían muchos grupos a favor del "Movimiento de Liberación de Varones".

---

2. Las expresiones de la lista te servirán para hacer transiciones entre diferentes ideas.

a diferencia de, en contraste con	*in contrast to*
igual que	*the same as, equal to*
mientras	*while*
al fin y al cabo	*in the end*
en resumen	*in summary*
después de todo	*after all*
sin embargo	*however*

Revisión

Para revisar tu informe usa la guía de revisión del Apéndice C. Después de hacer el número de revisiones que te indique tu instructor/a, escribe la versión final y entrega tu informe.

El escritor tiene la palabra

Miguel de Cúneo (c. 1450–c. 1500)

Miguel de Cúneo acompañó a Cristobal Colón en su segundo viaje a América, saliendo de España el 25 de septiembre de 1493 y volviendo en marzo de 1495. Cúneo fue amigo de la infancia de Colón en Savona, Italia, y por lo tanto también se le conoce como Miguel de Savona. Al volver del viaje, narró en una larguísima carta a un amigo varios incidentes del viaje: conflictos hostiles con los taínos y los caribes, los muchos prisioneros que los conquistadores tomaron, el descubrimiento por Cúneo de su propia isla y la violación de una joven caribe. La carta de Cúneo presenta un marcado contraste con el diario y las cartas de Colón, las cuales enfatizan la naturaleza pacífica de los índigenas y su predisposición a convertirse al catolicismo. En el diario de Colón, los conquistadores obsequian a los índigenas con regalos; en la carta de Cúneo, cometen otros actos agresivos, como por ejemplo esclavizarlos.

 5–45. Anticipación. Piensen en lo que saben de los colonizadores españoles y los índigenas. A continuación tienen una lista de acciones mencionadas en la carta de Cúneo. ¿Con qué grupo, índigenas o españoles, asocian cada situación?

estar desnudos	poner nombres en español a las islas	remar (*row*) en canoas
tomar posesión de tierras	tomar posesión de mujeres	tomar posesión de esclavos
viajar en carabelas o naves	morir en el viaje a España	tirar flechas (*arrows*) con arco

5–46. Entrando en materia. En la carta de Cúneo, se mencionan dos grupos de indígenas los taínos y los caribes. Los españoles entran en conflicto con los caribes, pero Cúneo también se refiere a varios actos de agresión de los caribes hacia los taínos. Los caribes se describen como guerreros agresivos y feroces y se les atribuye la costumbre de comer carne humana. Lean el segundo párrafo (**P2**) e indiquen qué grupo comete los siguientes actos de agresión.

T = taínos   C = caribes   E = españoles

1. _____ cortarles el miembro generativo a los prisioneros taínos
2. _____ dar caza a la canoa de los caribes
3. _____ flechar con sus arcos a los enemigos
4. _____ apresar la canoa
5. _____ tirar un caribe supuestamente muerto al mar
6. _____ cortarle la cabeza a un caribe con una segur
7. _____ enviar a los caribes a España

En los otros párrafos de la carta que leerán a continuación, "el señor Almirante" es Colón, los "caníbales" son los caribes y los "indios" son los taínos.

A los 15 días de octubre de 1495 en Savona.

Al noble señor Jerónimo Annari.

[P1] Ese mismo día **izamos**[1] velas y llegamos a una isla grande que está poblada por caníbales, los cuales al vernos **huyeron**[2] en seguida a las montañas. En esa isla bajamos a tierra y allí nos quedamos cerca de seis días; la causa fue que once hombres de los nuestros, que habían acordado formar una banda e ir a robar, entraron en el desierto cinco o seis millas; cuando quisieron retornar no supieron encontrar el camino, aunque todos eran marineros y observaban el sol, pero no lo podían ver bien por la espesura de los bosques y las **breñas**[3]. Juzgamos que los once habían sido comidos por los caníbales, como acostumbran hacerlo. Sin embargo, luego de cinco o seis días, **plugo a Dios**[4] que dichos once hombres, cuando ya no teníamos esperanzas de encontrarlos, encendieran un fuego en un **cabo**[5]; nosotros, viendo el fuego, juzgamos que eran ellos y enviamos una barca a buscarlos y así fueron recobrados.

[P2] Uno de esos días en que habíamos **echado anclas**[6] vimos venir desde un cabo una canoa -es decir, una barca, pues así la llaman en su lengua **dándole a los remos**[7] que parecía un **bergantín**[8] bien armado, y en ella venían tres o cuatro caníbales, dos mujeres caníbales y dos indios que venían cautivos, a los cuales, como hacen siempre los caníbales con sus vecinos de las otras islas cuando los **apresan**[9], les acababan de cortar el miembro generativo **al ras del vientre**[10], de modo que aún estaban **dolientes**[11]. Como teníamos en tierra el **batel**[12] del capitán, al ver venir esa canoa prestamente saltamos al batel y **dimos caza**[13] a la canoa. Al acercarnos, los caníbales **nos flecharon reciamente**[14] con sus arcos; os diré que a un compañero que sostenía una **adarga**[15], le tiraron una flecha que atravesó el escudo y le entró tres dedos en el **pecho**[16], de tal modo que murió a los pocos días. Apresamos la canoa con todos los hombres y un caníbal fue herido de un **lanzazo**[17] en forma que pensamos que había sido muerto y lo tiramos al mar dándolo por tal; pero vimos que súbitamente se echaba a nadar, de modo que lo pescamos con un **bichero**[18], y lo acercamos al borde de la barca y allí le cortamos la cabeza con una **segur**[19]. Los otros caníbales, junto con los esclavos, fueron enviados a España.

[P3] Como yo estaba en el batel, apresé a una caníbal bellísima y el señor Almirante me la regaló. Yo la tenía en mi **camarote**[20] y como según su costumbre estaba desnuda, me vinieron deseos de **solazarme**[21] con ella. Cuando quise poner en ejecución mi deseo ella se opuso y me atacó en tal forma con las **uñas**[22], que no hubiera querido haber empezado. Pero así las cosas, para contaros todo de una vez, tomé una **soga**[23] y la **azoté**[24] tan bien que lanzó gritos tan inauditos como no podríais creerlo. Finalmente nos pusimos en tal forma de acuerdo que baste con deciros que realmente parecía **amaestrada**[25] en una escuela de **rameras**[26]. Al dicho

---

1. *we hoisted;*   2. *they fled;*   3. *rough ground;*   4. *it pleased God;*   5. *cape;*   6. *put down anchor;*
7. *rowing so hard;*   8. *boat of robbers;*   9. *take prisoners;*   10. *flush with the abdomen;*   11. *in pain;*
12. *skiff (small boat);*   13. *we gave chase to;*   14. *shot many arrows at us;*   15. *shield;*   16. *chest;*
17. *wound from an arrow;*   18. *boat hook;*   19. *axe;*   20. *cabin;*   21. *to take pleasure;*   22. *fingernails;*
23. *rope;*   24. *whipped;*   25. *schooled;*   26. *prostitutes*

cabo de esa isla el señor Almirante le puso el nombre de Cabo de la Flecha, por aquel que había sido muerto por una flecha.

[P4] Arribamos a un **puerto**[27] muy bueno y muy poblado, y apenas **anclamos**[28], súbitamente teníamos al pie cerca de sesenta canoas; cuando las vimos hicimos diez o doce **disparos de bombarda**[29] sin bala y al oírlos huyeron a tierra. Cuando quisimos bajar nos atacaron reciamente con piedras de tal modo que las barcas debieron retornar a las naves. Armamos entonces las barcas con **paveses, ballestas**[30] y bombardas y volvimos a tierra. Nos recibieron de la misma forma; pero ahora con las ballestas les matamos dieciséis o dieciocho hombres y con las bombardas cinco o seis. Esto ocurrió cuando ya había salido la estrella vespertina y entonces volvimos a las carabelas. Volvimos al día siguiente, dispuestos a combatir, pero esos hombres, todos con los brazos en cruz, nos pidieron **misericordia**[31], ofreciéndonos todas sus cosas: o sea gran cantidad de panes, pescados, raíces y calabazas llenas de agua. Entre otras cosas, nos trajeron incluso sus propias armas. Bajamos entonces a tierra y les repartimos de lo nuestro, entre otras cosas **cascabeles**[32], que tuvieron más aceptación que el resto y que rápidamente se sujetaron a las orejas y a la nariz, que todos, hombres y mujeres, tenían agujereados para ponerse cosas. Les preguntamos por el oro, y nos contestaron que no lo habían visto nunca ni sabían qué cosa era.

[P5] Navegando así, pues, hacia la Española, fui el primero en descubrir tierra. Por lo que el señor Almirante mandó tomar tierra y por mí le puso al cabo el nombre de San Miguel Savonés y así lo anotó en su libro. Así, siguiendo la costa hacia nuestra población encontramos una isla bellísima, y que también fui el primero en descubrir. Tiene una vuelta de unas veinticinco leguas y también por amor a mí el señor Almirante le llamó "La Bella Savonesa" y me la regaló. De acuerdo con las formas y modos convenientes tomé posesión de ella, tal como el señor Almirante hacía con las otras en nombre de su Majestad El Rey, o sea yo, en virtud del instrumento notarial, sobre dicha isla **arranqué hierbas**[33], corté árboles, planté la cruz y también la **horca**[34], y en nombre de Dios la bauticé con el nombre de la Bella Savonesa.

[P6] Como nuestras carabelas debían partir hacia España y yo quería repatriarme con ellas, juntamos en nuestra población mil seiscientos indios, entre mujeres y hombres, de los cuales el 17 de febrero de 1495 cargamos en dichas carabelas quinientos cincuenta almas, de los mejores hombres y mujeres. Entre la gente apresada había uno de sus reyes y dos jefes, que habíamos resuelto **asaetar**[35] al día siguiente y por ello los pusimos en los **cepos**[36]; pero durante la noche tan bien supieron **roer**[37] con sus dientes el uno junto a los **tobillos**[38] del otro que **se soltaron**[39] de los cepos y huyeron.

[P7] Cuando llegamos a los mares de España murieron cerca de doscientos de los indios y los tiramos al mar; pienso que fue el aire frío, tan insólito para ellos. La primera tierra que vimos fue el cabo Espartel y bien pronto fondeamos en

---

27. *port;* 28. *put down the anchor;* 29. *cannon shots;* 30. *shields, crossbows;* 31. *mercy;* 32. *bells;*
33. *picked plants;* 34. *gallows;* 35. *shoot with arrows;* 36. *stocks (for prisoners);* 37. *gnaw;* 38. *ankles;*
39. *they freed themselves*

Cádiz. Allí descargamos todos los esclavos, que estaban medio enfermos. Para vuestro conocimiento os diré que no son hombres esforzados, temen mucho al frío y no tienen larga vida.

... No se me ocurre otra cosa en la presente, sino que quedo a la disposición de vuestra señoría.

Terminada en Savona el día 28 de ese mes.

Vuestro Michael de Cúneo

5–47. Identificación. ¿Qué párrafo (P1, P2, etc.) corresponde a cada una de las siguientes aventuras?

a. _____ En una batalla, los indígenas atacaron con piedras y los españoles con ballestas y bombardas. Al día siguiente, los indígenas pidieron misericordia.

b. _____ Once españoles se perdieron y sus compañeros concluyeron que habían sido comidos. Finalmente fueron recobrados.

c. _____ Cúneo y sus compañeros dieron caza a una canoa de caribes, los cuales flecharon y mataron a un español. Los españoles le cortaron la cabeza a un caribe que trató de escapar.

d. _____ Al final del viaje a España, muchos indígenas se murieron porque no estaban acostumbrados al clima.

e. _____ Cúneo descubrió dos islas y Colón les puso nombres que reflejaron el origen de Cúneo en Savona. Colón se las da como regalos y Cúneo toma posesión de ellas con varios actos rituales.

f. _____ Cúneo y algunos compañeros se prepararon para volver a España con esclavos indígenas. Iban a matar a los líderes indígenas pero los indígenas se escaparon durante la noche.

g. _____ Colón le regaló a Cúneo una joven caribe. Cuando ella resistió los avances sexuales, él la azotó y después la violó.

5–48. Nuestra interpretación de la obra. En parejas comparen sus respuestas a estas preguntas.

1. El tono de Cúneo en su narración es bastante objetivo; no expresa mucha emoción. Busquen tres ejemplos en la carta de actos violentos que el autor narra sin emoción. Para cada acto, identifiquen la emoción que ustedes sienten al leer las palabras de Cúneo. ¿Pueden encontrar algunos ejemplos en la carta de emoción, exageración u opinión?

2. ¿Cómo era la actitud de Miguel de Cúneo hacia las personas que encontró en el nuevo mundo? ¿Qué opinión tenía de ellas? Comenten ejemplos de palabras o expresiones que comunican esa actitud.

3. Analicen la caracterización en la carta de los caribes y de Colón. ¿Tienen los caribes y Colón características en común o son diferentes? ¿Qué rasgos y acciones revelan su carácter?

4. Después de leer la carta de Cúneo, escriban una nota a la UNESCO reaccionando a las protestas asociadas con el V Centenario del "descubrimiento" de América. Incluyan en su nota datos de la carta de Cúneo que apoyen su postura.

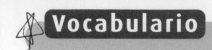

Ampliar vocabulario

acercamiento *m*	*approaching*
avanzado/a	*advanced*
brújula *f*	*compass*
celebración *f*	*celebration*
centenario	*centennial*
cercano/a	*close, nearby*
collar *m*	*necklace*
complejo/a	*complex*
comprender	*to comprise*
conmemoración *f*	*commemoration*
controversia *f*	*controversy*
contundente	*forceful*
cuello *m*	*neck*
cuenta *f*	*bead*
cuerpo celeste *m*	*celestial object*
descubrimiento *f*	*discovery*
detener	*to stop*
diario *m*	*newspaper*
embarcación *f*	*ship*
encuesta *f*	*survey*
esclavitud *f*	*slavery*
estéril	*useless*
fecundo/a	*productive*
genocidio *m*	*genocide*
habitar	*to inhabit*
inalterable	*unchangeable*
jeroglífico/a	*hieroglyphic*
mástil *m*	*mast*
mezcla *f*	*mixture*
nave *f*	*vessel (maritime)*
obsequiar	*to give (as a present)*
oposición *f*	*opposition*
pedir perdón	*to ask for forgiveness*
precolombino/a	*pre-columbian*
punto de vista *m*	*point of view*
reclamar	*to demand*
recriminación *f*	*reproach*
reloj de arena *m*	*hourglass*
reloj de sol *m*	*sundial*
sino	*but (instead)*
sujeción *f*	*subjugation*
talante *m*	*character, personality*
variedad	*variety*
vela *f*	*sail*

Vocabulario glosado

adarga *f*	*shield*
al ras del vientre	*flush with the abdomen*
amaestrado/a	*schooled*
anclar	*to put down the anchor*
apresar	*to take prisoner*
arrancar hierbas	*to pick plants*
asaetar	*to shoot with arrows*
azotar	*to whip*
ballesta *f*	*crossbow*
batel *m*	*skiff; small boat*
bergantín *m*	*boat of robbers*
bichero *m*	*boat hook*
breña *f*	*rough ground*
cabo *m*	*cape*
camarote *m*	*cabin*
cascabel *m*	*small bell*
cepo *m*	*stock (for prisoners)*
dar a los remos	*to row very hard*
dar caza	*to give chase*
disparo de bombarda *m*	*cannon shot*
doliente	*in pain*
echar anclas	*to put down anchor*
flechar reciamente	*to shoot many arrows*
horca *f*	*gallows*
huir	*to flee*
izar	*to hoist*
lanzazo *m*	*wound from an arrow*
misericordia *f*	*mercy*
pavés *m*	*shield*
pecho *m*	*chest*
plugo a Dios	*to please God*
puerto *m*	*port*
ramera *f*	*prostitute*
roer	*to gnaw*
segur *f*	*axe*

Vocabulario

soga *f*	*rope*
solazarse	*to take pleasure*
soltarse	*to free oneself*
tobillo *m*	*ankle*
uña *f*	*fingernail*

Vocabulario para conversar

Para convencer o persuadir

Admiro tu/su inteligencia/ valentía/ dinamismo.	*I admire your intelligence/bravery/energy.*
Como siempre, tu/ su lógica es admirable/ impecable.	*As usual, your ability to reason is remarkable/flawless.*
Creo que mi idea es acertada porque...	*I believe my idea is right because . . .*
Esto nos beneficiará a los dos porque...	*This will work well/be advantageous to us both because . . .*
Piensa/e lo que pasará si...	*Think about what will happen if . . .*
¡Qué buen trabajo ha(s) hecho!	*What a nice job you've done!*
¡Qué guapo/a estás!	*You look great!*
Te/Le invito a cenar (en mi casa/ en un restaurante).	*Please come to dinner (at my house/at a restaurant).*
Te/Le prometo que...	*I promise you that . . .*
Te/Le propongo este plan...	*I propose this plan . . .*
Te/Le queda muy bien ese traje/ sombrero.	*That suit/hat looks great on you.*
Tu/Mi plan tendrá consecuencias graves/ negativas/ positivas/ beneficiosas para...	*Your/My plan will have grave/negative/positive/ beneficial consequences for . . .*
Yo te/le doy... y a cambio tú/usted me da(s)...	*I give you . . . and in exchange you give me . . .*

Para acusar y defender

Es su/tu turno. Te toca a ti (le toca a usted).	*It's your turn.*
Esa es una acusación injustificada.	*That is a groundless accusation.*
Eso es verdad pero...	*That's true but . . .*
Eso no es verdad.	*That is not true.*
Esta persona es inmoral.	*This person has no morals.*
La información que tiene/s es incompleta.	*The information you have is incomplete.*
La moralidad de... es muy cuestionable.	*The morality of . . . is very questionable*
Las acciones de... son/ fueron inexcusables.	*The actions of . . . are/were inexcusable.*
Las acciones de... son/ fueron irracionales.	*The actions of . . . are/were irracional.*
Por favor, modere/a sus/tus palabras.	*Please, moderate your words.*
¿Puede/s explicar mejor su/tu argumento?	*Can you elaborate more?*
Su/Tu argumento es débil.	*Your argument is weak.*
Su/Tu argumento no es convincente.	*Your argument is not convincing.*
Tengo una pregunta para ti/usted/ustedes...	*I have a question for you . . .*

Más allá de las palabras 215

Para iniciar y mantener una discusión

¿Bueno?	*OK?*
¿Cuál es tu/su reacción ante...?	*What is your reaction to . . . ?*
Es exactamente lo que pienso yo./ Eso mismo pienso yo.	*That's exactly what I think.*
Es un tema muy controvertido pero...	*It is a very controversial topic, but . . .*
Es verdad.	*It's true.*
Mira...	*Look . . .*
¿(No) Cree/s que...?	*Do (Don't) you believe that . . . ?*
¿No te/le parece un buen tema?	*Doesn't it sem. like a good topic?*
Perdona, pero...	*Pardon me, but . . .*
¿Qué piensa/s de...?	*What is your opinion of . . . ?*
¿Verdad?	*Is it?, Isn't it?, Does it?, Doesn't it?*

Appendix A: Grammar Reference

Grammar Reference 1

Demonstrative Adjectives and Pronouns

Demonstrative Adjectives					
Close to the Speaker		Farther from the Speaker		Far from the Speaker	
masculine	feminine	masculine	feminine	masculine	feminine
este *(this)*	esta *(this)*	ese *(that)*	esa *(that)*	aquel *(that)*	aquella *(that)*
estos *(these)*	estas *(these)*	esos *(those)*	esas *(those)*	aquellos *(those)*	aquellas *(those)*

Demonstrative adjectives always precede a noun and agree in gender and number with that noun.

Estas casas son bonitas.   *These houses are nice.*

Este profesor enseña bien.   *This professor teaches well.*

Esos estudiantes de allá son aplicados.   *Those students over there are very diligent.*

Demonstrative Pronouns*								
Close to the Speaker			Farther from the Speaker			Far from the Speaker		
masculine	feminine	neuter	masculine	feminine	neuter	masculine	feminine	neuter
éste *(this one)*	ésta *(this one)*	esto *(this)*	ése *(that one)*	ésa *(that one)*	eso *(that)*	aquél *(that one)*	aquélla *(that one)*	aquello *(that)*
éstos *(these ones)*	éstas *(these ones)*	—	ésos *(those ones)*	ésas *(those ones)*	—	aquéllos *(those ones)*	aquéllas *(those ones)*	—

*NOTE: According to the latest spelling rules published by the Real Academia Española, demonstrative pronouns should not carry an accent mark unless the sentence is ambiguous, such as **¿Por qué compraron aquéllos libros usados?**, where **aquéllos** (those students/people) is the subject but could be interpreted as a demonstrative adjective accompanying **libros** without an accent mark. Otherwise, by default, demonstrative pronouns do not carry an accent mark. As time goes on, the acceptance of this new rule will become more widespread. For educational purposes, the accent will be shown on demonstrative pronouns in this book.

Demonstrative pronouns replace the noun they refer to and agree in gender and number with that noun.

Esa casa es más bonita que **aquéllas.** *This house is nicer than **those**.*

The neuter forms do not refer to anything specific whose gender or noun can be identified; they refer to a situation, an idea, a concept, or a statement. Neuter forms are always singular.

Yo nunca dije **eso.** *I never said **that**.*

Possessive Adjectives and Pronouns

Short Form Adjectives		Long Form Adjectives and Pronouns	
mi/s	*my*	mío/a/os/as	*my/mine*
tu/s	*your* (informal)	tuyo/a/os/as	*your* (informal)/ *yours* (informal)
su/s	*your* (formal)	suyo/a/os/as	*your* (formal)/ *yours* (formal)
su/s	*his, her, its*	suyo/a/os/as	*his, her, its/ his, hers, its*
nuestro/a/os/as	*our*	nuestro/a/os/as	*our/ours*
vuestro/a/os/as	*your* (informal)	vuestro/a/os/as	*your* (informal)/ *yours* (informal)
su/s	*your* (formal)	suyo/a/os/as	*your* (formal)/ *yours* (formal)
su/s	*their*	suyo/a/os/as	*their/theirs*

Possessive Adjectives

Possessive adjectives always accompany a noun. All of them have a singular and plural form, which agrees with the thing that is possessed. Some forms also show gender, which agrees with the thing that is possessed. The short-form possessive adjectives are the most frequently used.

Mi casa es grande. *My house is big.*

The long forms are used after the verb **ser** and after a noun to convey emphasis.

Esta casa es **mía.** *This house is mine.*
Un proyecto **mío** es pasar un año *A project of mine is to spend a year in*
en Puerto Rico. *Puerto Rico.*

Possessive Pronouns

The possessive pronouns replace nouns. Their forms are the same as the long-form possessive adjectives. A definite article usually precedes the possessive pronoun.

Éste es tu cuarto y aquél es **el mío.** *This is your room and that one is mine.*

Gustar and Similar Verbs

Sentences with **gustar** do not follow the same pattern as English sentences expressing *to like*. Notice that the Spanish construction has an indirect object and that the verb agrees in number with the subject.

Indirect Object	Verb	Subject
Me	gusta	mi vecino.
Subject *I*	Verb *like*	Direct Object *my neighbor.*

    Me gusta mi vecino.   *I like my neighbor.*

    Me gustan mis vecinos.   *I like my neighbors.*

If the indirect object is a noun or proper name, the preposition **a** precedes the noun or name and the indirect-object pronoun follows.

    A mi esposo **le** gusta nuestro vecino.   *My husband likes our neighbor.*

The preposition **a** + *prepositional pronoun* (**mí, ti, él/ella, usted, nosotros/as, vosotros/as, ustedes**) + *indirect object pronoun* (**me, te, le, nos, os, les**) is used for emphasis or clarification.

    A él le gusta nuestro vecino.   *He likes our neighbor.*

The verbs below follow the **gustar** pattern.

convenir	*to suit*	molestar	*to bother*
doler	*to hurt*	parecer	*to seem*
fascinar	*to fascinate*	preocupar	*to worry*
interesar	*to interest*	sorprender	*to surprise*

Indefinite and Negative Words

Adjective	Negative Adjective
algún/a/os/as	ningún/a
some, any	*any, none*
Pronouns	**Negative Pronouns**
algo	nada
something, anything	*nothing, anything*
alguien	nadie
someone, somebody, anybody	*nobody, anybody, no one*
alguno/a/os/as	ninguno/a
some, any	*any, none*
Adverbs	**Negative Adverbs**
siempre	nunca
always	*never*
también	tampoco
also, too, as well	*neither, either*

Negative words can precede or follow the verb.

- In general, when the negative word follows the verb, use **no** in front of the verb.
  No tengo tiempo **nunca** para estudiar.   *I never have time to study.*

- If the negative word appears before the verb, do not include the word **no.**
  Nunca tengo tiempo para estudiar.   *I never have time to study.*

- The personal **a** is placed in front of indefinite and negative words that refer to people.
  Conozco **a alguien** que habla   *I know someone who speaks German.*
  alemán.

Alguno and *Ninguno*

They agree in gender and number with the noun they accompany or refer to.
Ninguno is always used in singular.

Este semestre no tengo **ninguna**   *This semester I don't have any*
   clase de filosofía, ¿tienes **alguna**?   *philosophy classes, do you have any?*

Alguno and **ninguno** drop the **-o** when they function as adjectives, that is, when they accompany a masculine noun.

No tengo **ningún** interés en la clase   *I have no interest in the*
   de geografía.   *geography class.*
Algún día hablaré español muy bien.   *Some day I'll speak Spanish very well.*

Ser and *Estar*

Some adjectives can never be used with **estar**. Below is a partial list.

crónico	*chronic*
efímero	*ephemeral*
eterno	*eternal*
inteligente	*intelligent*

Some adjectives can never be used with **ser**. Below is a partial list.

ausente	*absent*
contento	*happy*
enfermo	*sick*
muerto	*dead*
presente	*present*
satisfecho	*satisfied*

Some adjectives have different meanings when used with **ser** or **estar**.

	ser	**estar**
aburrido	*boring*	*bored*
bueno	*good (personality)*	*in good health*
interesado	*selfish*	*interested*
listo	*clever*	*ready*
malo	*bad (personality)*	*in poor health*
molesto	*bothersome*	*bothered*
nuevo	*just made*	*unused*
seguro	*safe*	*sure*
vivo	*lively*	*alive*

Noun-Adjective Agreement

Adjectives agree in gender and number with the nouns they modify.

Tengo un carr**o** roj**o**.

Tengo dos carr**os** roj**os**.

Tengo una cas**a** roj**a**.

Tengo dos cas**as** roj**as**.

Noun-Adjective Gender Agreement

Many adjectives end in **-o** when they are in the masculine form and in **-a** when they are in the feminine form. However, the endings of some adjectives are the same for each.

Mi profesor es **cortés**.	*My (male) professor is courteous.*
Mi profesora es **cortés**.	*My (female) professor is courteous.*

Examples:

audaz	*audacious*
canadiense	*Canadian*
cortés	*courteous (but inglés/ inglesa)*
cursi	*corny*
interesante	*interesting*
mejor	*better*
útil	*useful*

Adjectives of nationality that end in a consonant are made feminine by adding **-a**.

Mi profesor no es inglés.	*My (male) professor is not English.*
Mi profesora no es ingles**a**.	*My (female) professor is not English.*

Examples:

alemán/alemana	*German*
español/española	*Spanish*

The adjectives whose masculine form ends in **-n** and **-dor** take an **-a** to form the feminine.

Mi hermano es habla**dor**.	*My brother is talkative.*
Mi hermana es habla**dora**.	*My sister is talkative.*

Examples:

holgazán/holgazana	*lazy*
juguetón/juguetona	*playful*
pequeñín/pequeñina	*tiny*
soñador/soñadora	*dreamer*
trabajador/trabajadora	*hard-working*

Some adjectives have an invariable **-a** ending whether they accompany a feminine or a masculine noun.

Mi profesor es **israelita**.	*My (male) professor is an Israeli.*
Mi profesora es **israelita**.	*My (female) professor is an Israeli.*

Examples:

belga	*Belgian*	pesimista	*pessimistic*
hipócrita	*hypocritical*	realista	*realistic*
optimista	*optimistic*	socialista	*socialist*

Some adjectives drop the -o when they precede the noun.

Este es mi **primer** año de español.   *This is my first year of Spanish.*

Examples:

bueno	→	buen
malo	→	mal
primero	→	primer
tercero	→	tercer

Noun-Adjective Number Agreement

Adjectives ending in a vowel usually form the plural by adding an -s.

Mi hermano es inteligente, pesimist**a** y alt**o**.	*My brother is intelligent, pessimistic, and tall.*
Mis hermanos son inteligente**s**, pesimista**s** y alto**s**.	*My brothers are intelligent, pessimistic, and tall.*

Adjectives ending in **-í** and **-ú** are an exception to the previous rule as they add **-es** to form the plural.

Tengo una amiga marroqu**í**.	*I have a Moroccan (female) friend.*
Tengo dos amigas marroquí**es**.	*I have two Moroccan (female) friends.*
Tengo una amiga hind**ú**.	*I have an Indian (female) friend.*
Tengo dos amigas hindú**es**.	*I have two Indian (female) friends.*

Adjectives ending in a consonant form the plural by adding **-es**.

Esta clase es úti**l**.	*This class is useful.*
Estas clases son útil**es**.	*These classes are useful.*
Mi hermana es auda**z**.	*My sister is audacious.*
Mis hermanas son auda**ces**.	*My sisters are audacious.*
(Note the spelling change **z c**.)	

Personal Direct Object + A + Prepositional Pronoun

For clarification or emphasis, if the direct object is a person, it is sometimes reinforced with the presence of **a mí, a ti, a usted, a él/ella, a nosotros, a ustedes**.

¿Viste a María y a Juan ayer?	*Did you see María and Juan yesterday?*
Sí, **la** vi **a ella** solamente; él no estaba en casa.	*Yes, I only saw her; he was not home.*

Note that **Vi a ella** would not be a grammatical sentence. If **a ella** functions as a direct object, **la** needs to be added, as in: **La vi a ella**. However, if instead of **a ella**, we say **a María**, **la** is not needed, as in: **Vi a María**.

Passive Voice

Passive-voice sentences look like the sentences below.

Grammatical Subject and Receiver of the Action	Passive-Voice Verb ser (conjugated) + Past Participle	Doer
Esta novela *This novel*	fue escrita *was written*	por Hemingway. *by Hemingway.*

The active-voice counterparts look like the sentences below.

Grammatical Subject and Doer	Active-Voice Verb	Direct Object
Hemingway *Hemingway*	escribió *wrote*	esta novela. *this novel.*

In passive-voice sentences, the receiver of the action is the actual grammatical subject. If the doer of the action is explicitly stated, it is preceded by the preposition **por** (by). In active-voice sentences, the roles of grammatical subject and the doer are played by the same part of the sentence.

The passive-voice construction requires a conjugated form of **ser** plus the past participle of a verb. The past participle agrees in gender and number with the grammatical subject. The passive voice is common in Spanish in historical topics, academic writing, and journalistic writing.

Resultant State

In order to express the result of an action, in Spanish you use **estar** plus the past participle of a verb. In this structure (**estar** + *part participle*), the past participle behaves just like an adjective when **estar** + adjective describes a characteristic that is not permanent.

La ventana **está rota** porque ayer hubo una explosión. (**estar** + *part participle*)
The window is broken because yesterday there was an explosion.

Notice that **estar** + *past participle* is used only when there is no adjective to describe the condition. For instance, although there is a past participle form, **ensuciado** (soiled) from the verb **ensuciar**, the example below uses **sucia**, which is the adjective that describes the condition of being dirty or soiled.

> La ventana **está sucia** porque ayer hubo una tormenta de polvo.
> (**estar** + *adjective*)
> *The window is dirty because there was a dust storm yesterday.*

No-Fault *se*

With a number of verbs, you can use a **se** structure to convey unplanned or unexpected events.

Se	Verb in Third-Person Singular or Plural	Subject
Se *The document got lost.*	perd**ió**	el documento.
Se *The documents got lost.*	perd**ieron**	los documentos.

In order to indicate who is affected by the event, you may use an indirect-object pronoun (**me, te, le, nos, os, les**) right after **se**.

Se	Indirect-Object Pronoun	Verb in Third-Person Singular or Plural	Subject
Se *I lost the document.*	**me**	perdió	el documento.
Se *I lost the documents.*	**me**	perdieron	los documentos.

The verbs below are usually associated with this structure.

acabar	*to run out*
caer	*to fall*
escapar	*to escape*
estropear	*to go bad; to break*
olvidar	*to forget*
perder	*to lose*
quedar	*to be left*
romper	*to break*

Hacer in Time Expressions

To express an action whose effect is still going on, use the structure below.

Hace + *time expression* + **que** + *verb in present tense*

> **Hace** dos días **que** estudio para mi examen de español.
> *I've been studying for my Spanish exam for two days.*

To express the time elapsed since an action was completed, use the structure below.

Hace + *time expression* + **que** + *verb in preterit tense*

> **Hace** dos días **que** vi a Juan.
> *I saw Juan two days ago.*

Preterit and Imperfect

Some verbs convey different meanings when used in the preterit or the imperfect.

conocer

- It means *to meet for the first time* when used in the preterit.
    Ayer **conocí** a mi instructora de francés.
    I met my French instructor yesterday.

- It means *to be acquainted with* (know) when used in the imperfect.
    El año pasado no **conocía** a mis compañeros de clase bien, pero este año sí.
    Last year I didn't know my classmates well, but I do this year.

haber

- It means to *occur* when used in the preterit.
    Hubo tres muertos en el accidente.
    Three fatalities occurred in the accident.

- When used in the imperfect, it means *there was/were* in the sense of what a witness can see on the scene.
    Había dos médicos y una ambulancia en el lugar del accidente.
    There were two doctors and an ambulance on the scene of the accident.

poder

- It means to succeed in when used in the preterit.
    No **pude** visitar a mis padres este semestre.
    I couldn't visit my parents this semester.

- It means *to be able to* when used in the imperfect.
    Ella no **podía** lavar los platos por causa de su alergia al detergente.
    She couldn't wash the dishes because of her allergy to the detergent.

querer

- In the preterit, it means to try if the verb is affirmative, and to refuse if the verb is negative.

  Ayer **quise** estudiar con María, pero ella **no quiso**.
  Yesterday, I tried to study with María, but she refused.

- In the imperfect, it means to want or to wish.

  Ayer yo **quería** estudiar con María, pero ella **quería** ir de compras.
  Yesterday, I wanted to study with María, but she wanted to go shopping.

saber

- In the preterit, it means to find out.

  Ayer **supe** la nota del examen de historia del arte.
  Yesterday, I found out the grade for the Art History exam.

- In the imperfect, it means to have knowledge, to know, to be aware.

  Antes de tomar la clase de español, no **sabía** mucho vocabulario.
  Before taking the Spanish class, I didn't know much vocabulary.

Direct- and Indirect-Object Pronoun Placement

When the direct- and the indirect-object pronouns occur together, the direct-object pronoun follows the indirect-object pronoun, regardless of the form of the verb. However, the form of the verb determines whether the pronouns appear before or after the verb. You have studied the position of both pronouns when accompanied by a conjugated verb.

Yo quería flores y mi padre **me las** compró.
I wanted flowers and my father bought them for me.

Attach both pronouns to the verb after an affirmative command form.
Pása**me** la sal. *Pass me the salt.*   Pása**mela**. *Pass it to me.*

Place both pronouns before the verb that expresses a negative command.
No **me la** pases.   *Don't pass it to me.*

With a conjugated verb plus infinitive or present participle, you have a choice of placement. Place both pronouns before the conjugated verb or attach them to the infinitive or present participle.

María quiere pasarme la sal.	*María wants to pass the salt to me.*
María **me la** quiere pasar.	*María wants to pass it to me.*
María quiere pasár**mela**.	*María wants to pass it to me.*
María está pasándome la sal.	*María is passing me the salt.*
María **me la** está pasando.	*María is passing it to me.*
María está pasándo**mela**.	*María is passing it to me.*

Infinitive vs. Subjunctive

Using the infinitive or the subjunctive depends on whether or not there is a new subject in the dependent clause. With impersonal expressions that convey doubt, emotion, and recommendation the verb in the dependent clause is in the subjunctive.

Es necesario que estudies más.   *It is necessary for you to study more.*

However, if there is no subject in the dependent clause, the verb is used in the infinitive form.

Es necesario estudiar más.   *It is necessary to study more.*

After an independent clause bearing a verb of doubt, emotion, or recommendation, use the subjunctive if the subject noun or pronoun changes in the dependent clause. Use the infinitive if the subject stays the same. Compare these two sentences.

Yo quiero que **mi hermana**   *I want my sister to study more.*
estudie más.

Yo quiero estudiar más.   *I want to study more.*

Indicative vs. Subjunctive Following *Decir*

Decir causes the use of the indicative in the dependent clause when it means to state, but **decir** causes the use of subjunctive in the dependent clause when it means *to suggest* or *to request*. Compare the two sentences below.

Ella dice que su hermano viene   *She says that her brother is*
mañana.   *coming tomorrow.*

Ella dice que comencemos la fiesta   *She says (suggests) that we start the*
a las nueve de la noche.   *party at nine in the evening.*

Relative Pronouns

Que

Que can be used in both restrictive (no commas) and nonrestrictive (with commas) clauses.

Éste es el carro **que** me compré ayer.   *This is the car that I bought myself yesterday.*

Mi carro, **que** ahora está en
reparación, costó poco dinero.

*My car, which is now at the
mechanic's, cost little money.*

El que, la que, los que, las que are used when a preposition (e.g., **a, de, con, entre**) precedes them.

Éstos son los estudiantes **de los que** te hablé.
These are the students about whom I talked to you.
These are the students that I talked to you about. (Note: Placing the preposition at the end of the clause is not grammatical in Spanish.)
These are the students I talked to you about. (Note: In English the relative pronoun can be omitted, but in Spanish the relative pronoun always has to be present.)

El que, la que, los que, las que are also used to mean he who, she who, those who, and the one(s) who.

El que quiere, puede.

He who *wants, can.*

Cual

El cual, la cual, los cuales, las cuales are used when preceded by a preposition (e.g., **a, de, con, entre**), whether the clause is restrictive or not. If they are not preceded by a preposition, they can only be used in nonrestrictive clauses. These pronouns convey a more formal tone.

Éstos son los estudiantes **de los cuales** te hablé.
These are the students about whom I talked to you.
Estos estudiantes, **de los cuales** te hablé ayer, son muy diligentes.
These students, about whom I talked to you yesterday, are very diligent.
Mi carro, **el cual** ahora está en reparación, costó poco dinero.
My car, which is now at the mechanic's, cost little money.

Quien, Quienes

Quien, quienes are used to refer back to people exclusively and apply to both genders. They are used when preceded by a preposition (e.g., **a, de, con, entre**), whether the clause is restrictive or not. If they are not preceded by a preposition, they can only be used in nonrestrictive clauses.

These pronouns convey a more formal tone.
Ésta es la estudiante **con quien** estudio siempre.
This is the student with whom I always study.
María, **con quien** estudio siempre, está enferma hoy.
María, with whom I always study, is sick today.
María, **quien** está en nuestro grupo de estudio, está enferma hoy.
María, who is in our study group, is sick today.

Grammar Reference 5

Future to Indicate Probability in the Present

The future tense can be used to express conjecture about an event that may be happening in the present. With non-action verbs such as **ser, estar, parecer** and **tener** the simple future is used.

¿Dónde está tu hermana?   *Where is your sister?*

No sé, **estará** en casa de su   *I don't know, she may be at her best*
  mejor amiga.   *friend's house.*

With action verbs such as **correr, escribir, caminar, viajar, llegar,** and the like the progressive future is used. The progressive form of any tense is formed by conjugating the verb **estar** in the desired tense and using the target verb in the present participle form (stem + -**ando** or -**iendo**).

Me pregunto si mi amigo Miguel **estará llegando** a Puerto Rico ahora.
I wonder whether my friend Miguel may be arriving in Puerto Rico right now.

Conditional to Indicate Probability in the Past

To express probability or conjecture in the past the conditional tense is used. With non-action verbs such as **ser, estar, parecer** and **tener** the simple conditional is used; with action-verbs such as **correr, escribir, caminar, viajar, llegar,** and the like the progressive conditional is used.

¿Qué hora **sería** cuando Juan regresó anoche?
What time could it have been when Juan returned last night?
¿Qué **estaría haciendo** Juan ayer a las doce de la noche?
What could Juan have been doing yesterday at midnight?

Predictable Spelling Changes in the Preterit

Some verbs experience predictable spelling changes in the preterit as well as in other tenses. These changes can be predicted by applying the spelling/pronunciation rules that are used for any word in Spanish.

- Infinitive ending in **-car c** changes to **qu** before **e**

dedi**qu**é	dedicamos
dedicaste	dedicasteis
dedicó	dedicaron

acercar, calificar, colocar, criticar, destacar, educar, embarcar, erradicar, indicar, masticar, modificar, pescar, practicar, sacrificar, tocar, unificar

- Infinitive ending in **-gar g** changes to **gu** before **e**

pa**gu**é	pagamos
pagaste	pagasteis
pagó	pagaron

apagar, castigar, colgar, delegar, desligar, divulgar, entregar, fregar, investigar, jugar, juzgar, llegar, madrugar, negar, obligar, plagar, prolongar, rasgar, rogar, tragar

- Infinitive ending in **-guar gu** changes to **gü** before **e**

averi**gü**é	averiguamos
averiguaste	averiguasteis
averiguó	averiguaron

aguar, fraguar

- Infinitive ending in **-zar z** changes to **c** before **e**

memori**c**é	memorizamos
memorizaste	memorizasteis
memorizó	memorizaron

alcanzar, amenazar, analizar, avanzar, cazar, comenzar, destrozar, empezar, gozar, localizar, memorizar, mobilizar, paralizar, rezar, rechazar, rizar

- Infinitive ending in **-aer, -eer, -uir** Unstressed **-i-** becomes **-y-** between two vowels.

leí	leímos	creí	creímos	construí	contruimos
leíste	leísteis	creíste	creísteis	construiste	construisteis
leyó	leyeron	creyó	creyeron	construyó	construyeron

caer, distribuir, huir, proveer

Stem Changes in the Preterit

There are a number of **-ir** verbs that undergo a vowel change in the stem of the third-person singular and the third-person plural of the preterit. The change may cause **o** to become **u**, or **e** to become **i**. There is no rule to predict what verbs feature this change. You need to learn them. The vocabulary at the end of your textbook flags this type of verb as follows: **dormir (ue, u), sentir (ie, i), repetir (i, i).**

dormí	dormimos	sentí	sentimos
dormiste	dormisteis	sentiste	sentisteis
d**u**rmió	d**u**rmieron	s**i**ntió	s**i**ntieron

The Preterit of *andar*

The verb **andar**, while regular in most of the tenses, is irregular in the preterit. It is a common error, even among native speakers of Spanish, to conjugate the preterit of **andar** as if it were regular. Below are the preterit forms.

anduve	anduvimos
anduviste	anduvisteis
anduvo	anduvieron

Personal *a*

You need to use the personal **a** when the direct object refers to nouns that refer to specific people.

Los estudiantes conocen **a** una profesora mexicana.	*The students know a Mexican professor.*

However, when **tener** has a direct object that refers to a nonspecific person, the personal **a** is not used.

Tengo una profesora mexicana.	*I have a Mexican professor.*

When pronouns that refer to people are direct objects, they take a personal **a**.

¿**A** quién conoces en México?	*Who do you know in Mexico?*
No conozco **a** nadie en México.	*I don't know anybody in Mexico.*

Personal-Direct Object Pronoun + a + Prepositional Pronoun

When the direct-object pronoun refers to a person, it can be emphasized or clarified by adding **a** + prepositional pronoun (**mí, ti, usted, él/ella, nosotros/as, vosotros/as, ustedes**).

¿Visitaste a tu abuelo y a tu tía el fin de semana pasado?
Did you visit your grandfather and your aunt last weekend?

Sí, **lo** visité **a él** y **la** llamé **a ella** por teléfono.

Yes, I visited him and called her on the telephone.

Note that **visité a él** and **llamé a ella** are incorrect, you need to add **lo** before the first verb and **la** before the second verb.

Ser and Estar

Ser is used to:

- establish the essence or identity of a person or thing
    Yo **soy** estudiante de español.
    I am a student of Spanish.

- express origin
    Yo **soy** de EE.UU.
    I am from the U.S.

- express time
    Son las 3:00 de la tarde.
    It's three o'clock in the afternoon.

- express possession
    Este libro **es** de mi compañera de clase.
    This book belongs to my classmate.

- express when and where an event takes place
    La fiesta del departamento de español **es** en diciembre.
    The Spanish department's party is in December.
    ¿Dónde **es** la fiesta? — En el laboratorio de lenguas.
    Where is the party? — In the language lab.

Estar is used to:

- express the location of a person or object
    Mi casa **está** cerca de la biblioteca.
    My house is near the library.

- form the progressive tenses
    Este semestre **estoy** tomando muchas clases.
    This semester I am taking many classes.

Ser and Estar with Adjectives

Ser is used with adjectives:

- to express an essential characteristic of a person or object
    Yo **soy** simpática.
    I am friendly.
    Este libro **es** fácil.
    This book is easy.

Estar with adjectives is used to:

- express the state or condition of a person or object

    Estoy contenta porque recibí una beca.
    I am happy because I received a scholarship.

- note a change in the person or object

    Violeta es guapa y hoy **está** más guapa todavía con su nuevo corte de pelo.
    Violeta is pretty and today she is even prettier with her new haircut.

Some adjectives can never be used with **estar**. Below is a partial list.

crónico	chronic
efímero	ephemeral
eterno	eternal
inteligente	intelligent

Some adjectives can never be used with **ser**. Below is a partial list.

ausente	*absent*
contento	*happy*
enfermo	*sick*
muerto	*dead*
presente	*present*
satisfecho	*satisfied*

Some adjectives have different meanings when combined with **ser** or **estar**.

	ser	**estar**
aburrido	*boring*	*bored*
bueno	*good (personality)*	*in good health*
interesado	*selfish*	*interested*
listo	*clever*	*ready*
malo	*bad (personality)*	*in poor health*
molesto	*bothersome*	*bothered*
nuevo	*brand new*	*unused*
seguro	*safe*	*sure*
vivo	*lively*	*alive*

Grammar Reference 7

Predictable Spelling Changes in the Present Subjunctive

Some verbs experience predictable spelling changes in the present subjunctive as well as in other tenses. These changes can be predicted by applying the spelling/pronunciation rules that are used for any word in Spanish.

- Infinitive ending in -car c changes to **qu** before **e**

dedi**qu**e	dedi**qu**emos
dedi**qu**es	dedi**qu**éis
dedi**qu**e	dedi**qu**en

acercar, calificar, colocar, criticar, destacar, educar, embarcar, erradicar, indicar, masticar, modificar, pescar, practicar, sacrificar, tocar, unificar

- Infinitive ending in **-gar g** changes to **gu** before **e**

pa**gu**e	pa**gu**emos
pa**gu**es	pa**gu**éis
pa**gu**e	pa**gu**en

apagar, colgar, castigar, delegar, desligar, divulgar, entregar, fregar, investigar, jugar, juzgar, llegar, madrugar, negar, obligar, plagar, prolongar, rasgar, rogar, tragar

- Infinitive ending in **-guar gu** changes to **gü** before **e**

averi**gü**e	averi**gü**emos
averi**gü**es	averi**gü**éis
averi**gü**e	averi**gü**en

aguar, fraguar

- Infinitive ending in **-zar z** changes to **c** before **e**

memori**c**e	memori**c**emos
memori**c**es	memori**c**éis
memori**c**e	memori**c**en

alcanzar, amenazar, analizar, avanzar, cazar, comenzar, destrozar, empezar, gozar, localizar, memorizar, mobilizar, paralizar, rezar, rechazar, rizar

Other Spelling Changes in the Present Subjunctive

Infinitive ending in **-uir**

Unstressed -**i**- becomes -**y**- between two vowels.

contribu**y**a	contribu**y**amos
contribu**y**as	contribu**y**áis
contribu**y**a	contribu**y**an

construir, distribuir, huir, restituir

Spelling Changes in the Imperfect Subjunctive

Infinitive ending in **-aer, -eer, -uir**

Unstressed **-i-** becomes **-y-** between two vowels. Since this change occurs in the preterit (*leyeron*), which is the base for the imperfect subjunctive, it is carried over to the imperfect subjunctive.

leyera/leyese	leyéramos/leyésemos
leyeras/leyeses	leyerais/leyeseis
leyera/leyese	leyeran/leyesen

caer, construir, creer, distribuir, huir, proveer

Stem Changes in the Present Subjunctive

Stem-changing **-ar** and **-er** verbs undergo the change **e → ie** or **o → ue** in the **yo, tú, él/ella** and **ellos/as** forms.

cierre cierres cierre	cuente cuentes cuente
cerremos cerréis cierren	contemos contéis cuenten

Stem-changing **-ir** verbs undergo the change **e → ie** or **i** and **o → ue** or **u** in all persons.

convertir (ie, i):

convierta	convirtamos
conviertas	convirtáis
convierta	conviertan

servir (i, i):

sirva	sirvamos
sirvas	sirváis
sirva	sirvan

dormir (ue, u):

duerma	durmamos
duermas	durmáis
duerma	duerman

The Imperfect Subjunctive of *andar*

The verb **andar**, while regular in most of the tenses, is irregular in the preterit. That irregularity is carried over to the imperfect subjunctive (as the third-person plural of the preterit is used as the base to conjugate the imperfect subjunctive).

It is a common error, even among native speakers of Spanish, to conjugate the imperfect subjunctive of **andar** as if it were regular.

anduviera/anduviese	anduviéramos/anduviésemos
anduvieras/anduvieses	anduvierais/anduvieseis
anduviera/anduviese	anduvieran/anduviesen

Grammar Reference 8

Irregular Verbs in the Future and Conditional

The irregular verbs shown below take the same endings as the regular verbs.

Future endings	Conditional endings
-é	-ía
-ás	-ías
-á	-ía
-emos	-íamos
-éis	-íais
-án	-ían

Irregular verbs

Note that these verb stems are used in the formation of both the future and the conditional.

Drop last vowel in the infinitive	Replace last vowel in the infinitive with d	Other
haber → **habr-**	poner → **pondr-**	decir → **dir-**
poder → **podr-**	salir → **saldr-**	hacer → **har-**
querer → **querr-**	tener → **tendr-**	
saber → **sabr-**	valer → **valdr-**	
	venir → **vendr-**	

Limitations to the Use of the Conditional

Although in many instances the English would and should correspond to the conditional tense in Spanish, there are a few contexts where other tenses need to be used.

1. -Would, conveying habitual actions in relation to the past, is rendered in Spanish with the imperfect tense.

   Cada verano **visitábamos** a nuestros abuelos.
   Every summer we would visit our grandparents.

2. -Would is rendered by the present or the imperfect subjunctive, depending on the context, when preceded by wish. Wish can be expressed by **ojalá** or a verb indicating wish or desire.

   Ojalá que **venga/viniera** a Nicaragua.
   Espero que **venga** a Nicaragua.
   I wish she would come to Nicaragua.

3. Should, conveying obligation, is rendered in Spanish with **deber** in the conditional.

   Deberíamos hacer ecoturismo en Honduras.
   We should do ecotourism in Honduras.

Contrary-to-Fact si Clauses Describing the Past

1. When a **si** clause introduces a contrary-to-fact situation or condition, that is, a situation unlikely to take place in the present or future time, the imperfect subjunctive is used. When the situation or condition refers to a past time, Spanish, like English, uses the past perfect subjunctive in the *si* clause and conditional perfect for the result clause. (See verb charts for past perfect subjunctive and conditional perfect in Appendix B.)

   Si los españoles **no hubieran colonizado** Costa Rica, la población indígena **no habría desaparecido**.
   If the Spaniards hadn't colonized Costa Rica, the indigenous population wouldn't have disappeared.

2. The phrase *como si* (*as if*) always presents a contrary-to-fact situation and it takes either the imperfect or the past perfect subjunctive. The imperfect is used when the action of the *si* clause takes place at the same time as the main verb. The past perfect subjunctive is used to refer to an action that happened in the past.

   Isabel me vio ayer y actuó **como si no me conociera**.
   Isabel saw me yesterday and she acted as if she didn't know me.
   En la ceremonia del Premio Nobel, el presidente Arias actuó con humildad, como si no **hubiera hecho** algo importante.
   At the Nobel Prize Award ceremony, President Arias showed humility, as if he had not done anything important.

Como (since) as a Close Synonym of *puesto que/ya que (since)*

In a broad sense, **como** is a synonym of **puesto que/ya que**, but there are two differences.

1. While **como** can be used when the topic and context are either formal or informal, the use of **ya que** is restricted to formal topics and contexts.

    Como no estudias, no sacas buenas notas. (*informal topic/context*)
    Since you don't study, you don't get good grades.

    Puesto que (ya que) Cartagena lucha heroicamente durante la guerra de la independencia, Simón Bolívar la llama "La Ciudad Heroica". *(formal topic/context)*
    Since Cartagena fights heroically during the independence war, Simón Bolívar calls her "The Heroic City."

2. While the clause (dependent clause) introduced **by puesto que/ya que** can appear before or after the independent clause, **como** requires that the dependent clause be used only before the independent clause.

    Como no estudias, no sacas buenas notas.
    Since you don't study, you don't get good grades.

    Puesto que (ya que) Cartagena lucha heroicamente durante la guerra de la independencia, Simón Bolívar la llama "La Ciudad Heroica". *(formal topic/context)*

    Simón Bolívar la llama "La Ciudad Heroica" **puesto que (ya que)** Cartagena lucha heroicamente durante la guerra de la independencia.
    Simón Bolívar calls her "The Heroic City" since Cartagena fights heroically during the Independence war.

Como also means *if*

When **como** means *if,* it always requires the use of subjunctive. The clause with **como** must be placed before the independent clause.

    Como no estudies, no sacarás buenas notas.
    If you don't study, you won't get good grades.

    Compare the previous example to the next one, where **como** means *since.*

    Como no estudias, no sacas buenas notas.
    Since you don't study, you don't get good grades.

Use of Infinitive Instead of Subjunctive in Adverbial Clauses

The following adverbial expressions always require the use of subjunctive in the dependent clause.

a fin (de) que
antes (de) que
después (de) que
hasta que
para que

However, when the subject of the action in the independent clause is the same for the verb in the adverbial clause, an infinitive is used instead of the subjunctive. When this structure occurs, the adverbial expressions become plain prepositions (**a fin de, antes de, después de, hasta, para**) by dropping **que**.

El gobierno colombiano tiene que negociar la paz **para aumentar** el turismo.
The Colombian government has to negotiate the peace in order to increase tourism.

Grammar Reference 10

Ya and *Todavía*

Ya means *already* when the sentence is affirmative, whether the sentence is a statement or a question.

Ya habíamos estudiado para el examen de español cuando empezó nuestro programa de televisión favorito.
We had already studied for the Spanish test when our favorite TV show began.

¿**Ya** habías estudiado para el examen de español cuando empezó tu programa de televisión favorito?
Had you already studied for the Spanish test when your favorite TV show began?

Todavía is used instead of **ya** if the sentence is negative, whether the sentence is a statement or a question.

Todavía no habíamos estudiado para el examen de español cuando empezó nuestro programa de televisión favorito.
We had not yet studied for the Spanish test when our favorite TV show began.

¿**Todavía** no habías estudiado para el examen de español cuando empezó tu programa de televisión favorito?
Hadn't you studied yet for the Spanish test when your favorite TV show began?

Present Perfect Subjunctive

The present perfect subjunctive is the counterpart of the present perfect indicative. To conjugate this tense, you need the verb **haber** in the present subjunctive plus the past participle of another verb.

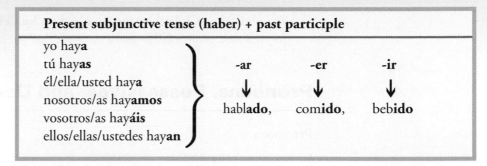

Present subjunctive tense (haber) + past participle

yo hay**a**	
tú hay**as**	-ar -er -ir
él/ella/usted hay**a**	↓ ↓ ↓
nosotros/as hay**amos**	habl**ado**, com**ido**, beb**ido**
vosotros/as hay**áis**	
ellos/ellas/ustedes hay**an**	

You need to use the present perfect subjunctive to describe a completed event in the past or in the future when the speaker's point of reference is the present. As any other subjunctive tense, this tense appears in the dependent clause as a result of the independent clause bearing an element that calls for subjunctive in the dependent clause, e. g., expression of desire or persuasion, doubt, feelings, or reference to an unknown thing, person, or event.

> Espero que los estudiantes **hayan estudiado** mucho para el examen de hoy sobre Chile.
> *I hope the students have studied a lot for today's test on Chile.*
> No creo que los estudiantes **hayan llegado** a Chile todavía.
> *I don't think the students have yet arrived in Chile.*

Past Perfect Subjunctive

The past perfect subjunctive is the counterpart of the past perfect indicative.

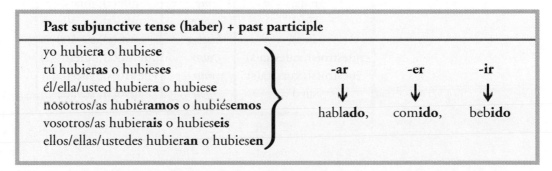

Past subjunctive tense (haber) + past participle

yo hubier**a** o hubies**e**	
tú hubier**as** o hubies**es**	-ar -er -ir
él/ella/usted hubier**a** o hubies**e**	↓ ↓ ↓
nosotros/as hubiér**amos** o hubiés**emos**	habl**ado**, com**ido**, beb**ido**
vosotros/as hubier**ais** o hubies**eis**	
ellos/ellas/ustedes hubier**an** o hubies**en**	

You need to use the past perfect subjunctive to describe a completed event in the past that took place prior to another past action or event. As any other subjunctive tense, this tense appears in the dependent clause as a result of the independent clause bearing an element that calls for subjunctive in the dependent clause, e. g., expression of desire or persuasion, doubt, feelings; reference to an unknown thing, person, or event; and contrary-to-fact conditional sentences.

> Era dudoso que los estudiantes **hubieran hablado** con muchos chilenos en sólo dos semanas de visita al país.
>
> *It was doubtful that the students had talked to many Chileans in just a two-week visit to the country.*
>
> Yo habría ido a Chile el verano pasado si no **hubiera trabajado**.
>
> *I would have gone to Chile last summer if I had not worked.*

Pronouns, Possessives, and Demonstratives

Pronouns

Subject	Direct Object		Indirect Object*		Reflexive	
yo	me	*me*	me	*me*	me	*myself*
tú	te	*you*	te	*you*	te	*yourself*
él/Ud.	lo	*him*	le	*him*	se	*himself*
ella/Ud.	la	*her*	le	*her*	se	*herself*
nosotros/as	nos	*us*	nos	*us*	nos	*ourselves*
vosotros/as	os	*you*	os	*you*	os	*yourselves*
ellos/Uds.	los	*them*	les	*them*	se	*themselves*
ellas/Uds.	las	*them*	les	*them*	se	*themselves*

*NOTE: **Le/Les** become **se** when they occur along with the direct objects **lo/s, la/s**:
— ¿**Le** diste el libro a tu compañera? — Sí, **se** lo di.

Possessive Adjectives and Pronouns

Short Form Adjectives		Long Form Adjectives and Pronouns	
mi(s)	*my*	mío(s), mía(s)	*mine*
tu(s)	*your*	tuyo(s), tuya(s)	*yours*
su(s)	*his/her*	suyo(s), suya(s)	*his/hers*
nuestro(s), nuestra(s)	*our*	nuestro(s), nuestra(s)	*ours*
vuestro(s), vuestra(s)	*your*	vuestro(s), vuestra(s)	*yours*
su(s)	*their*	suyo(s), suya(s)	*theirs*

	singular	plural	singular	plural	singular	plural
masculine	este	estos	ese	esos	aquel	aquellos
	this	*these*	*that*	*those*	*that*	*those*
feminine	esta	estas	esa	esas	aquella	aquellas
	this	*these*	*that*	*those*	*that*	*those*

Demonstrative Pronouns*

	singular	plural	singular	plural	singular	plural
masculine	éste	éstos	ése	ésos	aquél	aquéllos
	this (one)	*these (ones)*	*that (one)*	*those (ones)*	*that (one)*	*those (ones)*
feminine	ésta	éstas	ésa	ésas	aquélla	aquéllas
	this (one)	*these (ones)*	*that (one)*	*those (ones)*	*that (one)*	*those (ones)*
neuter	esto	____	eso	____	aquello	____
	this (one)		*that (one)*		*that (one)*	

*NOTE: According to the latest spelling rules published by the Real Academia Española, demonstrative pronouns should not carry an accent mark unless the sentence is ambiguous, such as: **¿Por qué compraron aquéllos libros usados?,** where **aquéllos** (those students/people) is the subject but could be interpreted as demonstrative adjective accompanying **libros** if it did not have an accent mark. Otherwise, by default, demonstrative pronouns do not carry an accent mark. As time goes on the acceptance of this new rule will become more widespread. For now, for educational purposes the accent will be shown on demonstrative pronouns in this book.

Appendix B: Verb Tables

Regular Verbs

Infinitive: Simple Forms		
habl **ar** (*to speak*)	com **er** (*to eat*)	viv **ir** (*to live*)
Present Participle: Simple Forms		
habl **ando** (*speaking*)	com **iendo** (*eating*)	viv **iendo** (*living*)
Past Participle		
habl **ado** (*spoken*)	com **ido** (*eaten*)	viv **ido** (*lived*)
Infinitive: Perfect Forms		
hab **er** habl **ado** (*to have spoken*)	hab **er** com **ido** (*to have eaten*)	hab **er** viv **ido** (*to have lived*)
Present Participle: Perfect Forms		
hab **iendo** habl **ado** (*having spoken*)		
hab **iendo** com **ido** (*having eaten*)		
hab **iendo** viv **ido** (*having lived*)		

Indicative: Simple Tenses

Present		
(*I speak, am speaking, do speak, will speak*)	(*I eat, am eating, do eat, will eat*)	(*I live, am living, do live, will live*)
habl **o**	com **o**	viv **o**
habl **as**	com **es**	viv **es**
habl **a**	com **e**	viv **e**
habl **amos**	com **emos**	viv **imos**
habl **áis**	com **éis**	viv **ís**
habl **an**	com **en**	viv **en**

Imperfect		
(I was speaking, used to speak, spoke)	*(I was eating, used to eat, ate)*	*(I was living, used to live, lived)*
habl **aba**	com **ía**	viv **ía**
habl **abas**	com **ías**	viv **ías**
habl **aba**	com **ía**	viv **ía**
habl **ábamos**	com **íamos**	viv **íamos**
habl **abais**	com **íais**	viv **íais**
habl **aban**	com **ían**	viv **ían**

Preterit		
(I spoke, did speak)	*(I ate, did eat)*	*(I lived, did live)*
habl **é**	com **í**	viv **í**
habl **aste**	com **iste**	viv **iste**
habl **ó**	com **ió**	viv **ió**
habl **amos**	com **imos**	viv **imos**
habl **asteis**	com **isteis**	viv **isteis**
habl **aron**	com **ieron**	viv **ieron**

Future		
(I shall/will speak)	*(I shall/will eat)*	*(I shall/will live)*
hablar **é**	comer **é**	vivir **é**
hablar **ás**	comer **ás**	vivir **ás**
hablar **á**	comer **á**	vivir **á**
hablar **emos**	comer **emos**	vivir **emos**
hablar **éis**	comer **éis**	vivir **éis**
hablar **án**	comer **án**	vivir **án**

Indicative: Simple Tenses (continued)

Conditional		
(*I would speak*)	(*I would eat*)	(*I would live*)
hablar **ía**	comer **ía**	vivir **ía**
hablar **ías**	comer **ías**	vivir **ías**
hablar **ía**	comer **ía**	vivir **ía**
hablar **íamos**	comer **íamos**	vivir **íamos**
hablar **íais**	comer **íais**	vivir **íais**
hablar **ían**	comer **ían**	vivir **ían**

Subjunctive: Simple Tenses

Present		
(*that I [may] speak*)	(*that I [may] eat*)	(*that I [may] live*)
habl **e**	com **a**	viv **a**
habl **es**	com **as**	viv **as**
habl **e**	com **a**	viv **a**
habl **emos**	com **amos**	viv **amos**
habl **éis**	com **áis**	viv **áis**
habl **en**	com **an**	viv **an**

Imperfect					
(*that I [might] speak*)		(*that I [might] eat*)		(*that I [might] live*)	
habl **ar a**	habl **as e**	com **ier a**	com **ies e**	viv **ier a**	viv **ies e**
habl **ar as**	habl **as es**	com **ier as**	com **ies es**	viv **ier as**	viv **ies es**
habl **ar a**	habl **as e**	com **ier a**	com **ies e**	viv **ier a**	viv **ies e**
habl **ár amos**	habl **ás emos**	com **iér amos**	com **iés emos**	viv **iér amos**	viv **iés emos**
habl **ar ais**	habl **as eis**	com **ier ais**	com **ies eis**	viv **ier ais**	viv **ies eis**
habl **ar an**	habl **as en**	com **ier an**	com **ies en**	viv **ier an**	viv **ies en**

Affirmative Commands		
(*speak*)	(*eat*)	(*live*)
habl **a** (tú)	com **e** (tú)	viv **e** (tú)
habl **ad** (vosotros)	com **ed** (vosotros)	viv **id** (vosotros)
habl **e** (Ud.)	com **a** (Ud.)	viv **a** (Ud.)
habl **en** (Uds.)	com **an** (Uds.)	viv **an** (Uds.)

Negative Commands		
(*don't speak*)	(*don't eat*)	(*don't live*)
No habl **es** (tú)	No com **as** (tú)	No viv **as** (tú)
No habl **eis** (vosotros)	No com **ais** (vosotros)	No viv **áis** (vosotros)
No habl **e** (Ud.)	No com **a** (Ud.)	No viv **a** (Ud.)
No habl **en** (Uds.)	No com **an** (Uds.)	No viv **an** (Uds.)

Indicative: Perfect Tenses

Present Perfect		
(*I have spoken*)	(*I have eaten*)	(*I have lived*)
h **e**	h **e**	h **e**
h **as**	h **as**	h **as**
h **a**	h **a**	h **a**
h **emos**	h **emos**	h **emos**
h **abéis**	h **abéis**	h **abéis**
h **an**	h **an**	h **an**
habl **ado**	com **ido**	viv **ido**

Indicative: Perfect Tenses (continued)

Past Perfect		
(I had spoken)	*(I had eaten)*	*(I had lived)*
hab **ía**	hab **ía**	hab **ía**
hab **ías**	hab **ías**	hab **ías**
hab **ía** } habl **ado**	hab **ía** } com **ido**	hab **ía** } viv **ido**
hab **íamos**	hab **íamos**	hab **íamos**
hab **íais**	hab **íais**	hab **íais**
hab **ían**	hab **ían**	hab **ían**

Future Perfect		
(I will have spoken)	*(I will have eaten)*	*(I will have lived)*
habr **é**	habr **é**	habr **é**
habr **ás**	habr **ás**	habr **ás**
habr **á** } habl **ado**	habr **á** } com **ido**	habr **á** } viv **ido**
habr **emos**	habr **emos**	habr **emos**
habr **éis**	habr **éis**	habr **éis**
habr **án**	habr **án**	habr **án**

Conditional Perfect		
(I would have spoken)	*(I would have eaten)*	*(I would have lived)*
habr **ía**	habr **ía**	habr **ía**
habr **ías**	habr **ías**	habr **ías**
habr **ía** } habl **ado**	habr **ía** } com **ido**	habr **ía** } viv **ido**
habr **íamos**	habr **íamos**	habr **íamos**
habr **íais**	habr **íais**	habr **íais**
habr **ían**	habr **ían**	habr **ían**

Present Perfect		
(that I [may] have spoken)	*(that I [may] have eaten)*	*(that I [may] have lived)*
hay **a** hay **as** hay **a** hay **amos** hay **áis** hay **an** } habl **ado**	hay **a** hay **as** hay **a** hay **amos** hay **áis** hay **an** } com **ido**	hay **a** hay **as** hay **a** hay **amos** hay **áis** hay **an** } viv **ido**

Past Perfect		
(that I had [might] have spoken)	*(that I had [might] have eaten)*	*(that I had [might] have lived)*
hub **ier a** hub **ier as** hub **ier a** hub **iér amos** hub **ier ais** hub **icr an** } habl **ado**	hub **ier a** hub **ier as** hub **ier a** hub **iér amos** hub **ier ais** hub **icr an** } com **ido**	hub **ier a** hub **ier as** hub **ier a** hub **iér amos** hub **ier ais** hub **icr an** } viv **ido**
OR	OR	OR
hub **ies e** hub **ies es** hub **ies e** hub **iés emos** hub **ies eis** hub **ies en** } habl **ado**	hub **ies e** hub **ies es** hub **ies e** hub **iés emos** hub **ies eis** hub **ies en** } com **ido**	hub **ies e** hub **ies es** hub **ies e** hub **iés emos** hub **ies eis** hub **ies en** } viv **ido**

Irregular Verbs

(Only the irregular tenses are included.)

andar (*to walk, to go*)
PRETERIT: anduve, anduviste, anduvo, anduvimos, anduvisteis, anduvieron

caber (*to fit*)
PRESENT INDICATIVE: quepo, cabes, cabe, cabemos, cabéis, caben
PRETERIT: cupe, cupiste, cupo, cupimos, cupisteis, cupieron
FUTURE: cabré, cabrás, cabrá, cabremos, cabréis, cabrán
IMPERFECT SUBJUNCTIVE: cupiera (cupiese), cupieras, cupiera,
     cupiéramos, cupierais, cupieran

caer (*to fall, to drop*)
PRESENT INDICATIVE: caigo, caes, cae, caemos, caéis, caen
PRETERIT: caí, caíste, cayó, caímos, caísteis, cayeron

conducir (*to drive, to conduct*)
PRESENT INDICATIVE: conduzco, conduces, conduce, conducimos,
     conducís, conducen
PRETERIT: conduje, condujiste, condujo, condujimos, condujisteis,
     condujeron
IMPERATIVE: conduce (tú), no conduzcas (tú), conducid (vosotros), no
     conduzcáis (vosotros), conduzca (Ud.), conduzcan (Uds.)

conocer (*to know, to be acquainted with*)
PRESENT INDICATIVE: conozco, conoces, conoce, conocemos, conocéis,
     conocen

construir (*to build, to construct*)
PRESENT INDICATIVE: construyo, construyes, construye, construimos,
     construís, construyen
PRETERIT: construí, construiste, construyó, construimos, construisteis,
     construyeron
IMPERATIVE: construye (tú), no construyas (tú), construid (vosotros),
     no construyáis (vosotros), construya (Ud.), construyan (Uds.)

dar (*to give*)
PRESENT INDICATIVE: doy, das, da, damos, dais, dan
PRETERIT: di, diste, dio, dimos, disteis, dieron

decir (*to say, to tell*)

PRESENT INDICATIVE: digo, dices, dice, decimos, decís, dicen

PRETERIT: dije, dijiste, dijo, dijimos, dijisteis, dijeron

FUTURE: diré, dirás, dirá, diremos, diréis, dirán

IMPERATIVE: di (tú), no digas (tú), decid (vosotros), no digáis (vosotros), diga (Ud.), digan (Uds.)

PRESENT PARTICIPLE: diciendo

PAST PARTICIPLE: dicho

estar (*to be*)

PRESENT INDICATIVE: estoy, estás, está, estamos, estáis, están

PRETERIT: estuve, estuviste, estuvo, estuvimos, estuvisteis, estuvieron

PRESENT SUBJUNCTIVE: esté, estés, esté, estemos, estéis, estén

haber (*to have [auxiliary]*)

PRESENT INDICATIVE: he, has, ha, hemos, habéis, han

PRETERIT: hube, hubiste, hubo, hubimos, hubisteis, hubieron

FUTURE: habré, habrás, habrá, habremos, habréis, habrán

PRESENT SUBJUNCTIVE: haya, hayas, haya, hayamos, hayáis, hayan

hacer (*to do, to make*)

PRESENT INDICATIVE: hago, haces, hace, hacemos, hacéis, hacen

PRETERIT: hice, hiciste, hizo, hicimos, hicisteis, hicieron

FUTURE: haré, harás, hará, haremos, haréis, harán

IMPERATIVE: haz (tú), no hagas (tú), haced (vosotros), no hagáis (vosotros), haga (Ud.), hagan (Uds.)

PAST PARTICIPLE: hecho

ir (*to go*)

PRESENT INDICATIVE: voy, vas, va, vamos, vais, van

IMPERFECT INDICATIVE: iba, ibas, iba, íbamos, ibais, iban

PRETERIT: fui, fuiste, fue, fuimos, fuisteis, fueron

PRESENT SUBJUNCTIVE: vaya, vayas, vaya, vayamos, vayáis, vayan

IMPERATIVE: ve (tú), no vayas (tú), id (vosotros), no vayáis (vosotros), vaya (Ud.), vayan (Uds.)

PRESENT PARTICIPLE: yendo

oír (*to hear, to listen*)

PRESENT INDICATIVE: oigo, oyes, oye, oímos, oís, oyen

PRETERIT: oí, oíste, oyó, oímos, oísteis, oyeron

IMPERATIVE: oye (tú), no oigas (tú), oíd (vosotros), no oigáis (vosotros), oiga (Ud.), oigan (Uds.)

PRESENT PARTICIPLE: oyendo

poder (*to be able to, can*)

PRESENT INDICATIVE: puedo, puedes, puede, podemos, podéis, pueden

PRETERIT: pude, pudiste, pudo, pudimos, pudisteis, pudieron

FUTURE: podré, podrás, podrá, podremos, podréis, podrán

PRESENT PARTICIPLE: pudiendo

poner (*to put, to place, to set*)

PRESENT INDICATIVE: pongo, pones, pone, ponemos, ponéis, ponen

PRETERIT: puse, pusiste, puso, pusimos, pusisteis, pusieron

FUTURE: pondré, pondrás, pondrá, pondremos, pondréis, pondrán

IMPERATIVE: pon (tú), no pongas (tú), poned (vosotros), no pongáis (vosotros), ponga (Ud.), pongan (Uds.)

PAST PARTICIPLE: puesto

querer (*to wish, to want, to love*)

PRESENT INDICATIVE: quiero, quieres, quiere, queremos, queréis, quieren

PRETERIT: quise, quisiste, quiso, quisimos, quisisteis, quisieron

FUTURE: querré, querrás, querrá, querremos, querréis, querrán

saber (*to know*)

PRESENT INDICATIVE: sé, sabes, sabe, sabemos, sabéis, saben

PRETERIT: supe, supiste, supo, supimos, supisteis, supieron

FUTURE: sabré, sabrás, sabrá, sabremos, sabréis, sabrán

PRESENT SUBJUNCTIVE: sepa, sepas, sepa, sepamos, sepáis, sepan

IMPERATIVE: sabe (tú), no sepas (tú), sabed (vosotros), no sepáis (vosotros), sepa (Ud.), sepan (Uds.)

salir (*to go out, to leave*)

PRESENT INDICATIVE: salgo, sales, sale, salimos, salís, salen

FUTURE: saldré, saldrás, saldrá, saldremos, saldréis, saldrán

IMPERATIVE: sal (tú), no salgas (tú), salid (vosotros), no salgáis (vosotros), salga (Ud.), salgan (Uds.)

ser (*to be*)

PRESENT INDICATIVE: soy, eres, es, somos, sois, son

IMPERFECT INDICATIVE: era, eras, era, éramos, erais, eran

PRETERIT. fui, fuiste, fue, fuimos, fuisteis, fueron
PRESENT SUBJUNCTIVE: sea, seas, sea, seamos, seáis, sean

tener (*to have*)
PRESENT INDICATIVE: tengo, tienes, tiene, tenemos, tenéis, tienen
PRETERIT: tuve, tuviste, tuvo, tuvimos, tuvisteis, tuvieron
FUTURE: tendré, tendrás, tendrá, tendremos, tendréis, tendrán
IMPERATIVE: ten (tú), no tengas (tú), tened (vosotros), no tengáis (vosotros), tenga (Ud.), tengan (Uds.)

traer (*to bring*)
PRESENT INDICATIVE: traigo, traes, trae, traemos, traéis, traen
PRETERIT: traje, trajiste, trajo, trajimos, trajisteis, trajeron
IMPERATIVE: trae (tú), no traigas (tú), traed (vosotros), no traigáis (vosotros), traiga (Ud.), traigan (Uds.)

valer (*to be worth, to cost*)
PRESENT INDICATIVE: valgo, vales, vale, valemos, valéis, valen
FUTURE: valdré, valdrás, valdrá, valdremos, valdréis, valdrán

venir (*to come; to go*)
PRESENT INDICATIVE: vengo, vienes, viene, venimos, venís, vienen
PRETERIT: vine, viniste, vino, vinimos, vinisteis, vinieron
FUTURE: vendré, vendrás, vendrá, vendremos, vendréis, vendrán
IMPERATIVE: ven (tú), no vengas (tú), venid (vosotros), no vengáis (vosotros), venga (Ud.), vengan (Uds.)

ver (*to see, to watch*)
PRESENT INDICATIVE: veo, ves, ve, vemos, veis, ven
IMPERFECT INDICATIVE: veía, veías, veía, veíamos, veíais, veían
PRESENT SUBJUNTIVE: vea, veas, vea, veamos, veáis, vean
PAST PARTICIPLE: visto

Stem-changing Verbs

1. One change: e → ie / o → ue
pensar (*to think, to plan*)
PRESENT INDICATIVE: pienso, piensas, piensa, pensamos, pensáis, piensan
PRESENT SUBJUNCTIVE: piense, pienses, piense, pensemos, penséis, piensen

volver (*to return*)

PRESENT INDICATIVE: vuelvo, vuelves, vuelve, volvemos, volvéis, vuelven

PRESENT SUBJUNCTIVE: vuelva, vuelvas, vuelva, volvamos, volváis, vuelvan

IMPERATIVE: vuelve (tú), no vuelvas (tú), volved (vosotros), no volváis (vosotros), vuelva (Ud.), vuelvan (Uds.)

The following verbs show similar patterns:

acordarse (ue) *to remember*	jugar (ue) *to play*
acostarse (ue) *to go to bed*	llover (ue) *to rain*
cerrar (ie) *to close*	mostrar (ue) *to show*
comenzar (ie) *to start, to begin*	negar (ie) *to deny*
contar (ue) *to count, to tell*	nevar (ie) *to snow*
costar (ue) *to cost*	perder (ie) *to miss, to lose*
despertarse (ie) *to wake up*	querer (ie) *to wish, to love*
doler (ue) *to hurt*	recordar (ue) *to remember, to remind*
empezar (ie) *to start, to begin*	sentar (ie) *to sit down*
encontrar (ue) *to find*	tener (ie) *to have*
entender (ie) *to understand*	volar (ue) *to fly*

2. Double change: e → ie, i / o → ue, u

preferir (*to prefer*)

PRESENT INDICATIVE: prefiero, prefieres, prefiere, preferimos, preferís, prefieren

PRETERIT: preferí, preferiste, prefirió, preferimos, preferisteis, prefirieron

PRESENT SUBJUNCTIVE: prefiera, prefieras, prefiera, prefiramos, prefiráis, prefieran

IMPERFECT SUBJUNCTIVE: prefiriera (prefiriese), prefirieras, prefiriera, prefiriéramos, prefirierais, prefirieran

PRESENT PARTICIPLE: prefiriendo

dormir (*to sleep*)

PRESENT INDICATIVE: duermo, duermes, duerme, dormimos, dormís, duermen

PRETERIT: dormí, dormiste, durmió, dormimos, dormisteis, durmieron

PRESENT SUBJUNCTIVE: duerma, duermas, duerma, durmamos, durmáis, duerman

IMPERFECT SUBJUNCTIVE: durmiera (durmiese), durmieras, durmiera, durmiéramos, durmierais, durmieran

IMPERATIVE: duerme (tú), no duermas (tú), dormid (vosotros), no durmáis (vosotros), duerma (Ud.), duerman (Uds.)

PRESENT PARTICIPLE: durmiendo

The following verbs show similar patterns:

advertir (ie, i) *to advise, to warn*	mentir (ie, i) *to lie*
convertir (ie, i) *to convert*	morir (ue, u) *to die*
divertirse (ie, i) *to enjoy oneself*	sentir (ie, i) *to feel, to sense*
invertir (ie, i) *to invest; to reverse*	

3. Change from e → i

pedir (*to ask for*)

PRESENT INDICATIVE: pido, pides, pide, pedimos, pedís, piden

PRETERIT: pedí, pediste, pidió, pedimos, pedisteis, pidieron

PRESENT SUBJUNCTIVE: pida, pidas, pida, pidamos, pidáis, pidan

IMPERFECT SUBJUNCTIVE: pidiera (pidiese), pidieras, pidiera, pidiéramos, pidierais, pidieran

IMPERATIVE: pide (tú), no pidas (tú), pidáis (vosotros), no pidáis (vosotros), pida (Ud.), pidan (Uds.)

PRESENT PARTICIPLE: pidiendo

The following verbs show a similar pattern:

competir (i) *to compete*	perseguir (i) *to pursue, to follow*
conseguir (i) *to obtain*	proseguir (i) *to follow, to continue*
corregir (i) *to correct*	reír (i) *to laugh*
despedir (i) *to say good-bye, to fire*	repetir (i) *to repeat*
elegir (i) *to elect, to choose*	seguir (i) *to follow*
freír (i) *to fry*	servir (i) *to serve*
impedir (i) *to prevent*	sonreír (i) *to smile*
medir (i) *to measure*	vestirse (i) *to get dressed*

Verbs with Spelling Changes

1. Verbs ending in *-zar* change *z* to *c* before *e*

empezar (*to begin*)

PRETERIT: empecé, empezaste, empezó, empezamos, empezasteis, empezaron

PRESENT SUBJUNCTIVE: empiece, empieces, empiece, empecemos, empecéis, empiecen

IMPERATIVE: empieza (tú), no empieces (tú), empezad (vosotros), no empecéis (vosotros), empiece (Ud.), empiecen (Uds.)

The following verbs show a similar pattern:

alunizar *to land on the moon*	comenzar *to start, to begin*
atemorizar *to scare*	especializar *to specialize*
aterrizar *to land*	memorizar *to memorize*
cazar *to hunt*	organizar *to organize*
caracterizar *to characterize*	rezar *to pray*

2. Verbs ending in –cer change c to z before o and a

vencer (*to defeat, to conquer*)

PRESENT INDICATIVE: venzo, vences, vence, vencemos, vencéis, vencen

PRESENT SUBJUNCTIVE: venza, venzas, venza, venzamos, venzáis, venzan

IMPERATIVE: vence (tú), no venzas (tú), venced (vosotros), no venzáis (vosotros), venza (Ud.), venzan (Uds.)

convencer (*to convince*) shows the same pattern as **vencer**

3. Verbs ending in -car change c to qu before e

buscar (*to look for*)

PRETERIT: busqué, buscaste, buscó, buscamos, buscasteis, buscaron

PRESENT SUBJUNCTIVE: busque, busques, busque, busquemos, busquéis, busquen

IMPERATIVE: busca (tú), no busques (tú), buscad (vosotros), no busquéis (vosotros), busque (Ud.), busquen (Uds.)

The following verbs show a similar pattern:

explicar *to explain*

practicar *to practice*

sacar *to take out*

tocar *to touch, to play*

4. Verbs ending in -gar change g to gu before e

llegar (*to arrive*)

PRETERIT: llegué, llegaste, llegó, llegamos, llegasteis, llegaron

PRESENT SUBJUNCTIVE: llegue, llegues, llegue, lleguemos, lleguéis, lleguen

IMPERATIVE: llega (tú), no llegues (tú), llegad (vosotros), no lleguéis (vosotros), llegue (Ud.), lleguen (Uds.)

pagar (to pay) follows the pattern of **llegar**

5. Verbs ending in -guir change gu to g before o, a

seguir (*to follow*)

PRESENT INDICATIVE: sigo, sigues, sigue, seguimos, seguís, siguen

PRESENT SUBJUNCTIVE: siga, sigas, siga, sigamos, sigáis, sigan

IMPERATIVE: sigue (tú), no seguid (tú), sigáis (vosotros), no sigáis (vosotros), siga (Ud.), sigan (Uds.)

conseguir (*to obtain*) and **distinguir** (*to distinguish*) follow the pattern of **seguir**

6. Verbs ending in -ger, -gir, change g to j before o, a

coger (*to take, to seize*)

PRESENT INDICATIVE: cojo, coges, coge, cogemos, cogéis, cogen

PRESENT SUBJUNCTIVE: coja, cojas, coja, cojamos, cojáis, cojan

IMPERATIVE: coge (tú), no cogas (tú), coged (vosotros), no cojáis (vosotros), coja (Ud.), cojan (Uds.)

The following verbs show a similar pattern:

corregir *to correct*	encoger *to shrink*
dirigir *to direct*	escoger *to choose*
dirigirse *to go to*	recoger *to pick up*
elegir *to elect*	regir *to rule, to command*

7. Verbs ending in -aer, -eer, -uir, change i to y when i is unstressed and is between two vowels

leer (*to read*)

PRETERIT: leí, leíste, leyó, leímos, leísteis, leyeron

IMPERFECT SUBJUNCTIVE: leyera (leyese), leyeras, leyera, leyéramos, leyerais, leyeran

PRESENT PARTICIPLE: leyendo

The following verbs show a similar pattern:

caer *to fall*

construir *to build*

creer *to believe*

destruir *to destroy*

excluir *to exclude*

huir *to flee*

incluir *to include*

influir *to influence*

recluir *to send to jail*

Appendix C: Revision Guide

Writing is a circular process that requires repeated revisions. This is the reason why several drafts of the same composition usually precede the final version that you will turn in. As you compose the different drafts, revise what you write periodically according to this guide.

Content

1. If you followed the "Redacción" instructions at the end of the chapter, the content of your paper should need little revision. Does your paper's content reflect those instructions?

Organization

1. Do your ideas flow logically from beginning to end?
2. Does each paragraph contain a theme sentence?
3. Is your paper framed by an introduction and conclusion?
4. Are transitions between paragraphs smooth and logical?

Grammar

As you write in Spanish, you must consciously apply the rules of grammar such as word order, verb conjugations, adjective agreement, etc. Grammar comes much more naturally to us in our native language. After drafting, proofread for the following:

1. Identify each adjective and compare it to the noun it modifies. Do, for example, feminine nouns have feminine adjectives to match?
2. Study each conjugated verb form. Consult the verb tables for any forms you suspect may be misspelled or inaccurately conjugated.
3. When writing of past events, be sure you have applied the rules for preterit/imperfect usage.

4. Search your paper for missed opportunities to use the subjunctive ("Dudo que...", "No creo que...", "Me gusta que...", etc.)

5. Identify each use of *ser* and *estar*. Compare your use of these verbs to the rules in *Capítulo 1* to insure accuracy.

6. Double-check accuracy in the use of the verb *gustar*.

Vocabulary

1. Make sure you have incorporated a rich selection of vocabulary from the textbook and *Activities Manual*. Avoid repetitious vocabulary.

2. Look through your paper for any phrases that use idiomatic or non-literal language. If you suspect that a phrase represents an unsuccessful word-for-word translation from English, change it.

3. Double-check the use of problematic pairs such as *saber/conocer, por/para, ir/venir*, etc.

Tone and style

1. Read through your paper paying attention to the sound and rhythm. Make sure you have varied the structure of your sentences to avoid choppiness in your prose. If choppiness is a problem, combine short, simple sentences into longer, more complex ones using "y," "pero," "que," "cuando," or some other conjunction. Alternate sentence structure to achieve variety in rhythm.

Mechanics

Double-check the following:

1. Spelling. The Microsoft Word spell-check can help with this. (Change the default language to "Spanish.")

2. Accents.

3. Capitalization. Remember that the rules are different for Spanish.

4. Punctuation.

Glossary: Spanish-English

The boldface number following each number corresponds to the chapter (or chapters) in which the word appears. In addition, *v* stands for verb, *f* stands for feminine and *m* stands for masculine.

a causa de as a result of, because of **6**

a la orilla on the margins; on the shore **3**

a lo largo de throughout **7**

a menudo often **3**

a pesar de que in spite of **9**

a raíz de due to **6**

a sí mismos themselves **6**

abogar to defend **3**; to advocate **7**

abrírsele puertas (a alguien) to have doors open for someone **3**

acaparar to hoard **9**

acariciar to caress **6**

acercamiento *m* approaching **5**

actual current, present **3**

actualmente currently **6**

acudir en masa to flock to **4**

adarga *f* shield **5**

adhesión *f* membership **6**

afición *f* hobby **2**

agarrar to hold **4**

aglomeración *f* crowd **4**

agotarse to run out **9**

agropecuaria *f* farming, agricultural **6**

aguacate *m* avocado tree **6**

aislado/a isolated **6**

aislar to isolate **7**

al alcance within reach **3**

al cuello around the neck **1**

al igual que same as **2**

al mando de in charge of **6**

al menos at least **3**

al nacer as a newborn **8**

al ras del vientre flush with the abdomen **5**

alboroto uproar **6**

alcanzar reach **6**

aldeas de palafitos indigenous constructions built on stilts **7**

alentar to encourage **6**, **9**

alfabetización *f* literacy **8**

alfarero/a potter **2**

algodón cotton **9**

aliarse to ally oneself **9**

alternar to socialize **4**

altivo/a proud **1**

ama de casa *f* housewife **2**

amaestrado/a schooled **5**

amistad *f* friendship **2**

ampliar to enlarge **6**

anclar to put down the anchor **5**

aniquilar to destroy **3**

ante before, in front of **3**

aparentar to feign **10**

apegado/a to be attached to **1**

apego attachment **9**

apertura económica open market **6**

apogeo *m* high point **1**

aportar to contribute **7**

apoyado/a en leaning against **1**

apoyar to support **6**, **7**, **10**

apresado/a trapped **8**

apresar to take prisoner **5**

apuntarse to enroll, to sign up **8**

aquejar to afflict **2**

arrancar hierbas to pick plants **5**

arrancar to start **10**

arrodillarse to kneel down **6**

arruga *f* wrinkle **1**

asaetar to shoot with arrows **5**

asaltos robberies **10**

asar to roast **4**

asediar besiege **6**

asilo asylum **6**

aspaviento *m* fuss **1**

aterrizar to land **10**

atracar to mug someone **10**

atuendo *m* outfit **8**

aumento *m* increase **2**

aureola *f* round glow **2**

ausente absent **1**

automovilista *m/f* driver **10**

avanzado/a advanced **5**

azotar to whip **5**

ballesta *f* crossbow **5**

bandera *f* flag **4**

barilla little bar **9**

bastón *m* cane **1**

batel *m* skiff; small boat **5**

belicoso prone to warfare **9**

bergantín *m* boat of robbers **5**

bichero *m* boat hook **5**

bienestar *m* well being **7**

bizco/a cross-eyed **8**

boina *f* beret **1**

bordar to embroider **2**

botánica *f* botany **6**

breña *f* rough ground **5**

breñal scrub **9**

broma *f*, **truco** *m* trick **4**

brújula *f* compass **5**

bruto/a raw, unrefined **9**

brutos fierce **9**

caber + *inf* can, may **6**

cabo *m* cape **5**

cacique chief **9**

caja soundbox **9**

calabaza pumpkin **9**

calificar label **9**

calumniar to slander **3**

camarote *m* cabin **5**

campesino/a peasant **4**, **7**

canonizar canonize **4**

cariño affection **10**

cariñosamente affectionately **9**

carnes flesh **9**

carnet de identidad *m* ID card **2**

carretera *f* road **8**

cascabel *m* small bell **5**

castigo *m* punishment **2**

cavernosa spooky **10**

ceja *f* eye brow **1**

celebración *f* celebration **5**

centenario centennial **5**

cepo *m* stock (for prisoners) **5**

cercano/a close, nearby **5**

cerebro *m* brain **8**

chapulín *m* grasshopper **6**

chiste *m* joke 4

chorrear to gush 8

ciudadano/a citizen 7

codiciado/a sought-after 7

collar *m* necklace 5

comisura *f* corner 1

como es de esperarse as expected 9

como tal as such 9

compaginar to fit, combine 1

compartir to share 4

complejidad *f* complexity 9

complejo/a complex 5

comprender to comprise 5

compromiso engagement 9

concurrencia *f* gathering 3

conferir (ie, i) to give 6, 8

confianza trust 7

congelado frozen 6

conmemoración *f* commemoration 5

conocedor/a knowledgeable 6

consciente aware 9

consejo *m* council, meeting 8

controversia *f* controversy 5

contundente forceful 5

coronar to crown 2

corrida de toros *f* bullfight 4

cortar el rollo end the conversation (*col.*) 1

costero/a on the coast 1

costumbre *f* custom 9

cotizado/a valued, sought-after 1

cráneo *m* skull 8

crear to create 3

creciente *m/f* growing 8

crecimiento growth 9

criar los ganados to breed livestock 9

cronista *m/f* chronicler 9

cuando menos at least 3

cuello *m* neck 5

cuenco *m* basin 2

cuenta *f* bead 5

cuerda, de *f* string (of) 9

cuerpo celeste *m* celestial object 5

cuestionar to question 3

cultivo crop 7

dañino/a harmful 8

dar a los remos to row very hard 5

dar caza to give chase 5

dar una vuelta to go around 9

dar un paseo to take a walk 2

darse cuenta de to realize 6

de mal gusto bad taste 4

de repente suddenly 6

debilitar to weaken 7, 9

decenio decade 10

declararse en huelga to go on strike 9

derecha right-wing 7

derecho right 7

derramamiento de sangre bloodshed 7

derrocar to overthrow 7

derrotar to defeat 6

desarrollo *m* development 1, 8

desbarrancarse to go over a sheer drop 10

descansar los restos to lie the remains 9

descendiente descendant 9

descongestionado/a not congested 10

desconocido/a unknown, unfamiliar 8

descubrimiento *f* discovery 5

desempleo unemployment 7

desenfatizar to de-emphasize **10**

desfile *m* parade **4**

deshabitado/a uninhabited **10**

desmesurado/a uncontrolled, boundless **9**

despectivamente derogatorily **6**

despiadada merciless **6**

despojo civil mundane refuse **4**

destacada *f* visible **6**

destacarse to stand out **10**

destreza *f* skill, ability **3**

detener(se) to stop **5**, **10**

deuda *f* debt **8**

día festivo holiday **4**

diadema *f* jeweled crown **2**

diario *m* newspaper **5**

dicción *f* diction **1**

dictadura dictatorship **7**

difusión *f* dissemination **9**

dirigente ruler **9**

disfraz *m* costume **4**

disfrutar to enjoy **8**

disparo de bombarda *m* cannon shot **5**

disponer to decide **8**

dispuesto/a to be ready **8**

divisas foreign currency **10**

doliente in pain **5**

doquiera wherever **9**

dotación *f* allotment **6**

duelo struggle **6**

dueño/a owner **10**

duradero/a lasting **2**

echar anclas to put down anchor **5**

echar de menos to miss **2**

echar una mano to lend/give a hand, to help **3**, **8**

edificio *m* building **1**

el que the fact that **3**

elegir to choose **6**

embarazada *f* pregnant **4**

embarcación *f* ship **5**

emparejamiento/apareamiento *m* matching **9**

empleada doméstica *f* maid **8**

empleado/a employee **3**

empobrecimiento impoverishment **7**

emprender to undertake **7**

empresa cafetera *f* coffee company **8**

en cueros naked **9**

en cuanto a in reference to **6**

en este sentido in this respect **10**

en gran medida in great part **2**

en lo que va so far **9**

en lugar de instead of **10**

en mis verdades in my values **4**

en vez de instead of **6**

en voz alta out loud **8**

encajar to fit **1**

enclave *m* place **6**

encuesta *f* survey **5**

engañar to deceive **8**

engaño *m* trickery, deception **8**

enseñanza teaching **9**

entendimiento thoughts, mind **4**

entorno *m* environment, setting **2**

enviar to send **3**

envidia *f* envy **2**

época *f* time, period **7**

época dorada golden era **10**

equivocado/a wrong, mistaken 7

equivocarse to be mistaken; to make a mistake 10

erróneo/a erroneous 3

es decir that is 10

escasamente scarcely 10

esclavitud f slavery 5

esperanza f hope 2

estadounidense United States citizen 3

estancamiento stagnation 6

estar ilusionado/a to be excited 1

estéril useless 5

estimar to estimate 3

estimular to stimulate 6

estrecho/a close 8

evidenciar to prove 9

evitarse to avoid 4

éxito m success 1

exitoso/a successful 6, 10

extender (ie) to extend 7

fauna f fauna 8

fecundo/a productive 5

fementida deceiving 4

ferrocarril m railroad 8, 9

fiel faithful 7

fingir to fake 10

firmar to sign 1

flechar reciamente to shoot many arrows 5

flora f flora 8

fomentar to foster 10

fortaleza fort 7

fracaso m failure 8

francotirador m sniper 8

fraudulento/a dishonest 7

fray friar, brother 8

frontera border 9

fuegos artificiales fireworks 4

fuente f source; fountain 1

galardonar to award a prize to 10

ganadería f cattle farming 6

ganado cattle 7, 9

garganta throat 6

gastado/a over-used, worn out 1

genocidio m genocide 5

gerente m, f manager 8

gira f tour 1

golpe de estado m coup d'état 1

golpe militar military coup 10

gozar to enjoy 9

grabar to record 9, 10

gracioso/a funny, comical 3

grado de m level of

gritar to shout 9

guerrero warrior 6

haber lástima to have pity 9

habitar to inhabit 5

hacer daño to harm 1

hallarse to find oneself 3

han are 9

hecho m fact 3

hermosura f beauty 4

híbrido/a hybrid 10

hilo m thread, line 2

hogar m home 2

holandés/a Dutch 7

homilía f sermon, homily 8

horca f gallows 5

hueco *m* concavity, hollow **2**

huir to flee **5**

hundirse to go deep into **9**

idioma language **3**

idiosincrasia *f* idiosyncrasy **4**

ilustración *f* enlightenment **3**

impactar to impact **4**

imponer to impose **2**

improbable unlikely **7**

impuesto tax **7**

inalterable unchangeable **5**

inalterado/a undisturbed **8**

incertidumbre *f* uncertainty **6**

incierto/a uncertain **7**

incluir to include **3**

incluso even **10**

incómodo uncomfortable **4**

incredulidad *f* disbelief **8**

inculta uncultivated **9**

índice rate **2**

inesperadamente unexpectedly **10**

inestabilidad *f* instability **3**

informática *f* computer science **3**

ingresar to join **6**

ingreso income **7**

ingreso *m* admission **6**

ingreso per cápita income per capita **7**

injusticia injustice **9**

instrumento instrument **7**

integral *m/f* integral, essential **4**

intentar to try **8**

inventar to invent **7**

inverso/a reverse **10**

invertir (ie, i) to invest **7**

izar to hoist **5**

izquierda left-wing **7**

jerarquía hierarchy **9**

jeroglífico/a hieroglyphic **5**

jubilado/a retired, retiree **1**, **2**

justicia *f* justice, the law **1**

labor redentora *f* redeeming work **8**

laboral related to work **10**

labrar weave **9**

lanzador *m* pitcher **1**

lanzar to launch **6**

lanzazo *m* wound from an arrow **5**

La Tumba Cuban rhythm **7**

lazo *m* tie **3**

lealtad *f* loyalty **2**

lecho bed **6**

lecho *m* bed **6**, **8**

lector/a reader **3**

legítimo legitimate **7**

leguas leagues **9**

lengua language **3**

levantar to pick someone up **10**

levantar en hombros to carry on someone's shoulders **6**

ley *f* law **6**

ligar to bind **1**; to link **8**

límpido pure, smooth **10**

llamar a la puerta to ring the bell, to knock **4**

llevar a cabo to carry out **8**

llevarse bien to get along **9**

lograr to achieve **7**

luchar to fight **8**

lugar *m* place **2**

madrugada *f* dawn **2**; daybreak **4**

maíz *m* corn **8**

malabarismo *m* juggling **1**

manantial *m* spring, source, flowing water **2**

mandato term of office **6**

mansedumbre gentleness **9**

maquiladora *f* textile factory **8**

más bien rather **10**

mástil *m* mast **5**

matrimonio de ensayo trial marriage **9**

medida measure **9**

medio ambiente *m* environment **8**

mejilla *f* cheek **4**

melena *f* head of hair **1**

mezcla *f* mixture **5**

misericordia *f* mercy **5**

mitad *f* half **3**

mito *m* myth **3**

mohín grimace **10**

moneda currency **6**, **9**

montura *f* frames **1**

muchedumbre *f* mob **6**

multiplicar to multiply **3**

mundial worldwide **3**

mundo de los negocios business world **10**

nacer to be born **7**

ñandutí *f* lace **10**

nave *f* vessel (maritime) **5**

nene simpleton, child **3**

nido de abeja *m* bee hive **1**

niño/a prodigio gifted child **9**

no dejar de haber to be no lack of **3**

no ha mucho not long ago **3**

no se descarta is not ruled out **10**

no tener salida al mar to be landlocked **9**

nocivo/a harmful **1**

obispo *m* bishop **10**

obras deeds **9**

obsequiar to give (as a present) **5**

ocio *m* free time **1**

oposición *f* opposition **5**

orgullo pride **9**

orgulloso/a proud **3**, **8**

Oriental Eastern **6**

origen origin **7**

oro gold **9**

padrísimo/a fantastic **1**

paisaje *m* landscape **8**

papel *m* role **6**

pareja *f* couple, partner **2**

partidarios followers **10**

pasarlo bien to have a good time **2**

pastos y sementeras pasture and sown land **9**

pavés *m* shield **5**

paz *f* peace **8**

pecho *m* chest **5**

pedir perdón to ask for forgiveness **5**

pena *f* pity **6**

perdedor/a loser **8**

perderse en la historia to get lost in history **4**

peregrino pilgrim **6**

perla pearl **7**

perseguir to hound **4**

personaje *m* fictional character **1**

pieles hides **9**

platicar to talk, chat (Mex.) **1**

plausible plausible **7**

pletórico/a full, brimming over **2**

plugo a Dios to please God **5**

poblar (ue) to populate **10**

pobreza *f* poverty **8**

poco a poco little by little **4**

polémico/a polemical, controversial **3**

policía manners **9**

por do quisiesen anywhere **9**

por su cuenta on his/her own **4**

poseer to own **7**

posibilidad possibility **7**

precolombino/a pre-columbian **5**

premiar to award **6**

presupuesto *m* budget **8**

primera mirada first sight **6**

procurar hincar to try to stick into **9**

propósito *m* purpose **3**

puente *m* bridge **1**

puente nasal *m* nasal bridge **8**

puerto *m* port **5**

punto de vista *m* point of view **5**

puro/a pure **9**

quetzal *m* quetzal (type of bird) **8**

quitarle el sueño to lose sleep (over something) **1**

racial racial **3**

rama *f* branch **1**

ramera *f* prostitute **5**

rango rank, status **9**

rasgo trait **3**

recalcar to stress **6**

rechazar to reject **6**

rechazo *m* rejection **2**

reclamar to demand **5**

reconocimiento *m* recognition **1**

recorrido distance; route; run **10**

recriminación *f* reproach **5**

recuerdos memories **10**

recurrir to resort to **8**

red *f* network **6**

reformatorio *m* juvenile detention center **1**

regresar to return (to a place) **10**

rehusar to refuse **8**

reinstaurar to restore **6**

relámpago flash of lightning **10**

reloj de arena *m* hourglass **5**

reloj de sol *m* sundial **5**

rendir to give **4**

rendirse to surrender **6**

represa *f* dam **10**

resaltar to bring out **6**

reto challenge **10**

retorcido/a twisted **1**

retrasar to delay **2**

reunirse to meet, to get together **4**

rezar to pray **1**

riqueza *f* riches **8**

ritualizar to make into a ritual **4**

roble *m* oak **1**

roer to gnaw **5**

rostro *m* face **6**, **8**

rugido roar **6**

sabiduría *f* knowledge **3**

sacerdocio priesthood **10**

sacerdote/sacerdotisa priest, priestess **2**

sagrado/a sacred **2**

salir bien/mal (en algo) to do well/poorly (in something) **3**

saludar to greet **4**

sanguinario bloody **7**

sano/a healthy **1**, **6**

se habían bohayod **9**

secuela *f* consequence **6**

secuestro kidnapping **9**

sede headquarters **9**

seguidor follower **7**

según according to **9**

segur *f* axe **5**

sembrar sow **9**

semilla *f* seed **3**

sentarse to establish **10**

ser de lamentarse to be regrettable **3**

serranía mountainous region **9**

sinfín *m* endless **8**

sino but (instead) **5**

siquiera if anything; at least **3**

soberanía *f* sovereignty **6**

sobrevivir to survive **9**

socorrer to assist **9**

soga *f* rope **5**

solazarse to take pleasure **5**

solicitar to request **6**

sollozar to sob **6**

soltarse to free oneself **5**

sonrisa *f* smile **8**

sorprender to catch **8**

sorprender a alguien to surprise **4**

suavización softening **7**

subir to get in **10**

suerte *f* luck **4**; fate **6**

sujeción *f* subjugation **5**

superar to overcome **1**

suspirar to sigh **6**

susurrar to whisper **6**

taíno *m* native group of the Caribbean islands **1**

talante *m* character, personality **5**

tallado *m* carving **10**

tamal *m* tamale **4**

tapas *f* snacks, appetizers **4**

tarea doméstica *f* household chore **2**

tatuaje *m* tattoo **8**

tema *m* theme, topic **3**

temer to be worried **9**

tender to tend to **6**

tener éxito to succeed **7**

tener lugar to take place **6**

teñida tinged **6**

teoría theory **7**

tez complexion **10**

tiro con arco *m* archery **1**

título degree **7**

tobillo *m* ankle **5**

toda vez que given that **3**

traductor/a translator **3**

transcurrir to pass, go by **7**

trasladarse to move **4**

tratado *m* treaty **8**

triplicar to triple **10**

trono throne **6**

tropezar con to encounter **3**

tumba *f* grave, tomb **4**

ubicado/a located **6**

uña *f* fingernail **5**

uña postiza *f* fake finger nail **8**

Upa habanera Cuban rhythm **7**

vacío/a empty **2**

valer la pena to be worthwhile **8**

valerse de to make use of **8**

valor *m* value **3**

vara yard **9**

variedad variety **5**

vasija *f* vessel **2**

vela *f* sail **5**

venados y salvajinas deers and savages **9**

vencer to win **6**

vencido/a defeated **4**, **8**

vendedor ambulante street vendor **1**

ventaja *f* advantage **6**

veracidad *f* truthfulness, veracity **3**

vertir to shed **6**

vidriado glass craft **6**

vigente in force **7**

vínculo link **6**, **8**

virtud *f* virtue **3**

voz baja low voice **4**

yuca cassava **9**

Glossary: English-Spanish

The **boldface** number following each number corresponds to the chapter (or chapters) in which the word appears. In addition, *v* stands for verb, *f* stands for feminine and *m* stands for masculine.

ability *destreza f* **3**

absent *ausente* **1**

according to *según* **9**

according to my values *en mis verdades* **4**

achieve *lograr v* **7**

admission *ingreso m* **6**

advanced *avanzado/a* **5**

advantage *ventaja f* **6**

advocate *abogar v* **7**

affection *cariño m* **10**

affectionately *cariñosamente* **9**

afflict *aquejar v* **2**

agricultural *agropecuaria f* **6**

ally oneself *aliarse v* **9**

ankle *tobillo m* **5**

anywhere *por do quisiesen* **9**

appetizers *tapas f* **4**

archery *tiro con arco m* **1**

around the neck *al cuello* **1**

as a newborn *al nacer* **8**

as a result of *a causa de* **6**

as such *como tal* **9**

as expected *como es de esperarse* **9**

ask for forgiveness *pedir perdón v* **5**

assist *socorrer v* **9**

asylum *asilo m* **6**

at least *al menos* **3**; *cuando menos* **3**; *siquiera* **3**

attached *apegado/a* **1**

attachment *apego m* **9**

avocado (tree) *aguacate m* **6**

avoid *evitarse v* **4**

award *premiar v* **6**

award a prize to *galardonar v* **10**

aware *consciente* **9**

axe *segur f* **5**

bad taste *de mal gusto* **4**

basin *cuenco (geog.)* **2**

be born *nacer v* **7**

be landlocked *no tener salida al mar* **9**

be mistaken *equivocarse v* **10**

be ready *dispuesto/a* **8**

be regrettable *ser de lamentarse* **3**

be worried *temer v* **9**

be worthwhile *valer la pena v* **8**

bead *cuenta f* **5**

beauty *hermosura f* **4**

because of *a causa de* **6**

bed *lecho m* **6, 8**

beehive *nido de abejas m* **1**

before *ante* **3**

behaved *se habían* **9**

belligerant *belicoso* **9**

beret *boina f* **1**

besiege *asediar v* **6**

bind *ligar v* **1**

bishop *obispo m* **10**

bloodshed *derramamiento de sangre m* **7**

bloody *sanguinario/a* **7**

boat hook *bichero m* **5**

boat of robbers *bergantín* **5**

border *frontera f* **9**

botany *botánica f* **6**

boundless *desmesurado/a* **9**

brain *cerebro m* **8**

branch *rama f* **1**

breed livestock *criar los ganados v* **9**

bridge *puente m* **1**

brimming over *pletórico/a* **2**

bring out *resaltar v* **6**

budget *presupuesto m* **8**

building *edificio m* **1**

bullfight *corrida de toros f* **4**

business world *mundo de los negocios m* **10**

cabin *camarote m* **5**

cane *bastón m* **1**

cannon shot *disparo de bombarda m* **5**

canonize *canonizar v* **4**

can (verb) *caber + inf* **6**

cape *cabo m* **5**

caress *acariciar v* **6**

carry on someone's shoulders *levantar en hombros v* **6**

carry out *llevar a cabo v* **8**

carving *tallado m* **10**

cassava *yuca f* **9**

catch *sorprender v* **8**

cattle *ganado m* **7**, **9**

cattle farming *ganadería f* **6**

celebration *celebración f* **5**

celestial object *cuerpo celeste m* **5**

centennial *centenario m* **5**

challenge *reto m* **10**

character *talante* **5**

character (fictional) *personaje m* **1**

chat *platicar (Mex.)* **1**

cheek *mejilla f* **4**

chest *pecho m* **5**

chief *cacique m* **9**

child *nene* **3**

choose *elegir v* **6**

chronicler *cronista m/f* **9**

citizen *ciudadano/a* **7**

close *cercano/a* **5**; *estrecho/a* **8**

coastal *costero* **1**

coffee company *empresa cafetera f* **8**

combine *compaginar v* **1**

comical *gracioso/a* **3**

commemoration *conmemoración f* **5**

compass *brújula f* **5**

complex *complejo/a* **5**

complexion *tez f* **10**

complexity *complejidad f* **9**

comprise *comprender v* **5**

computer science *informática f* **3**

consequence *secuela f* **6**

contribute *aportar v* **7**

controversial *polémico/a* **3**

controversy *controversia f* **5**

corn *maíz m* **8**

corner *comisura f* **1**

costume *disfraz m* **4**

cotton *algodón m* **9**

council *consejo m* **8**

coup d'état *golpe de estado m* **1**

couple *pareja f* **2**

create *crear v* **3**

crop *cultivo m* **7**

cross-eyed *bizco/a* **8**

crowd *aglomeración f* **4**

crown *coronar v* **2**

Cuban music *La tumba f* **7**; *Upa habanera f* **7**

currency *moneda f* **6, 9**

current *actual* **3**

currently *actualmente* **6**

custom *costumbre f* **9**

dam *represa f* **10**

dawn, daybreak *madrugada f* **2, 4**

debt *deuda f* **8**

decade *decenio m* **10**

deceive *engañar v* **8**

deceiving *fementida* **4**

deception *engaño m* **8**

decide *disponer v* **8**

deeds *obras f* **9**

de-emphasize *desenfatizar v* **10**

deer and savages *venados y salvajinas* **9**

defeat *derrotar v* **6**

defeated *vencido/a* **4, 8**

defend *abogar v* **3**

degree *título m* **7**

delay *retrasar v* **2**

demand *reclamar v* **5**

derogatorily *despectivamente* **6**

descendants *descendientes m* **9**

destroy *aniquilar v* **3**

development *desarrollo m* **1, 8**

dictatorship *dictadura f* **7**

diction *dicción f* **1**

disbelief *incredulidad f* **8**

discovery *descubrimiento m* **5**

dissemination *difusión f* **9**

distance *recorrido m* **10**

do well/poorly (in something) *salir bien/mal (en algo)* **3**

drawing closer *acercamiento m* **5**

driver *automovilista m/f* **10**

due to *a raíz de* **6**

Dutch *holandés/a* **7**

Eastern *Oriental* **6**

embroider *bordar v* **2**

employee *empleado/a* **3**

empty *vacío/a* **2**

encounter *tropezar con v* **3**

encourage *alentar v* **6**

endless *sinfín m* **8**

end the conversation *cortar el rollo (col.) v* **1**

engagement *compromiso m* **9**

enjoy *disfrutar v* **8**; *gozar* **9**

enlarge *ampliar v* **6**

enlightenment *ilustración f* **3**

enroll *apuntarse v* **8**

environment *entorno m* **2**; *medio ambiente m* **8**

envy *envidia f* **2**

erroneous *erróneo/a* **3**

essential *integral* **4**

establish *sentarse v* **10**

estimate *estimar v* **3**

excited *ilusionado/a* **1**

extend *extender v* **7**

eye brow *ceja f* **1**

face *rostro m* **6, 8**

fact *hecho m* **3**

failure *fracaso m* **8**

faithful *fiel* **7**

fake *fingir v* 10

fake fingernail *uña postiza* 8

fantastic *padrísimo/a* 1

farming *agropecuaria f* 6

fate *suerte f* 6

fauna *fauna f* 8

feign *aparentar v* 10

fierce *bruto* 9

fight *luchar v* 8

find oneself *hallarse v* 3

fingernail *uña f* 5

fireworks *fuegos artificiales m* 4

first sight *primera mirada f* 6

fit *compaginar v; encajar v* 1

flag *bandera f* 4

flee *huir v* 5

flesh *carnes* 9

flock to *acudir en masa v* 4

flora *flora f* 8

flush with the abdomen *al ras del vientre* 5

followers *partidarios m* 10; *seguidores m* 7

forceful *contundente* 5

foreign currency *divisas f* 10

fort *fortaleza f* 7

foster *fomentar v* 10

fountain *fuente f* 1

frames *montura f* 1

free oneself *soltarse v* 5

free time *ocio m* 1

friar *fray* 8

friendship *amistad f* 2

frozen *congelado/a* 6

full *pletórico/a* 2

funny *gracioso/a* 3

fuss *aspaviento m* 1

gallows *horca f* 5

gathering *concurrencia f* 3

genocide *genocidio m* 5

gentleness *mansedumbre f* 9

get along *llevarse bien v* 9

get in *subir v* 10

get lost in history *perderse en la historia v* 4

get together *reunirse* 4

gifted child *niño/a prodigio* 9

give *conferir v* 6, 8; *rendir v* 4

give a hand *echar una mano* 3, 8

give as a gift *obsequiar v* 5

give chase *dar caza v* 5

given that *toda vez que* 3

glass craft *vidriado m* 6

gnaw *roer v* 5

gold *oro m* 9

golden era *época dorada f* 10

good time, have a *pasarlo bien* 2

go around *dar una vuelta v* 9

go by *transcurrir v* 7

go deep into *hundirse v* 9

go out on strike *declararse en huelga* 9

go over a sheer drop *desbarrancarse v* 10

grasshopper *chapulín m* 6

grave *tumba f* 4

greet *saludar v* 4

grimace *mohín m* 10

growing *creciente m/f* 8

growth *crecimiento m* 9

gush *chorrear v* 8

hair (head of hair) *melena f* 1

half *mitad f* 3

harmful *dañino/a* 8; *nocivo/a* 1

have doors open (for someone) *abrírsele puertas (a alguien)* 3

have pity *haber lástima* 9

headquarters *sede f* 9

healthy *sano/a* 1, 6

help *echar una mano* v 3, 8

hierarchy *jerarquía f* 9

hieroglyphic *jeroglífico/a* 5

high point *apogeo m* 1

hides *pieles f* 9

hoard *acaparar* v 9

hobby *afición f* 2

hoist *izar* v 5

hold *agarrar* v 4

hole *hueco m* 2

holiday *día festivo m* 4

hollow *hueco adj* 2

home *hogar m* 2

homily *homilía f* 8

hope *esperanza f* 2

hound *perseguir* v 4

hourglass *reloj de arena m* 5

household chore *tarea doméstica f* 2

housewife *ama de casa f* 2

ID card *carnet de identidad m* 2

idiosyncrasy *idiosincrasia f* 4

if anything *siquiera* 3

impact *impactar* v 4

impose *imponer* v 2

impoverishment *empobrecimiento m* 7

in charge of *al mando de* 6

in force *vigente* 7

in great part *en gran medida* 2

in pain *doliente* 5

in reference to *en cuanto a* 6

in spite of *a pesar de que* 9

in this respect *en este sentido* 10

include *incluir* v 3

income per capita *ingreso per cápita m* 7

increase *aumento m* 2

indigenous constructions built on stilts *aldeas de palafitos f* 7

inhabit *habitar* v 5

injustice *injusticia f* 9

instability *inestabilidad f* 3

instead of *en vez de* 6, 10

instrument *instrumento m* 7

invent *inventar* v 7

invest *invertir* v 7

is not ruled out *no se descarta* 10

isolated *aislado/a* 6, 7

jeweled crown *diadema f* 2

join *ingresar* v 6

joke *chiste m* 4

juggling *malabarismo m* 1

justice *justicia f* 1

juvenile detention center *reformatorio m* 1

kidnapping *secuestro m* 9

kneel down *arrodillarse* v 6

knock *llamar a la puerta* v 4

knowledge *sabiduría f* 3

knowledgeable *conocedor/a* 6

label *calificar* v 9

lace *ñandutí f* 10

land *aterrizar* v 10

landscape *paisaje m* **8**

language *idioma m* **3**

lasting *duradero/a* **2**

launch *lanzar v* **6**

law *justicia f* **1**; *ley f* **6**

leagues *leguas f* **9**

leaning against *apoyado/a* **1**

left-wing *izquierda* **7**

legitimate *legítimo/a* **7**

lend a hand *echar una mano* **3**, **8**

level of *grado de* **8**

flash of lightning *relámpago m* **10**

lie the remains to rest *descansar los restos v* **9**

line *hilo m* **2**

link *ligar v* **8**; *vínculo m* **6**, **8**

literacy *alfabetización f* **8**

little bar *barilla* **9**

little by little *poco a poco* **4**

located *ubicado/a* **6**

loser *perdedor/a* **8**

lose sleep *quitarle el sueño* **1**

low voice *voz baja* **4**

loyalty *lealtad f* **2**

luck *suerte f* **4**

maid *empleada doméstica f* **8**

make a mistake *equivocarse v* **10**

make into a ritual *ritualizar v* **4**

make use of *valerse de v* **8**

manager *gerente m/f* **8**

manners *policía* **9**

martial arts *artes marciales f* **1**

mast *mástil m* **5**

matching *emparejamiento/apareamiento m* **9**

may *caber + inf* **6**

measure *medida f* **9**

meet *reunirse v* **4**

meeting *consejo m* **8**

membership *adhesión f* **6**

memories *recuerdos m* **10**

merciless *despiadado/a* **6**

mercy *misericordia f* **5**

military coup *golpe militar m* **10**

mind *entendimiento m* **4**

miss *echar de menos v* **2**

mistaken *equivocado/a* **7**

mistaken *erróneo/a* **3**

mixture *mezcla f* **5**

mob *muchedumbre f* **6**

mountainous region *serranía f* **9**

move *trasladarse v* **4**

mug someone *atracar v* **10**

multiply *multiplicar v* **3**

mundane refuse *despojo civil m* **4**

myth *mito m* **3**

naked *en cueros* **9**

nasal bridge *puente nasal m* **8**

nearby *cercano/a* **5**

neck *cuello m* **5**

necklace *collar m* **5**

network *red f* **6**

newspaper *diario m* **5**

not congested *descongestionado/a* **10**

not long ago *no ha mucho* **3**

oak *roble m* **1**

often *a menudo* **3**

on his/her own *por su cuenta* **4**

on the margins/on the shore *a la orilla* **3**

open market *apertura económica f* **6**

opposition *oposición f* **6**

outfit *atuendo m* **8**

out loud *en voz alta* **8**

overcome *superar v* **1**

overthrow *derrocar* **7**

over-used *gastado/a* **1**

own *poseer v* **7**

owner *dueño/a* **10**

parade *desfile m* **4**

partner *pareja f* **2**

pass *transcurrir v* **7**

pastures and sown land *pastos y sementeras* **9**

peace *paz f* **8**

pearl *perla f* **7**

peasant *campesino/a* **4**, **7**

period *época f* **7**

personality *talante m* **5**

pick plants *arrancar hierbas v* **5**

pick someone up *levantar v* **10**

pilgrim *peregrino m* **6**

pitcher *lanzador m* **1**

pity *pena f* **6**

place *enclave m* **6**; *lugar m* **2**

please God *plugo a Dios v* **5**

point of view *punto de vista m* **5**

polemical *polémico/a* **3**

populate *poblar v* **10**

port *puerto m* **5**

potter *alfarero/a* **2**

poverty *pobreza f* **8**

pray *rezar v* **1**

pre-Columbian *precolombino/a* **5**

pregnant *embarazada* **4**

present *actual* **3**

pride *orgullo m* **9**

priesthood *sacerdocio m* **10**

priest/priestess *sacerdote/sacerdotisa* **2**

productive *fecundo/a* **5**

prostitute *ramera f* **5**

proud *altivo/a* **2**; *orgulloso/a* **3**, **8**

prove *evidenciar v* **9**

pumpkin *calabaza f* **9**

punishment *castigo m* **2**

pure *límpido/a* **10;** *puro/a* **9**

purpose *propósito m* **3**

put down anchor *echar anclas v* **5**

question *cuestionar v* **3**

quetzal (bird) *quetzal m* **8**

racial *racial* **3**

railroad *ferrocarril m* **8**, **9**

rank *rango m* **9**

rate *índice m* **2**

rather *más bien* **10**

raw *bruto/a* **9**

reach *alcanzar v* **6**

reader *lector/a* **3**

realize *darse cuenta de v* **6**

recognition *reconocimiento m* **1**

record *grabar v* **9**, **10**

redeeming work *labor redentora f* **8**

refuse *rehusar v* **8**

reject *rechazar v* **6**

rejection *rechazo m* **2**

reproach *recriminación f* **5**

request *solicitar v* **6**

resort to *recurrir a v* **8**

restore *reinstaurar v* **6**

retired *jubilado/a adj* **1**, **2**

retiree *jubilado/a noun* **1**

return to a place *regresar v* **10**

reverse *inverso/a* **10**

riches *riqueza f* **8**

right *derecho m* **7**

right-wing *derecha* **7**

ring the bell *llamar a la puerta v* **4**

road *carretera f* **8**

roar *rugido m* **6**

roast *asar v* **4**

robberies *asaltos m* **10**

role *papel m* **6**

rope *soga f* **5**

rough ground *breña f* **5**

round glow *aureola f* **2**

route *recorrido m* **10**

row very hard *dar a los remos v* **5**

ruler *dirigente m* **9**

run *recorrido m* **10**

run out *agotarse v* **9**

sacred *sagrado/a* **2**

sail *vela f* **5**

same as *al igual que* **2**

scarcely *escasamente* **10**

schooled *amaestrado/a* **5**

scrub *breñal m* **9**

seed *semilla f* **3**

send *enviar v* **3**

sermon *homilía f* **8**

setting *entorno m* **2**

share *compartir v* **4**

shed *vertir v* **6**

shield *adarga f* **5**; *pavés m* **5**

ship *embarcación f* **5**

shoot many arrows *flechar reciamente v* **5**

shoot with arrows *asaetar v* **5**

shout *gritar v* **9**

sigh *suspirar v* **6**

sign *firmar v* **1**

sign up *apuntarse v* **8**

simpleton *nene* **3**

skiff *batel m* **5**

skill *destreza f* **3**

skull *cráneo m* **8**

slander *calumniar v* **3**

slavery *esclavitud f* **5**

small bell *cascabel m* **5**

small boat *batel m* **5**

smooth *límpido/a* **10**

snacks *tapas f* **4**

sniper *francotirador m* **8**

sob *sollozar v* **6**

socialize *alternar v* **4**

so far *en lo que* **9**

softening *suavización f* **7**

sought after *cotizado/a* **1**, **7**

soundbox *caja f* **9**

source *fuente f* **1**; *manantial m* **2**

sovereignty *soberanía f* **6**

sow *sembrar v* **9**

spooky *cavernosa* **10**

spring *manantial m* **2**

stagnation *estancamiento m* **6**

stand out *destacar v* **10**

start *arrancar v* **10**

status *rango m* **9**

stimulate *estimular v* **6**

stock (for prisoners) *cepo m* **5**

stop *detener(se)* v **9, 10**

street vendor *vendedor ambulante* m **1**

stress *recalcar* v **6**

string (of) *cuerda de* **9**

struggle *duelo* m **6**

subjugation *sujeción* f **5**

succeed *tener éxito* v **7**

success *éxito* m **1**

successful *exitoso/a* **6, 10**

suddenly *de repente* **6**

sundial *reloj de sol* m **5**

support *apoyar* v **6, 7, 10**

surprise *sorprender a alguien* v **4**

surrender *rendirse* v **6**

survey *encuesta* f **5**

survive *sobrevivir* v **9**

taíno *indigenous person of the Caribbean islands* **1**

take place *tener lugar* v **6**

take pleasure *solazarse* v **5**

take prisoner *apresar* v **5**

talk *platicar (Mex.)* **1**

tamale *tamal* m **4**

tattoo *tatuaje* m **8**

tax *impuesto* m **7**

teaching *enseñanza* f **9**

tend to *tender* v **6**

term of office *mandato* m **6**

textile factory *maquiladora* f **8**

that is *es decir* **10**

the fact that *el que* **3**

theme *tema* m **3**

themselves *a sí mismos* **6**

theory *teoría* f **7**

thoughts *entendimiento* m **4**

thread *hilo* m **2**

throat *garganta* f **6**

throne *trono* m **6**

throughout *a lo largo de* **7**

tie (link) *lazo* m **3**

time *época* f **7**

tinged *teñido/a* **6**

to be no lack of *no dejar de haber* **3**

tomb *tumba* f **4**

topic *tema* m **3**

tour *gira* f **1**

trait *rasgo* m **3**

trapped *apresado/a* **8**

treaty *tratado* m **8**

trial marriage *matrimonio de ensayo* m **9**

trick *broma* f, *truco* m **4**

trickery *engaño* m **8**

triple *triplicar* v **10**

trust *confianza* f **7**

truthfulness *veracidad* f **3**

try *intentar* v **8**

try to stick into *procurar hincar* v **9**

twisted *retorcido/a* **1**

uncultivated *inculto/a* **9**

uncertain *incierto/a* **7**

uncertainty *incertidumbre* f **6**

unchangeable *inalterable* **5**

uncomfortable *incómodo/a* **4**

uncontrolled *desmesurado/a* **9**

undertake *emprender* v **7**

undisturbed *inalterado/a* **8**

unemployment *desempleo* m **7**

unexpectedly *inesperadamente* **10**

unfamiliar *desconocido/a* **8**

uninhabited *deshabitado/a* **10**

United States citizen *estadounidense* **3**

unknown *desconocido/a* **8**

unlikely *improbable* **7**

unrefined *bruto/a* **9**

uproar *alboroto m* **6**

useless *estéril* **5**

value *valor m* **3**

valued *cotizado/a* **1**

variety *variedad f* **5**

veracity *veracidad f* **3**

vessel *vasija f* **2**

vessel (maritime) *nave f* **5**

virtue *virtud f* **3**

visible *destacado/a* **6**

walk (take a walk) *dar un paseo* **2**

warlike *belicoso/a* **9**

warrior *guerrero m* **6**

water flow *manantial m* **2**

weaken *debilitar v* **7, 9**

weave *labrar v* **9**

well being *bienestar m* **7, 8**

wherever *do quiera* **9**

whip *azotar v* **5**

whisper *susurrar v* **6**

win *vencer v* **6**

within reach *al alcance* **3**

work related *laboral* **10**

worldwide *mundial* **3**

worn out *gastado/a* **1**

wound from an arrow *lanzazo m* **5**

wrinkle *arruga f* **1**

wrong *equivocado/a* **7**

English-Spanish Glossary

Text Credits

Chapter 1

Page 36: Charla con Tego Calderón: *Hip hop* con conciencia social. Satelite Musical. "Reprinted with permission of Satélite Musical." http://www.satelitemusical.net/tego_calderon_entrevista.html. Page 36: Partial interview with Tego Calderón. "Reprinted with permission of AOL Latino." http://musica.aol.com/artistas/entrevistas-aim/tego-calderon. Pages 38–39: Azyadeth Vélez Candelario "*Intensa bioluminiscencia en mares de Puerto Rico*" by Azyadeth Vélez Candelario. "Reprinted with permission of Universidad de Puerto Rico: Mayaguez." http://www.uprm.edu/news/articles/as0902004.html. Pages 38–39: Puerto Rico: La isla de Vieques. "Reprinted with permission of Wordpress." http://elbauldejosete.wordpress.com/2008/03/30/bahia-mosquito-iluminacion-nat. Pages 38–39: Puerto Rico: La isla de Vieques. Agencia para Sustancia Tóxicas y el Registro de Enfermedades. http://www.atsdr.cdc.gov/es/vieques/es_viequesresena.html. Pages 41–42: Small fragment of: Isabel Allende's "*Paula*." Reprinted with permission of Barcelona: Plaza & Janés, Ed. S.A. 1994 pp.14–15.

Chapter 2

Page 85: Pablo Neruda "*Oda al plato*." *Navegaciones y regresos*, Pablo Neruda, Reprinted with permission of Buenos Aires: Editorial Losada, 1959, pp. 101–102.

Chapter 3

Pages 79–80: Laura Esquivel: "*Alquimista del amor y de la cocina*." Reprinted with permission of Coordinación National de Literatura. http://www.literaturainba.com/escritores/escritores_more.php?id=5798_0_15_0_M. Page 93: Arturo Fox, "*Ser hispano en Estados Unidos*." Reprinted with permission of Pearson Education © 1998. Page 103: Los Lobos, "*Mexico Americano*." Reprinted with permission of Bug Music. Page 115: Xosé Castro Roig, "*La guerra entre el Espanglish y el Español*." Carta al director de Web. Reprinted with permission. Page 129: The Alonso S. Perales Reading published in "*En otra voz: Antología de la literatura hispana de los Estados Unidos*." Reprinted with permission of Houston: Arte Publico Press, 2002. Arte Publico Press, University of Houston 452 Cullen Performance Hall, Houston, TX 77204–2004.

Chapter 4

Page 173: Sor Juana Inés de la Cruz (1651–1695) Reprinted with permission.

Chapter 5

Page 194: Adapted from: "La dieta colombina." Reprinted with permission of El Universal: Madrid, España, Jueves 22 de junio del 2006. http://wwweluniversal.com.mx/notas/357097.html. Page 197: "*El otro punto de vista*." Reprinted with permission of Mas mayo-junio 1992, vol IV, No 3, p. 75. Page 210: Miguel de Cúneo (c. 1450-c. 1500) Reprinted with permission.

Chapter 6

Page 226: "*El País*." Opinión. Jueves, 8 de marzo de 2001. Reprinted with permission of DIARIO EL PAÍS, S.L. (Miguel Yeste 40, 28037 Madrid-España). Pages 260–261: Los Novios, Leyenda Anónima. Reprinted with permission.

Chapter 7

Page 277: "*El Entierro de Fidel*." Reprinted with permission of Foro La Nueva Cuba http://www.lanuevacuba.com/foro/general/293-el-entierro-de-fidel-chistes.html Link to main page: http://www.lanuevacuba.com/foro/

Chapter 8

Page 349: "Dos estadounidenses en Costa Rica: Diario de un viaje." By Steve and Amy Higgs. Reprinted with permission of Eco-Odyssey. Page 359: Augusto Monterroso, "El eclipse." Reprinted with permission of Ciudad Seva http://www.ciudadseva.com/textos/cuentos/esp/monte/eclipse.htm

Chapter 9

Page 407: Origen de los incas, reyes del Perú. Reprinted with permission.

Chapter 10

Pages 421–422: Adapted from Thomas C. Wright & Rody Oñate, "*Flight from Chile: Voices of Exile*," Francisco Ruiz. Reprinted with permission of University of New Mexico Press: 1998, pp. 204–206. Pages 437–438: Carlos Gardel, "Volver." Reprinted with permission of http://letras.terra.com.br/

carlos-gardel/178742/ Page 455: Historia de Enrique Anderson Imbert. Reprinted with permission of Ciudad Seva.

http://www.ciudadseva.com/textos/cuentos/esp/anderson/muerte.htm

Photo Credits

Chapter 1

Page 1: Masterfile. Pages 2,4, & 5: Courtesy Maria Angeles Rodriguez, Ana Patricia Ortiz, and Jose Fernandez. Page 14 (top): ©AP/Wide World Photos. Page 14 (center): Bob Daemmrich/The Image Works. Page 14 (bottom): ©AP/Wide World Photos. Page 24: Paul Spinelli/MLB Photos/Getty Images. Page 25 (top): ©AP/Wide World Photos. Page 25 (center): ©AFP/Corbis Images. Page 25 (bottom): Andrea Renault/Globe Photos, Inc. Page 33: The Street, 1987, by Fernando Botero. Private Collection/Bridgeman Art Library. ©Fernando Botero, Courtesy Marlborough Gallery, New York. Page 34: OJO Images/Getty Images. Page 36: ©AP/Wide World Photos. Page 39 (top): ©Frank Borges Llosa. Page 39 (bottom): Scott Warren/Aurora Photos Inc.

Chapter 2

Page 45: Blend Images/Getty Images. Page 46: Kaluzny-Thatcher/Stone/Getty Images. Page 47: Michelle Bridwell/PhotoEdit. Page 48: Philip Lee Harvey/Stone/Getty Images. Page 56 (top): Bill Losh/Taxi/Getty Images. Page 56 (bottom): M.J. Cardenas Productions/The Image Bank/Getty Images. Page 67: Livia Corona/Taxi/Getty Images. Page 69: Danny Lehman/Corbis Images. Page 73: Jon Guistina/Taxi/Getty Images. Page 76: *Tied Oranges*, Oil on canvas, by Diana Paredes. Page 79: ©AP/Wide World Photos. Page 82: Inga Spence/Visuals Unlimited/Getty Images. Page 85: Keystone/Getty Images.

Chapter 3

Page 89: Thinkstock/Getty Images. Page 90: Created by Leonardo Nunez and the Latino youth of Lompoc, California. Page 91: *Tributo a los Trabajadores Agrícolas* by Alexandro C. Maya, Photo

by Rich Puchalsky. Page 92: *Bomba y Plena* ©2003 City of Philadelphia Mural Arts Program/Betsy Z. Casanas. Photo by Jack Ramsdale. Reprinted with permission. Page 104 (top): ©AP/Wide World Photos. Page 104 (bottom): Claudio Bresciani/Retna. Page 106: Michael Newman/PhotoEdit. Page 115: Courtesy Xose Castro Roig. Page 118: Ian Shaw/Stone/Getty Images. Page 121: Juan Sanchez, *Cielo/Tierra/Esperanza (Heaven/Earth/Hope)*, 1990. Lithograph and collagraph on handmade paper, 10/16, 58 x 43 1/2. Mildred Lane Kemper Art Museum, Washington University in St. Louis. Gift of Island Press (formerly the Washington University School of Art Collaborative. Page 122: Billy Hustace/Photographer's Choice/Getty Images. Page 131: Photo by Russell Lee/The Center for American History, The University of Texas at Austin.

Chapter 4

Page 135: ©AP/Wide World Photos. Page 136: Yellow Dog Productions/The Image Bank/Getty Images. Page 137 (top): Phil Borden/PhotoEdit. Page 137 (bottom): ©PhotoDisc. Page 138: Danny Lehman/Corbis Images. Page 144: Tom Owen Edmunds/The Image Bank/Getty Images. Page 145 (left): Reuters NewMedia Inc./Corbis Images. Page 145 (right): Lindsay Hebberd/Corbis Images. Page 146: Danny Lehman/Corbis Images. Page 154: Jeff Greenberg/PhotoEdit. Page 158: Courtesy of John Quintana/Jona de Taos. Page 161: Danny Lehman/Corbis Images. Page 164: Museum of Santa Cruz/SUPERSTOCK. Page 165 (left): ©AP/Wide World Photos. Page 165 (right): F. SPEICH/Maxppp/Landov. Page 168: ©A.E. Hotchner/Globe Photos, Inc. Page 171: ©AP/Wide World Photos. Page 173: Cabrera, Miguel (1695–1768) *Sister (Suor) Juana Inés de la Cruz*, 1750. Oil on canvas, 207 x 148 cm. ©Schalkwijk/Art Resource.

Chapter 5

Page 177: Craig Lovell/Corbis Images. Page 184: ©Archivo Iconografico, S.A./Corbis Images. Page 194: The Santa Maria which, in 1492, took Columbus to the New World by English School (20th century) ©Private Collection/©Look and Learn/The Bridgeman Art Library International. Page 196 (left): ©Bettmann/Corbis Images. Page 196 (right): ©Archivo Iconografica, S.A./Corbis Images. Page 203: The Conquest of Mexico: Invaders attack with cannon and firearms. West Wall by Diego Rivera ©Banco de MexicoTrust/Art Resource. Page 207 (left): Map of Tenochtitlan and the Gulf of Mexico, from "Praeclara Ferdinadi Cortesii de Nova maris Oceani Hyspania Narratio" by Hernando Cortés (1485–1547) 1524 (color litho), Spanish School, (16th century)/Newberry Library, Chicago, Illinois, USA /The Bridgeman Art Library International. Page 207 (right): Randy Faris/©Corbis.

Chapter 6

Page 217: Royalty-Free/Corbis Images. Page 221: Historical Picture Archive/Corbis Images. Page 232: Javier Soriano/ AFP/Getty Images. Page 233 (top): Wiley archive. Page 233 (bottom): AFP Photo/Jack Guez/Corbis Images. Page 234: Chris Jackson/Getty Images. Page 243: Adriana Zehbrauskas/ The New York Times/Redux Pictures. Page 244: Bettman/ Corbis Images. Page 253: *Father Miguel Hidalgo and National Independence* by Jose Clemente Orozco/ Schalkwijk/ Art Resource. Page 255: Bob Riha Jr./WireImage/Getty Images. Page 256: Mario Tama/Getty Images.

Chapter 7

Page 265: Steven Dunwell/The Image Bank/Getty Images. Page 267: Alejandro Ernesto/Zuma Press. Page 273: ©AP/ Wide World Photos. Page 279: Corbis-Bettmann. Page 280 (top): ©AP/Wide World Photos. Page 280 (bottom): Chris Weeks/ Liaison Agency, Inc./Getty Images. Page 295: ©AP/Wide World Photos. Page 304: Stephanie Maze/Corbis Images. Page 305: Patrick Keen/iStockphoto. Page 306: Eugenio Opitz/Latin Focus. Page 307 (top): Peter M. Wilson/Corbis Images. Page 307 (bottom): ©AP/Wide World Photos. Page 308: Kevin Schafer/The Image Bank/Getty Images. Page 312: Henri Cartier-Bresson/Magnum Photos, Inc.

Chapter 8

Page 317: Cindy Miller Hopkins /Danita Delimont. Page 319: Enzo & Paolo Ragazzini/Corbis Images. Page 320: ©AP/Wide World Photos. Page 328: Michael & Patricia Fogden/Corbis Images. Page 333 (left): Leif Skoogforst/Corbis Images. Page 333 (right): Bettman/Corbis Images. Page 342: Jose Fuste Ragal/Corbis Images. Page 343: Pelletter Micheline/ Corbis Sygma. Page 351: "Ciudad de Centroamerica" (Central America City), 2001, acrylic by Richard Avila. Photo courtesy Ricardo Avila and Specialty Arts. Page 353: Michael Maslan Historic Photographs/Corbis Images. Page 354: Reuters NewMedia, Inc./Corbis Images. Page 358: NewsCom.

Chapter 9

Page 363: Charles & Josette Lenars/Corbis Images. Page 365: Christie's Images/Corbis Images. Page 366: Stephane Cardinale/Corbis Images. Page 377: Archivo Iconografico/ Corbis Images. Page 378: Photo by Rolf Blomberg/Archivo Blomberg. Photo courtesy CEDIME. Used with permission. Page 401: Reuters NewMedia, Inc./Corbis Images. Page 402: Roman Soumar/Corbis Images.

Chapter 10

Page 413: Carlos Barria/Reuters. Page 416: Pablo Corral/Corbis Images. Page 429: Ferdinando Scianna/Magnum Photos, Inc. Page 440: ©AP/Wide World Photos. Page 444: Daniel Stonek/Latin Focus. Page 448: *Los Buenos Recuerdos*, by Cecilia Brugnini. Courtesy Flike S.A., Cecilia Brugnini and Enrique Abal Oliu. Page 452: Bojan Brecelj/Corbis Images.

The author/editor and publisher gratefully acknowledge the permission granted to reproduce the copyright material in this book. Every effort has been made to trace copyright holders and to obtain their permission for the use of copyright material. The publisher apologizes for any errors or omissions in the above list and would be grateful if notified of any corrections that should be incorporated in future reprints or editions of this book.

Index